Narcose

Robin Cook

Narcose

A.W. Bruna Uitgevers B.V. Utrecht

Oorspronkelijke titel
Harmful Intent
© 1990 by Robin Cook. All rights reserved
Vertaling
Mariëlla Snel
© 1990 A.W. Bruna Uitgevers B.V., Utrecht

ISBN 90 229 7900 8
D/1990/0939/58
NUGI 331

2e druk, 1990

Nogmaals voor Audrey Cook, mijn geweldige moeder

'Laten we als eerste alle rechtskundigen vermoorden.'

- Henry VI, deel II

Proloog

**9 december 1988, kwart voor twaalf 's morgens
Boston, Massachusetts**

Toen Patty Owen die morgen rond half tien last kreeg van krampen, wist ze dat het zover was. Ze was bang geweest dat ze, als het moment daar was, het verschil niet zou merken tussen de weeën die het begin van de bevalling aankondigden en het getrappel en algemene gevoel van onbehagen dat kenmerkend was geweest voor de laatste drie maanden van haar zwangerschap. Die angst bleek dus ongegrond te zijn. De pijn die ze nu had, was héél anders en haar alleen bekend uit de vakliteratuur. Exact om de twintig minuten kreeg ze een pijnscheut in haar onderrug, die in de perioden ertussen verdween en zich vervolgens weer in alle hevigheid aandiende. Ondanks die pijn kon Patty een glimlach niet onderdrukken. Ze wist dat de kleine Mark aanstalten maakte om een wereldburger te worden.
Patty probeerde rustig te blijven en zocht in de keuken naar het telefoonnummer van het hotel, dat Clark haar de vorige dag had gegeven. Hij zou zijn zakenreis liever hebben overgeslagen omdat Patty bijna was uitgerekend, maar de bank had hem in feite geen keuze gelaten. Zijn baas had erop gestaan dat hij nu, na drie maanden, de onderhandelingen afrondde. Als compromis waren ze overeengekomen dat Clark na twee dagen weer naar huis kon, hoe de stand van zaken dan ook was. Desondanks had hij het afschuwelijk gevonden om weg te gaan, maar in ieder geval zou hij waarschijnlijk een volle week voordat Patty was uitgerekend, weer terug zijn...
Patty vond het telefoonnummer, draaide het en werd door een vriendelijke telefoniste meteen doorverbonden. Toen er na twee keer rinkelen niet werd opgenomen, wist Patty dat Clark al naar een bespreking was vertrokken. Voor de zekerheid liet ze het toestel nog vijf keer overgaan, in de hoop dat Clark onder de douche stond en opeens buiten adem tòch zou opnemen. Ze verlangde er ontzettend naar zijn geruststellende stem te horen.
Terwijl de telefoon rinkelde, schudde Patty haar hoofd en vocht tegen haar tranen. Ze was erg gelukkig geweest met deze eerste

zwangerschap, maar toch had ze van het begin af aan het vage voorgevoel gehad dat er iets ellendigs zou gebeuren. Toen Clark thuis was gekomen met de mededeling dat hij in deze kritieke tijd de stad uit moest, leek dat angstige voorgevoel te worden bevestigd. Ze hadden samen zwangerschapsgymnastiek gevolgd, maar nu zou ze het toch alleen moeten doen. Clark had haar verzekerd dat ze zich te veel zorgen maakte, hoe normaal dat op zich ook was, en dat hij ruim op tijd terug zou zijn voor de bevalling.

De telefoniste van het hotel kwam weer aan de lijn en vroeg of Patty een boodschap wilde achterlaten. Patty zei haar dat ze graag zou willen dat haar echtgenoot haar zo spoedig mogelijk belde, en gaf het telefoonnummer van het Boston Memorial Hospital door. Ze wist dat die korte boodschap Clark van streek zou maken, maar dat was zijn verdiende loon nu hij op een dergelijk tijdstip was weggegaan!

Toen belde Patty dokter Ralph Simarian. De vrolijke basstem van de arts maakte even een einde aan haar angst. Hij zei haar dat ze zich door Clark naar het BM moest laten brengen en dat hij zich over een paar uur bij hen zou voegen. Hij zei ook dat ze nog meer dan tijd genoeg had als de weeën pas om de twintig minuten kwamen.

'Dokter Simarian,' zei Patty toen de arts de verbinding wilde verbreken, 'Clark is voor een zakenreis de stad uit. Ik kom alleen.'

'Schitterende timing!' reageerde de arts lachend. 'Echt iets voor een man! Er vandoor gaan als er werk aan de winkel is!'

'Hij dacht dat ik nog een week de tijd had,' zei Patty, die het gevoel had dat ze Clark moest verdedigen. Zíj mocht zich aan hem ergeren, maar anderen hadden dat recht niet.

'Het was maar een grapje,' zei Simarian. 'Hij zal het vast verschrikkelijk vinden dat hij er niet bij kan zijn. Als hij terugkomt, wacht hem dus een kleine verrassing. Daar zullen we samen voor zorgen. Maakt u zich nergens zorgen over, alles zal heus goed gaan. Kunt u zelf naar het ziekenhuis komen?'

Patty zei dat haar buurvrouw had beloofd te rijden wanneer dat nodig was. 'Dokter,' ging ze toen aarzelend verder, 'ik denk dat ik zonder mijn man te zenuwachtig zal zijn om dit te doorstaan. Ik wil niets doen dat de baby schade kan berokkenen, maar zou ik misschien verdoofd kunnen worden op de manier die we al eens eerder hebben besproken...'

'Geen probleem,' zei de arts, zonder haar uit te laten praten. 'Maakt u zich maar geen zorgen over zulke kleine details. Ik regel alles wel, en zal meteen opbellen om te zeggen dat u die epidurale injectie wilt hebben. In orde?'

Patty bedankte en hing op, net voordat ze op haar lip moest bijten vanwege een volgende wee.

Er was geen reden om zich zorgen te maken, hield ze zichzelf streng voor. Ze had tijd genoeg om naar het ziekenhuis te gaan. De arts had alles onder controle en zij wist dat de baby gezond was. Ze had gestaan op een echo en een vruchtwaterpunctie, al was haar ook verzekerd dat dit bij een vrouw van vierentwintig jaar niet nodig was. Toch had ze voet bij stuk gehouden, vanwege dat rare voorgevoel en omdat ze echt bezorgd was. De resultaten van de proeven waren uiterst bemoedigend geweest. Het kind dat ze bij zich droeg, was een gezonde, normale jongen. Binnen een week na de uitslag van die proeven hadden Patty en Clark de babykamer blauw geverfd en uiteindelijk hadden ze gekozen voor de naam Mark.

Alles bij elkaar was er geen enkele reden om iets anders te verwachten dan een normale bevalling en geboorte.

Toen Patty zich omdraaide om haar ingepakte weekendtas uit de kast in de slaapkamer te pakken, zag ze dat het weer opeens totaal was omgeslagen. Het stralende septemberzonnetje had moeten wijken voor een donker wolkendek. In de verte hoorde ze de donder al en opeens liepen de koude rillingen over haar rug.

Patty was van nature niet bijgelovig en weigerde het onweer als een voorteken te beschouwen. Ze ging in de huiskamer op de bank zitten en besloot haar buurvrouw te bellen zodra deze wee voorbij was. Dan zou ze al bijna in het ziekenhuis zijn voordat de volgende zich aandiende.

Toen de pijn hevig werd, verdween het zelfvertrouwen dat de arts haar had gegeven. Een windstoot deed de berken in de tuin doorbuigen, en even later vielen de eerste regendruppels. Patty rilde en wenste dat het achter de rug was. Ze mocht dan niet bijgelovig zijn, bang was ze wel. De tranen rolden over haar wangen terwijl ze wachtte tot ze haar buurvrouw kon bellen. Ze wilde dat ze niet zo bang was.

'Geweldig!' zei de anesthesist Jeffrey Rhodes sarcastisch toen hij op zijn rooster zag dat er een nieuwe patiënte bij was gekomen. Patty Owen, die voor haar bevalling een epidurale injectie wilde hebben. Het was zijn taak, omdat al zijn collega's op dat moment al bezet waren. Hij belde de afdeling verloskunde en kreeg te horen dat er geen haast was, omdat de vrouw in kwestie nog niet in het ziekenhuis was gearriveerd.

'Zijn er complicaties waarvan ik op de hoogte zou moeten zijn?' vroeg Jeffrey.

'Nee, zo te zien niet. Eerste kind, vrouw vierentwintig jaar oud en gezond,' antwoordde de verpleegster.

'Wie is de gynaecoloog?'

'Simarian.'

Jeffrey zei dat hij direct zou komen en legde de hoorn op de haak. Dus Simarian verwacht geen problemen, dacht Jeffrey. Die man was in technisch opzicht bekwaam, maar Jeffrey had een hekel aan de vaderlijke houding die hij tegenover zijn patiënten aannam. God zij dank zou hij niet te maken krijgen met Braxton of Hicks. Hij wilde dat deze bevalling soepel en snel zou verlopen. Bij de andere twee gynaecologen zou dat zeker niet zo zijn geweest.

Hij liep naar de operatieafdeling en smeet het maskertje dat nog om zijn hals had gehangen, opgelucht in een prullenmand. De laatste zes uur had hij voortdurend door dat kreng moeten ademhalen.

Hij liep naar de garderobe en keek in de spiegel, om te zien of hij er net zo beroerd uitzag als hij zich voelde. Dat was zo. Zijn ogen leken diep in hun kassen te liggen en hij zag grauwe wallen eronder. Zelfs zijn snor zag er verfomfaaid uit, maar wat kon je anders verwachten als je zes uur lang zo'n masker had opgehad?

Zoals zoveel artsen weigerde Jeffrey bij zichzelf symptomen van ziekte of vermoeidheid te erkennen tot die hem dreigden te overweldigen. Deze dag vormde geen uitzondering op die regel. Vanaf het moment dat hij die morgen om zes uur wakker was geworden, had hij zich beroerd gevoeld. Hoewel hij al dagen lang niet helemaal honderd procent was geweest, had hij het lichte gevoel in zijn hoofd en de koude rillingen in eerste instantie afgeschreven op iets wat hij de avond daarvoor had gegeten. Toen hij midden op de ochtend misselijk werd, had hij daar onmiddellijk de vele koppen koffie de schuld van gegeven. Toen hij die middag hoofdpijn en diarree kreeg, was de soep in de cafetaria van het ziekenhuis de boosdoener.

Pas nu hij zichzelf in de spiegel zag, was hij eindelijk bereid toe te geven dat hij ziek was. Het zou de griep wel zijn die al een maand in het ziekenhuis heerste. Hij legde de binnenkant van zijn pols tegen zijn voorhoofd. Geen twijfel mogelijk: hij had koorts.

Jeffrey liep naar zijn kastje, blij dat de dag er bijna op zat. Het idee in bed te kunnen duiken was hoogst aanlokkelijk.

Jeffrey ging op de bank zitten en maakte het combinatieslot open. Hij voelde zich beroerder dan ooit. Zijn darmen maakten hoogst onaangename geluiden en door de kramp kreeg hij zweetdruppetjes op zijn voorhoofd. Als er niemand was die hem kwam aflossen, zou hij helaas nog een paar uur dienst moeten draaien.

Uit zijn kastje pakte hij een oud huismiddeltje dat zijn moeder hem als kind altijd had opgedrongen: opiumtinctuur. Hij schroefde de dop van het flesje en nam een stevige slok. Terwijl hij zijn mond afveegde, zag hij een verpleger bij hem in de buurt zitten en merkte dat die man iedere beweging van hem gadesloeg.

'Wil je ook een slok?' vroeg Jeffrey grinnikend en stak de verpleger het flesje toe. 'Geweldig spul.'

De man keek hem vol walging aan, stond op en vertrok.

Jeffrey schudde meewarig zijn hoofd om het gebrek aan humor van die kerel. Je zou bijna denken dat hij hem vergif had aangeboden! Met een voor hem absoluut ongewone traagheid trok Jeffrey zijn operatiepak uit. Nadat hij zijn slapen even had gemasseerd, nam hij een douche en droogde zich vijf minuten later grondig af. Daarna pakte hij een schoon pak, een nieuw masker en een nieuw petje en voelde zich aanzienlijk beter. Zelfs zijn darmen leken te willen meewerken, afgezien van een incidenteel gerommel.

Jeffrey liep de gang van de operatieafdeling af en ging de deur naar de verloskamers door. Die afdeling leek meer op een hotel dan op een ziekenhuis, met vrolijk gekleurde gordijnen en reprodukties van impressionistische schilderijen aan de muur.

Jeffrey liep naar de balie en informeerde naar zijn patiënte.

'Patty Owen ligt in nummer vijftien,' zei een lange, knappe negerin. Ze heette Monica Carver en ze was het nachthoofd.

'Hoe gaat het met haar?'

'Prima,' antwoordde Monica, 'maar het zal nog wel een tijdje duren. Haar weeën zijn niet erg hevig en ze heeft pas een ontsluiting van vier centimeter.'

Jeffrey knikte. Hij zou het prettiger hebben gevonden wanneer die vrouw al wat verder was. De gevraagde injectie werd over het algemeen pas gegeven als er sprake was van zes centimeter ontsluiting. Monica overhandigde Jeffrey Patty's dossier. Dat keek hij snel door. Veel stond er niet in. De vrouw was duidelijk gezond; dat was in ieder geval gunstig.

'Ik ben van plan even een praatje met haar te maken,' zei Jeffrey, 'en dan ga ik terug naar de operatieafdeling. Als er iets bijzonders is, laat je me maar oproepen.'

Jeffrey liep naar kamer vijftien en ongeveer halverwege de gang kreeg hij weer last van darmkrampen. Hij moest blijven staan en tegen de muur aan leunen tot het over was. Wat vervelend, dacht hij. Toen hij zich weer goed genoeg voelde, liep hij verder en klopte aan. Een aangename stem verzocht hem binnen te komen.

'Ik ben dokter Jeffrey Rhodes,' zei hij en stak zijn hand uit. 'Uw anesthesist.'

Patty Owen gaf hem een hand. Haar handpalm was vochtig, haar vingers waren koud. Ze leek veel jonger dan vierentwintig. Haar haar was blond en haar grote ogen leken op die van een kwetsbaar kind. Jeffrey wist dat de vrouw bang was.

'Ik ben blij u te zien,' zei Patty. 'Om u de waarheid te zeggen, ben ik nogal laf en kan ik niet goed tegen pijn.'

'Ik ben er zeker van dat we u kunnen helpen,' stelde Jeffrey haar gerust.

'Ik wil een epidurale injectie en volgens de gynaecoloog kon ik die krijgen.'

'Dat klopt. Maakt u zich nergens zorgen over, want in dit ziekenhuis doen we heel wat bevallingen. Na afloop zult u zich beslist afvragen waarom u zo zenuwachtig bent geweest.'

'Echt waar?'

'Waarom zouden er anders zoveel vrouwen terugkomen voor volgende bevallingen?'

Patty glimlachte moeizaam.

Jeffrey bleef nog een kwartiertje bij haar, vroeg naar haar gezondheid en eventuele allergieën. Hij leefde met haar mee toen ze hem vertelde dat haar man vanwege een zakenreis niet in de stad was. Haar bekendheid met de epidurale anesthesie verbaasde hem. Ze vertelde dat ze er veel over had gelezen, en dat haar zuster bij twee bevallingen ook zo'n narcose had gekregen. Jeffrey legde haar uit waarom hij haar die nog niet meteen kon toedienen en voegde eraan toe dat ze desgewenst in eerste instantie wel Demerol mocht hebben. Daarop ontspande ze zich. Voordat Jeffrey wegging, bracht hij haar nog in herinnering dat de baby alle middelen die zij kreeg toegediend, ook binnenkreeg. Maar ze hoefde zich nergens zorgen over te maken. Ze was in goede handen.

Toen Jeffrey de verloskamer uit was, kreeg hij opnieuw last van darmkrampen en besefte dat hij drastischer maatregelen moest nemen als hij deze bevalling nog wilde doen. Ondanks de opiumtinctuur voelde hij zich steeds beroerder worden.

Hij liep naar de ruimte bij de operatieafdeling die voor de anesthesisten was gereserveerd. Die was leeg en er zou naar alle waarschijnlijkheid tot de volgende morgen niemand meer komen. Jeffrey trok het gordijn dicht, omdat hij voor niemand wilde toegeven dat hij ziek was.

Hij pakte alle spullen die hij nodig had om zichzelf een infuus te geven. Hoe dat moest gebeuren, had hij zichzelf aangeleerd toen hij nog als arts-assistent in een ziekenhuis werkte. Toen hadden zijn collega's en hij zich nooit ziek willen melden, omdat ze bang waren daardoor een felbegeerd plaatsje als specialist te zullen verliezen. Als ze griep kregen, of een infectie zoals deze, gingen ze domweg even weg om zichzelf intraveneus een liter vloeistof toe te dienen. Een goed resultaat was vrijwel altijd gegarandeerd, omdat de meeste griepsymptomen aan uitdroging te wijten waren. Als er een liter Ringer-oplossing door je aderen stroomde, móest je je haast wel beter voelen. Wel was het tijden geleden dat Jeffrey voor het laatst zijn toevlucht tot zo'n paardemiddel had genomen. Hij hoopte dat het nog evenveel succes zou hebben als vroeger. Hij was nu tweeënveertig jaar oud en vond het moeilijk te geloven dat hij de vorige keer bijna twintig jaar jonger was geweest.

Net toen Jeffrey de naald in een ader wilde zetten, werd het gordijntje weggeschoven en zag hij het verbaasde gezicht van Regina Vinson, een van de zusters die avonddienst hadden.

'O!' riep Regina uit. 'Sorry.'

'Hindert niet,' wilde Jeffrey zeggen maar ze was al weg, al had hij haar eigenlijk willen vragen hem maar even te helpen. Nu ja, misschien is het wel beter zo, dacht hij.

Even later stroomde de koele vloeistof snel zijn arm in. Toen het flesje met de vloeistof vrijwel leeg was, voelde zijn hele arm koud aan. Hij trok de naald eruit, ontsmette het plekje met alcohol en boog zijn elleboog om de dot watten op zijn plaats te houden. Hij wachtte even om te zien hoe hij zich voelde. De duizeligheid en de hoofdpijn waren totaal verdwenen, net als de misselijkheid. Jeffrey was tevreden met het snelle resultaat, schoof het gordijn weer open en liep terug naar de garderobe. Alleen zijn dikke darm speelde nog op.

De dagploeg stond op het punt van vertrek en in de garderobe wemelde het van de opgewekte mensen. De meeste douches waren bezet. Eerst ging Jeffrey naar het toilet. Toen pakte hij de opiumtinctuur en nam nog een stevige slok. Hij rilde en vroeg zich af wat het spul zo bitter maakte. Het flesje, dat nu leeg was, werd in de prullenmand gesmeten. Toen nam hij nog een douche en trok een schone jas aan.

Toen hij terug was op de operatieafdeling, voelde hij zich bijna weer mens. Hij was van plan een halfuurtje of zo te gaan zitten lezen, maar op datzelfde moment ging zijn pieper. Hij herkende het nummer. De verloskamers.

'Mevrouw Owen vraagt naar u,' zei Monica Carver zodra hij haar aan de lijn had.

'Hoe gaat het met haar?'

'Prima. Ze is een beetje bang, maar ze heeft niet eens naar analgetica gevraagd, al volgen de weeën elkaar nu snel op. De ontsluiting is nu ergens tussen de vijf en de zes centimeter.'

'Perfect,' zei Jeffrey tevreden, 'Ik kom eraan.'

Op weg naar de verloskamer wierp hij een snelle blik op het avondrooster. Zoals hij al had verwacht, waren alle collega's bezet. Hij pakte een stukje krijt en schreef op het bord dat hij op de verloskamer graag zou worden afgelost zodra iemand vrij was.

Toen Jeffrey verloskamer nummer vijftien in liep, had Patty net een wee. Er was een ervaren kraamzuster bij haar en de twee vrouwen leken goed op elkaar ingespeeld te zijn. Op Patty's voorhoofd parelden zweetdruppeltjes en ze hield haar ogen stevig dicht. Ze lag aan het apparaat dat de voortgang van de weeën en de hartslag van de baby registreerde.

Zodra de wee voorbij was, deed Patty haar ogen weer open en glimlachte toen ze Jeffrey aan het voeteneinde van haar bed zag staan.

'Zal ik u nu die injectie toedienen?' stelde Jeffrey voor.

'Graag!'

Alles wat Jeffrey nodig had, stond op een wagentje dat hij zelf had meegenomen. Hij haalde de rubberen monitor van Patty's buik en hielp haar op haar zij te draaien. Met gehandschoende handen ontsmette hij haar rug. 'Eerst geef ik u de plaatselijke verdoving waarover we het al hebben gehad,' zei hij, terwijl hij de injectie voorbereidde. Met een kleine naald prikte hij midden in Patty's onderrug. Ze was zo opgelucht dat ze totaal geen krimp gaf.

Toen pakte hij een Tuoy-naald en controleerde of het stilet goed op zijn plaats zat. Met beide handen duwde hij de naald in Patty's rug, langzaam maar zeker, tot hij er zeker van was dat hij de bindweefselstrook van het wervelkanaal had bereikt. Hij trok het stilet terug, bracht een lege glazen spuit op de naald aan en drukte even op de knop. Hij voelde weerstand en duwde de naald vakkundig iets verder door. Toen was de weerstand opeens verdwenen en kon hij de proefdosis van 2 cc steriel water en de kleine hoeveelheid epinephrinum toedienen.

'Bent u klaar?' vroeg Patty.

'Nog een paar minuutjes,' zei Jeffrey, en controleerde meteen Patty's bloeddruk en hartslag. Geen verandering. Als de naald in een bloedvat terecht was gekomen, zou Patty's hartslag als reactie op het epinephrinum meteen zijn versneld.

Pas toen pakte Jeffrey de kleine epidurale catheter en bracht die handig en voorzichtig aan.

'Mijn been voelt gek aan,' zei Patty zenuwachtig.

Jeffrey duwde de catheter niet verder. Hij was op zijn hoogst een centimeter voorbij de punt van de naald. Hij vroeg Patty naar het gevoel in haar been en legde haar toen uit dat het normaal was dat zo'n catheter perifere zenuwen raakte. Dat zou dat gevoel van haar kunnen verklaren. Zodra de paresthesie afnam, duwde Jeffrey de catheter nog zo'n anderhalve centimeter verder. Patty klaagde niet.

Toen Jeffrey de naald wegtrok, bleef de kleine plastic catheter op zijn plaats zitten. Daarna maakte hij een tweede proefdosis klaar: 2 cc van .25% Marcaine met epinephrinum. Vervolgens controleerde hij Patty's bloeddruk en de sensibiliteit van haar benen. Toen zich ook na enige minuten geen veranderingen hadden voorgedaan, was Jeffrey er volkomen zeker van dat de catheter op zijn juiste plaats zat en diende hij de therapeutische dosis van het anestheticum toe: 55 cc .25% Marcaine. Daarna sloot hij de catheter af.

'Dat was alles,' zei Jeffrey en drukte een steriel verband op de plaats van de punctie. 'Maar u moet wel een tijdje op uw zij blijven liggen.'

'Ik voel niks!' klaagde Patty.

'Dat is ook de bedoeling,' zei Jeffrey met een glimlach.

'Bent u er zeker van dat het werkt?'

'Wacht u maar eens op de volgende wee!'

Jeffrey overlegde met de kraamverpleegster en zei haar hoe vaak ze Patty's bloeddruk moest controleren. Hij bleef in de verloskamer tijdens Patty's volgende wee en schreef zoals gewoonlijk een zeer nauwkeurig verslag. Patty voelde zich gerustgesteld. Ze had veel minder pijn en bedankte Jeffrey uitvoerig.

Nadat hij Monica Carver en de verpleegster had verteld waar hij te bereiken was, ging hij in een van de donkere verloskamers even liggen. Hij voelde zich beter, maar zeker niet normaal. Hij was van plan zijn ogen even dicht te doen, maar door het geruststellende geluid van de regen tegen het raam viel hij in slaap. Vaag was hij zich ervan bewust dat de deur een paar maal werd geopend en gesloten door mensen die even naar hem kwamen kijken, maar niemand stoorde hem tot Monica binnenkwam en hem zacht aan zijn schouder heen en weer schudde.

'We hebben een probleem,' zei ze.

Jeffrey zwaaide zijn benen buiten boord en wreef in zijn ogen. 'Wat dan?'

'Simarian heeft besloten tot een keizersnede bij Patty Owen.' 'Nu al?' Jeffrey keek op zijn horloge en knipperde een paar keer met zijn ogen. De kamer leek donkerder dan voorheen, en tot zijn verbazing zag hij dat hij anderhalf uur had liggen slapen.

'Het is een stuitligging en de baby daalt niet verder in,' legde Monica uit, 'maar het grootste probleem is dat het hartje van het kind na iedere wee pas heel langzaam weer met normale snelheid slaat.'

'Dan is het tijd voor een keizersnede,' bevestigde Jeffrey en ging wankel staan. Hij wachtte even tot hij zich niet meer duizelig voelde.

'Alles in orde?' vroeg Monica.

'Ja. Wanneer beginnen we?'

'Over een minuut of twintig,' zei Monica en nam Jeffrey heel aandachtig op.

'Wat is er aan de hand?'

'U ziet bleek. Maar misschien komt dat omdat het hier vrij donker is.' Buiten was het nog harder gaan regenen.

'Hoe gaat het met Patty?' vroeg Jeffrey, terwijl hij naar de W.C. liep.

'Ze is bang. Pijn heeft ze nauwelijks, maar misschien zou u er verstandig aan doen haar een tranquillizer te geven.'

Jeffrey knikte en deed het licht in de W.C. aan. Hij voelde er niet zoveel voor Patty een tranquillizer te geven, maar gezien de omstandigheden zou hij erover nadenken. 'Geef haar een zuurstofmasker,' zei hij tegen Monica. 'Ik kom zo.'

'Heb ik al gedaan,' reageerde ze terwijl ze de kamer uit liep.

Jeffrey bekeek zichzelf in de spiegel. Hij was bleek. Toen viel het hem op dat zijn pupillen zo klein waren dat ze wel potloodpuntjes leken. Geen wonder dat het hem in de andere kamer moeite had gekost op zijn horloge te kijken.

Hij bewerkte zijn gezicht met koud water en werd daar in ieder geval wakker van, maar zijn pupillen bleven krankzinnig klein. Zodra deze bevalling achter de rug was, zou hij naar huis en naar bed gaan, beloofde hij zichzelf, en liep toen naar verloskamer nummer vijftien.

Monica had gelijk. Patty was bang en zenuwachtig en nam het zichzelf kwalijk dat de bevalling niet normaal verliep. Er kwamen tranen in haar ogen toen ze opnieuw boos vertelde dat haar echtgenoot er niet was. Jeffrey had met haar te doen en probeerde haar ervan te overtuigen dat ze zichzelf nergens de schuld van hoefde te geven en dat alles in orde zou komen. Hij gaf haar ook intraveneus .5% Diazepam, dat naar zijn idee slechts een zeer geringe invloed kon hebben op het ongeboren kind. Patty werd er heel snel rustiger door.

'Slaap ik tijdens de operatie?' vroeg ze.

'U zult zich niet ongemakkelijk voelen. Nu ik u eenmaal epiduraal heb verdoofd, kan ik die dosis opvoeren zonder Patty junior te schaden.'

'Het is een jongen en we noemen hem Mark.' Haar ogen kon ze nauwelijks open houden. De tranquillizer begon te werken.

Patty werd overgebracht naar de operatiekamer, waarbij Jeffrey het zuurstofmasker op zijn plaats hield. Een operatiezuster was alle instrumenten al aan het klaarleggen en ze besloten de monitor die de hartslag van het kind in de gaten hield, voorlopig aangesloten te houden.

'Ik zal wat .5% Marcaine nodig hebben,' zei Jeffrey tegen de verpleegster. Hij kende haar niet, maar volgens haar naambordje heette ze Sheila Dodenhoff.

'Komt eraan!' reageerde ze opgewekt.

Jeffrey werkte snel. Iedere handeling die hij verrichtte, noteerde hij meteen. In tegenstelling tot de meeste andere artsen had hij een heel leesbaar handschrift.

'Alstublieft,' zei Sheila en gaf hem een glazen buisje van 30 cc waarin .5% Marcaine zat. Jeffrey controleerde zoals altijd het etiket en zette het buisje neer. Toen haalde hij uit een lade een ampul van 2 cc met .5% Marcaine en epinephrinum en zoog de vloeistof een injectiespuit in. Nadat hij Patty op haar rechterzij had gedraaid, diende hij haar via de catheter in haar onderrug die 2 cc toe.

'Hoe gaat het?' vroeg een basstem vanuit de deuropening.

Jeffrey draaide zich om en zag dokter Simarian.

'Over een minuutje zijn we klaar,' zei hij.

'Hoe gaat het met het tikkertje van de kleine?'

'Op dit moment goed.'

'Oké, dan ga ik me wassen en kunnen we beginnen.'

De deur werd weer gesloten. Jeffrey bekeek het ECG van Patty en controleerde de bloeddruk. 'Alles in orde?' vroeg hij aan de patiënte en haalde het zuurstofmasker even weg.

'Dat geloof ik wel.'

'Voelen uw voeten normaal aan?'

Patty knikte. Jeffrey keek nog eens op de monitoren en was er zeker van dat de epidurale catheter nog op zijn plaats zat, het wervelkanaal niet had doorboord, noch een van de door de zwangerschap vergrote aderen van Bateson.

Hij pakte het buisje Marcaine dat Sheila hem had gegeven. Met zijn duim wipte hij het afsluitdopje los, controleerde nogmaals het etiket en zoog de vloeistof op. Hij wilde de anesthesie minstens tot T6 en mogelijk tot T4 opvoeren. Hij keek op en zag Sheila naar hem staren.

'Is er iets aan de hand?'

Sheila bleef hem nog even aankijken, draaide zich toen op haar hielen om en liep zonder iets te zeggen de operatiekamer uit. Jeffrey haalde zijn schouders op. Er was iets gaande waarvan hij niet op de hoogte was.

Hij diende Patty de Marcaine-injectie toe. Toen sloot hij de epidurale catheter weer af, liep naar het hoofdeinde van de operatietafel, legde het flesje neer en schreef op hoeveel hij had geïnjecteerd en hoe laat. De piepjes van haar hartslag op de monitor kwamen iets sneller en hij keek op. Jeffrey had een wat tragere hartslag verwacht, maar het tegenovergestelde bleek het geval te zijn. Patty's hart begon sneller te kloppen. Dat was het eerste teken van de naderende ramp.

In eerste instantie was Jeffrey eerder nieuwsgierig dan bezorgd. Zijn analytische geest zocht naar een logische verklaring voor wat hij zag. Hij keek naar de bloeddrukmeter en naar de oxymeter. Alles prima in orde. Toen keek hij weer naar het ECG. De hartslag nam nog steeds in snelheid toe en werd nu bovendien ectopisch en onregelmatig. Gegeven de omstandigheden was dat geen goed teken.

Jeffrey slikte moeizaam toen er een brok in zijn keel kwam van angst. Het was pas een paar seconden geleden dat hij de Marcaine had geïnjecteerd. Zou die in een bloedvat terecht zijn gekomen, ondanks het positieve resultaat van de testdosis? Jeffrey had eenmaal eerder in zijn carrière een verkeerde reactie op een plaatselijke verdoving meegemaakt en dat was een afschuwelijke ervaring geweest.

De ectopische slagen werden frequenter. Waarom ging het hart sneller slaan, en wat veroorzaakte die onregelmatigheid? Waarom daalde de bloeddruk niet als het verdovende middel in een bloedvat terecht was gekomen? Jeffrey kon die vragen niet meteen beantwoorden, maar zijn medische zesde zintuig zond alarmsignalen uit. Er deed zich iets abnormaals voor dat hij niet kon verklaren, laat staan begrijpen.

'Ik voel me niet goed,' zei Patty.

Jeffrey keek naar haar gezicht en zag dat ze weer bang was geworden. 'Wat is er dan aan de hand?'

'Ik voel me raar.'

'Hoe bedoelt u?' Jeffrey keek weer naar de monitoren. Bij een plaatselijke verdoving bestond altijd het risico van een allergie, hoewel het nogal vergezocht leek daar twee uur na de eerste dosering nog rekening mee te moeten houden. Hij zag dat haar bloeddruk iets was gestegen.

'Ahhhhh!' kreunde Patty.

Jeffrey keek naar haar gezicht en zag dat het was vertrokken tot een afschuwelijke grimas.

'Patty, waar heb je pijn?'

'In mijn buik. Hoog, vlak onder mijn ribben. Het is anders dan de pijn van de weeën. Alstublieft...'

Patty begon te kronkelen op de operatietafel en trok haar benen op. Sheila kwam binnen, samen met een gespierde verpleger, die een handje hielp bij de pogingen haar in bedwang te houden.

De bloeddruk, die iets was gestegen, begon nu te dalen. 'Plaats een wig onder haar rechterzij,' beval Jeffrey terwijl hij efedrine uit de lade haalde en die klaarmaakte om te injecteren. In gedachten berekende hij hoever hij de bloeddruk moest laten zakken voordat hij de injectie toediende. Hij had er nog altijd geen idee van wat er aan de hand was en gaf er de voorkeur aan niets te doen tot hij dat wel wist.

Een gorgelend geluid trok zijn aandacht weer naar Patty's gezicht. Hij haalde het zuurstofmasker weg. Tot zijn verbazing en afschuw zag hij dat ze kwijlde als een dol geworden hond, terwijl de tranen over haar wangen stroomden. Een natte hoest suggereerde dat de longen en de trachea ook steeds meer vocht begonnen af te scheiden. Jeffrey bleef zich op en top professioneel gedragen. Hij was opgeleid om dergelijke noodsituaties aan te kunnen. Hij dacht na over wat er aan de hand kon zijn, terwijl hij de levensbedreigende symptomen bestreed. Eerst zoog hij Patty's nasopharynx uit, toen diende hij intraveneus atropine toe, gevolgd door efedrine. Weer zoog hij de vloeistof af, gevolgd door een tweede dosis atropine. De vochtafscheiding werd minder, de bloeddruk stabiliseerde, de oxygenatie bleef normaal, maar Jeffrey kende nog altijd de oorzaak van de problemen niet. Het enige dat hij zich kon voorstellen, was een allergische reactie op de Marcaine. Hij keek naar het ECG, in de hoop dat de atropine een positief effect zou hebben op de onregelmatige hartslag. Die werd echter nog sneller en onregelmatiger. Jeffrey maakte een dosis van 4 mg propranolol klaar, maar voordat hij die kon toedienen, zag hij ogenschijnlijk ongecontroleerde spasmen van Patty's gezicht en even later verspeidden die onvrijwillige contracties zich naar de andere spieren, tot haar hele lichaam zich clonisch verkrampte.

'Trent, hou haar vast!' schreeuwde Sheila naar de verpleger. 'Pak haar benen!'

Jeffrey injecteerde de propranolol terwijl het ECG verdere bizarre veranderingen liet zien, die erop wezen dat er iets mis was met het elektrische conductiesysteem van het hart.

Patty gaf groene gal op, die Jeffrey snel wegzoog. Hij keek naar de oxymeter. Nog redelijk. Toen ging het alarm af van de monitor die de ongeboren vrucht in de gaten hield. De hartslag van de baby werd trager. Voordat iemand iets kon doen, kreeg Patty een aanval van grand mal. Haar armen en benen maaiden woest door de lucht en toen kromde haar rug zich in een afschuwelijke hyperextensie.

'Wat is er verdomme aan de hand?' schreeuwde Simarian, die binnen kwam rennen.

'De Marcaine,' schreeuwde Jeffrey. 'Ze reageert daar krankzinnig op.' Snel pakte hij 75 mg succinylcholine.

'Jezus Christus!' schreeuwde Simarian en liep op de tafel af om te helpen Patty in bedwang te houden.

Jeffrey injecteerde de succinylcholine, en nog een extra dosis Diazepam. De oxymeter produceerde een lagere toon toen Patty's oxygenatie verminderde. Jeffrey zoog opnieuw haar luchtwegen schoon en diende honderd procent zuivere zuurstof toe.

Langzamerhand namen de spasmen af. Jeffrey bracht een endotracheaal buisje aan, controleerde of het goed zat en diende haar veel extra zuurstof toe. Het geluid van de oxymeter werd meteen hoger, maar de monitor van de foetus bleef alarm slaan. De hartslag van de baby was nog steeds traag.

'We moeten de baby halen!' schreeuwde Simarian. Hij pakte steriele handschoenen en trok die bliksemsnel aan.

Jeffrey zag dat de bloeddruk weer daalde en gaf Patty nog een dosis efedrine. Hij keek naar het ECG. Dat was door de propranolol niet beter geworden. Toen zag hij tot zijn grote schrik opeens dat Patty's hart stil stond.

'Hartstilstand!' schreeuwde hij.

'Mijn God!' gilde Simarian, die meteen hartmassage begon toe te passen. Sheila belde om assistentie.

'Contrashock toedienen!' beval Jeffrey.

Simarian pakte de defibrillator over van een van de net aangekomen verpleegsters en zette die op Patty's borst. Iedereen deed een paar stappen achteruit. Simarian drukte op de knop. Omdat Patty door de succinylcholine verlamd was, leverde de stroomstoot geen zichtbaar resultaat op, behalve wat er op het ECG-scherm te zien was. Het fibrilleren verdween, maar ze zagen geen normale hartslag. Wel een vlakke lijn, met een paar uitschietertjes. 'Masseren!' beval Jeffrey en keek naar het ECG. De gespierde verpleger nam het van Simarian over.

Het alarm voor de foetus ging nog altijd af. 'We moeten de baby halen!' zei Simarian nogmaals, terwijl hij een mes pakte en aan het werk ging. Met een verticale incisie opende hij Patty's onderbuik. Door de lage bloeddruk bloedde ze weinig. Er kwam een kinderarts binnen, om de baby meteen te kunnen overnemen.

Jeffrey bleef zijn aandacht op Patty richten. Weer zoog hij haar luchtwegen schoon en was verbaasd over de hoeveelheid secretie, ondanks de twee doses atropine. Hij controleerde Patty's pupillen en zag tot zijn verbazing dat die niet groot, maar juist heel klein waren. Omdat de oxygenatie op peil bleef, besloot hij Patty geen medicijnen meer toe te dienen tot de baby was gehaald. In het kort vertelde hij de verpleegster die was gekomen om hem te assisteren, wat er was gebeurd.

'Denkt u dat het een reactie op de Marcaine is?' vroeg ze.

'Iets anders kan ik niet bedenken,' gaf hij toe.

De volgende minuut werd de stille, blauwe baby uit Patty's baarmoeder gehaald. Nadat de navelstreng was doorgeknipt, werd het kind snel overgedragen aan de kinderarts, die ermee naar zijn eigen unit rende, waar hij met zijn team zou proberen het te reanimeren.

'Dat vlakke ECG staat me niets aan,' mompelde Jeffrey in zichzelf terwijl hij weer epinephrinum toediende. Geen reactie op het ECG. Hij probeerde het met nog een dosis atropine. Niets. Snel nam hij een bloedmonster en stuurde dat naar het lab.

Ted Overstreet, een van de hartchirurgen die net een bypass-operatie had verricht, kwam binnen en ging naast Jeffrey staan. Nadat Jeffrey hem de situatie had uitgelegd, stelde Overstreet voor haar open te maken.

Een van de verpleegsters kwam met de mededeling dat het niet goed ging met de baby. 'Apgar-score maar drie,' zei ze. 'Hij ademt en zijn hartje slaat, maar niet goed. Ook de spiertonus is niet in orde, om niet te zeggen regelrecht eigenaardig.'

'Hoezo?' vroeg Jeffrey. Hij verzette zich tegen een opkomend gevoel van depressie.

'Zijn linkerbeentje beweegt goed, het rechter is volkomen slap. Met zijn armpjes is precies het tegenovergestelde het geval.'

Jeffrey schudde zijn hoofd. Het kind had in de baarmoeder duidelijk te weinig zuurstof gekregen en nu was er sprake van hersenletsel. Dat was afschuwelijk, maar hij had nu de tijd niet om daar verder over na te denken. Hij moest Patty's hart weer aan de praat zien te krijgen.

Er kwam bericht uit het lab. Patty's pH was 7,28. Gegeven de omstandigheden dus behoorlijk goed. Jeffrey diende haar een dosis calciumchloride toe. Minuten leken eeuwen te duren terwijl iedereen naar het scherm keek, wachtend op een levensteken, iets waaruit bleek dat de vrouw op de behandeling reageerde. Maar de monitor liet nog altijd een frustrerende horizontale lijn zien.

De verpleger bleef hartmassage toepassen. Patty's longen werden voortdurend van zuivere zuurstof voorzien. De pupillen bleven klein, waardoor de suggestie werd gewekt dat haar hersenen voldoende zuurstof kregen, maar haar hart bleef elektrisch en mechanisch gesproken stilstaan. Jeffrey deed alles wat volgens de boeken moest worden gedaan, inclusief het toedienen van een tweede, zware stroomstoot, maar ook dat had geen enkel positief effect.

Zodra de toestand van de baby door toedoen van de kinderarts stabiel was geworden, werd hij meegenomen naar de intensive care voor pasgeborenen. Jeffrey keek hem na en voelde zich beroerd.

Toen keek hij weer naar Patty. Wat kon hij nu nog doen? In paniek wendde hij zich tot Ted, die nog altijd naast hem stond.

'Zoals ik al heb gezegd, denk ik dat we haar moeten opensnijden. Op dit moment hebben we nauwelijks iets te verliezen.'

'Oké, laten we dat dan maar proberen,' zei hij aarzelend, omdat hij geen beter idee had, maar de strijd ook niet wilde opgeven.

Ted trok steriele kleding aan en was in minder dan tien minuten klaar. Een paar seconden later hield hij Patty's hart al in zijn handen.

Ted masseerde het hart met zijn gehandschoende hand en spoot zelfs epinephrinum rechtstreeks in de linker hartkamer. Het mocht niet baten, evenmin als de pacemaker, en op een gegeven moment zei hij: 'Ik ben bang dat we niets meer kunnen doen, tenzij iemand een donorhart paraat heeft.'

Toch bleef Ted het hart masseren. Het enige geluid kwam van de monitor die de verrichtingen van de pacemaker registreerde en het zachte gebrom van de oxymeter, die op Teds massage reageerde.

'Ik ben het met je eens,' zei Simarian, de stilte verbrekend, en trok zijn handschoenen uit.

Ted keek naar Jeffrey, die knikte. Ted hield op met masseren en trok zijn hand uit Patty's borstkas. 'Sorry,' zei hij.

Jeffrey knikte nogmaals. Toen keek hij naar Patty Owen, wier borstkas en buik zo ruw waren geopend. Het was een afschuwelijk gezicht, dat Jeffrey de rest van zijn leven zou bijblijven.

Hij was wel eens eerder getuige geweest van een tragedie, maar dit was de ergste, en de meest onverwachte. Hij keek naar zijn kar, waarop onder allerlei buisjes zijn nog niet voltooide verslag lag. Dat zou hij nog moeten afmaken. Hij zocht naar het halflege buisje Marcaine, waar hij opeens een onberedeneerde antipathie voor had ontwikkeld. Hoewel het gezien de resultaten van de proefdoses onmogelijk leek, had hij toch het gevoel dat er een allergische reactie aan deze tragedie ten grondslag lag. Hij wilde het buisje tegen de muur kunnen smijten, om uiting te geven aan zijn frustratie. Natuurlijk zou hij dat niet echt doen, want daarvoor was zijn zelfbeheersing te groot. Te midden van de troep kon hij het buisje echter niet vinden.

'Sheila, wat is er met het buisje Marcaine gebeurd?' riep hij.

Sheila staakte even haar eigen werkzaamheden en keek Jeffrey nijdig aan. 'Als ú dat niet weet, weet ìk het zeker niet,' snauwde ze.

Jeffrey knikte en haalde Patty toen van de monitoren af. Hij begreep Sheila's woede wel. Hij was ook boos. Patty had zo'n lot niet verdiend. Wat Jeffrey niet besefte, was dat Sheila niet boos was op het lot. Ze was boos op Jeffrey. In feite was ze zelfs woedend op hem.

1

Maandag 15 mei 1989, kwart over elf 's morgens

Door een hoog raam in de muur links van Jeffrey kwam het zonlicht de rechtszaal in en bescheen de gelambrizeerde muur achter de stoel van de rechter. Sinds het begin van het proces was Jeffrey telkens weer getroffen door de theatrale aspecten van het juridische systeem. Maar dit was geen televisieserie. Jeffrey's carrière en zijn hele verdere leven stonden op het spel.

Jeffrey deed zijn ogen dicht en legde zijn hoofd in zijn handen, terwijl hij de ellebogen op de tafel voor hem liet rusten. Toen wreef hij eens uitgebreid in zijn ogen. De spanning dreigde hem gek te maken.

Hij haalde diep adem, deed zijn ogen weer open en hoopte half dat hij opeens zou blijken te ontwaken uit de allerergste nachtmerrie van zijn leven. Natuurlijk had hij geen nare droom. Jeffrey stond voor de tweede maal terecht voor de vroegtijdige dood van Patty Owen, nu vijf maanden geleden. Hij zat in een rechtszaal in het centrum van Boston en wachtte het oordeel van de jury af. Over het hoofd van zijn advocaat heen keek Jeffrey naar de aanwezigen. Er werd zacht maar opgewonden gepraat, over hem, wist hij, en wendde zijn ogen weer af. Hij wenste dat hij zich ergens kon verstoppen, omdat hij zich diep vernederd voelde. Zijn hele leven leek te zijn gedesintegreerd, met zijn carrière ging het snel bergafwaarts. Hij voelde zich overweldigd, maar om de een of andere merkwaardige reden ook verdoofd.

Jeffrey zuchtte. Randolph Bingham, zijn advocaat, had er bij hem op aangedrongen rustig en beheerst over te komen. Gemakkelijker gezegd dan gedaan, vooral nu. De jury was onderweg naar de rechtszaal, omdat ze tot een uitspraak was gekomen.

Jeffrey bestudeerde het aristocratische profiel van Randolph. De laatste afschuwelijke vijf maanden was de man een soort vader voor hem geworden, ook al was hij slechts vijf jaar ouder dan Jeffrey. Soms had Jeffrey iets als liefde voor hem gevoeld, soms had hij hem regelrecht gehaat. Maar hij had wel altijd vertrouwen gehad in zijn capaciteiten als jurist, in ieder geval tot dit moment.

Jeffrey keek naar de tafel van de openbare aanklager. Hij had een grote antipathie voor die man gekregen, omdat hij deze zaak leek te gebruiken als een middel om zijn politieke carrière een duw in de goede richting te geven. Nu besefte hij echter dat hij geen enkele emotie voor de man kon opbrengen. Hij had uiteindelijk zijn werk gedaan, niets anders dan dat.

Jeffrey keek naar de nog lege loge van de jury. Tijdens het proces had het idee dat die twaalf onbekende mensen zijn lot in handen hielden, hem verlamd. Nooit had hij zich zo kwetsbaar gevoeld. Tot nu had hij de illusie gehad dat hij zijn lot grotendeels zelf bepaalde, maar dit proces had hem duidelijk gemaakt hoezeer hij zich daarin had vergist.

De jury had zich twee dagen - en voor Jeffrey twee slapeloze nachten - lang teruggetrokken om zich te beraden. Nu wachtte hij tot die mensen weer terug zouden komen in de rechtszaal. Jeffrey vroeg zich opnieuw af of dat twee dagen overleggen een goed of een slecht teken was. Randolph had zich daar niet over willen uitlaten, maar hij had toch wel eens één keertje kunnen liegen om Jeffrey een paar uur relatieve rust te gunnen!

Jeffrey begon met een vinger langs zijn snor te strijken, ondanks zijn goede voornemen zich uiterlijk onbewogen te tonen. Toen hij besefte wat hij deed, hield hij ermee op, vouwde zijn handen en legde ze op tafel.

Hij keek over zijn linkerschouder en zag Carol, de vrouw die spoedig zijn ex-vrouw zou zijn. Het had hem wellicht moeten ergeren dat ze zo ontspannen was dat ze rustig kon zitten lezen, maar dat was niet het geval. Jeffrey was dankbaar dat ze er wàs en hem op deze wijze had gesteund. Ze waren tenslotte al voor het begin van deze nachtmerrie beiden tot de conclusie gekomen dat ze van elkaar waren vervreemd.

Toen ze acht jaar geleden waren getrouwd, had het niet belangrijk geleken dat Carol extreem sociaal en extrovert was, terwijl hij naar het tegenovergestelde neigde. Jeffrey had het ook niet erg gevonden dat Carol eerst in de bankwereld carrière wilde maken voordat ze aan kinderen begonnen, tot hij merkte dat ze in feite helemaal nooit kinderen wilde hebben. Nu wilde ze naar het westen vertrekken, naar Los Angeles. Jeffrey had nog wel met een verhuizing naar Californië kunnen leven, maar niet met kinderloosheid. Door de jaren heen was hij steeds sterker naar een kind gaan verlangen, al kon hij het haar niet kwalijk nemen dat zij voor een ander leven had gekozen. In eerste instantie had hij zich verzet tegen het idee van een echtscheiding, maar toen had hij toegegeven. Om de een of andere reden waren ze niet voorbestemd bij elkaar te blijven. Toen Jeffrey echter juridisch in de problemen was gekomen, had Carol aangeboden die echtscheiding aan te houden tot Jeffrey uit de misère was.

Jeffrey zuchtte nogmaals, luider dan de eerste keer. Randolph keek hem even afkeurend aan, maar Jeffrey vond niet dat zijn houding er op dat moment nog iets toe deed. Het was allemaal zo duizeling-wekkend snel gebeurd. Na de rampzalige dood van Patty Owen was hij er binnen de kortste keren van beschuldigd een medische fout te hebben gemaakt. Het proces op zich had hem niet verbaasd, wel de snelheid waarmee het was aangespannen.

Van het begin af aan had Randolph hem ervoor gewaarschuwd dat het moeilijk zou worden, maar Jeffrey had er geen idee van gehad hoe erg het allemaal zou worden. Binnen heel korte tijd had het Boston Memorial hem geschorst. Op dat moment was dat in zijn ogen een willekeurige en onnodig wrede beslissing geweest. Hij had op steun van die kant gehoopt, maar ze hadden het vertrouwen in hem opgezegd. Jeffrey en Randolph hadden geen idee gehad van de redenen die aan die beslissing ten grondslag lagen. Jeffrey had actie tegen het ziekenhuis willen ondernemen, maar dat had Randolph hem afgeraden. Hij meende dat die kwestie beter kon worden afge-handeld als ze het proces wegens onbekwaam handelen achter de rug hadden.

Maar het was allemaal nog erger geworden. De advocaat van de tegenpartij was een jonge, agressieve man die Matthew Davidson heette en verbonden was aan een advocatenkantoor in St. Louis, dat zich in dergelijke zaken had gespecialiseerd. Davidson had ook connecties met een klein algemeen advocatenkantoor in Massachu-setts. Hij was gaan procederen tegen Jeffrey, Simarian, Overstreet, het ziekenhuis en zelfs Arolen Pharmaceuticals, die het Marcaine had geproduceerd. Randolph had hem uitgelegd dat de tegenpartij voor de agressieve benadering had gekozen, waarbij mensen en instanties bij wie 'iets te halen' viel, voor de rechtbank werden gedaagd, ondanks het feit dat er niet altijd bewijzen waren van een directe betrokkenheid bij een incident.

Het had Jeffrey aanvankelijk enigermate getroost dat hij niet de enige aangeklaagde was, maar dat had niet lang geduurd. Het werd al snel duidelijk dat hij alleen zou staan. Hij kon zich het keerpunt nog herinneren alsof het gisteren was. Het was gekomen toen hij voor het eerst werd ondervraagd tijdens het eerste proces. Davidson had hem eerst een paar oppervlakkige vragen over zijn achtergrond gesteld, en was toen opeens fel in de aanval gegaan.

'Dokter,' had hij gezegd, 'bent u wel eens aan een of ander verdovend middel verslaafd geweest?'

Randolph was meteen overeind gesprongen om protest tegen die vraag aan te tekenen en Jeffrey had het gevoel gehad dat hij naar een dramatische film zat te kijken.

Davidson had echter gereageerd met de opmerking dat de vraag uitermate relevant was, zoals hij aan de hand van verklaringen van volgende getuigen voor de rechtbank zou aantonen.

De rechter was een zwaargebouwde man, die naar de naam Wilson luisterde. Hij had zijn goudomrande bril wat hoger op zijn neus geschoven en het Davidson toegestaan verder te gaan, met de waarschuwing dat het hem duur zou komen te staan als hij een loopje met de rechtbank nam.

'Moet ik de vraag herhalen, dokter?' had Davidson toen gezegd.

'Nee,' had Jeffrey geantwoord, terwijl hij even naar Randolph keek, die druk zat te schrijven. 'Ja,' was hij toen verder gegaan, 'ik heb ooit met een licht probleem te kampen gehad.' Het was een oud geheim, waarvan hij nooit had verwacht dat het boven water zou komen, en al zeker niet voor een rechtbank. Kort geleden was hij er aan herinnerd toen hij de formulieren moest invullen om zijn medische vergunning in Massachusetts te verlengen, maar hij had gedacht dat dergelijke informatie vertrouwelijk was.

'Wilt u de jury vertellen aan welk middel u verslaafd bent geweest?' vroeg Davidson en deed een paar stappen achteruit, alsof hij het niet kon verdragen langer dan absoluut noodzakelijk was in de buurt van Jeffrey te blijven.

'Aan morfine,' zei Jeffrey bijna uitdagend. 'Dat was vijf jaar geleden. Ik had erge last van rugpijn, na een ongeluk met mijn fiets.'

Vanuit zijn ooghoek zag Jeffrey Randolph aan een wenkbrauw krabben. Dat was een van tevoren afgesproken teken dat Jeffrey de vraag moest beantwoorden, maar niet uit zichzelf nadere informatie moest verstrekken. Jeffrey negeerde hem. Hij was boos omdat dit niet-relevante gegeven uit zijn verleden werd opgerakeld.

'Hoe lang bent u verslaafd geweest?' vroeg Davidson.

'Nog geen maand,' snauwde Jeffrey vrijwel meteen. 'Het was een situatie waarbinnen noodzaak en behoefte onmerkbaar met elkaar waren versmolten.'

'Hmmm. Heeft u het voor uzelf zo verklaard?'
'Zo heeft mijn therapeut het verklaard. Toen ik dat ongeluk kreeg, was er binnen de huiselijke sfeer sprake van toenemende spanningen.' Jeffrey zag Randolph weer aan zijn wenkbrauw krabben, maar opnieuw negeerde hij hem. 'De morfine werd me voorgeschreven door een orthopedisch chirurg. Ik heb mezelf toen wijsgemaakt dat ik het langer nodig had dan ik het in feite nodig had. Maar binnen een paar weken besefte ik wat er aan het gebeuren was. Ik ben toen met ziekteverlof gegaan en heb me vrijwillig voor behandeling aangemeld. Ik kan daar nog aan toevoegen dat ik toen voor mijn huwelijksproblemen een psycholoog in de arm heb genomen.'
'Heeft u tijdens die weken wel eens uw werk als anesthesist verricht terwijl u... terwijl u onder invloed was?'
'Edelachtbare, deze wijze van ondervragen is absurd en kan slechts als laster worden gekwalificeerd!' protesteerde Randolph.
Opnieuw verzekerde Davidson de rechter dat later duidelijk zou worden waarom hij deze vragen stelde, en weer kon hij doorgaan. Davidson herhaalde de vraag.
Jeffrey keek de man woedend aan. Hij wist dat niemand het recht had te twijfelen aan zijn competentie als arts, en bovendien was hij zich zijn verantwoordelijkheden altijd terdege bewust geweest. 'Ik heb nooit een patiënt te kort gedaan.'
'Dat vroeg ik niet.'
'Edelachtbare, mag ik u even spreken?' vroeg Randolph.
'Zo u dat wenst.'
Randolph en Davidson liepen naar de rechter toe. Jeffrey kon niet goed horen wat er werd gezegd, maar ving wel enige malen het woord 'reces' op.
'Dokter Rhodes, uw advocaat lijkt te denken dat u een rustpauze nodig heeft,' zei de rechter. 'Klopt dat?'
'Nee,' zei Jeffrey boos.
'Dan kunt u verder gaan, meneer Davidson,' besliste de rechter.
'In orde, Edelachtbare. Dokter, bent u wel eens als anesthesist werkzaam geweest nadat u morfine had gebruikt?'
'Het zou een- of tweemaal...'
'Ja of nee, dokter?'
'Ja,' zei Jeffrey en voelde zijn bloed koken. Hij zou de advocaat van de tegenpartij op dat moment met alle soorten van genoegen eigenhandig hebben gewurgd.
'Heeft u later nog wel eens morfine gebruikt... nadat u voor uw ver-

slaving aan dat middel was behandeld?' vroeg Davidson, met veel nadruk op de woorden 'morfine' en 'verslaving'.

'Absoluut niet,' verklaarde Jeffrey met grote stelligheid.

'Had u morfine gebruikt op de dag dat u de ongelukkige Patty Owen die verdoving toediende?'

'Absoluut niet,' herhaalde Jeffrey.

'Bent u daar zeker van, dokter Rhodes?'

'Ja!' schreeuwde Jeffrey.

'Geen vragen meer, Edelachtbare,' zei Davidson en liep terug naar zijn stoel.

Tijdens het kruisverhoor had Randolph gedaan wat hij kon. Hij legde er de nadruk op dat het probleem klein en van korte duur was geweest, en dat Jeffrey nooit meer dan de therapeutische dosis had genomen. Bovendien had Jeffrey zich vrijwillig laten behandelen, was hij genezen verklaard en waren er geen disciplinaire maatregelen tegen hem genomen. Maar ondanks die geruststellende woorden hadden Jeffrey en Randolph beiden het gevoel gehad dat hem een doodsklap was toegediend.

Op dat moment werd Jeffrey naar het heden teruggebracht door het verschijnen van de geüniformeerde parketwachter bij de deur van de kamer van de jury. De man liep echter door naar de vertrekken van de rechter en Jeffrey's gedachten gingen weer terug naar dat eerste proces.

Davidson had inderdaad andere getuigen opgeroepen die moesten bewijzen hoe relevant zijn eerdere vragen waren geweest. De eerste verrassing had zich aangediend in de gedaante van Regina Vinson.

Na enige inleidende vragen vroeg Davidson haar of ze dokter Jeffrey Rhodes had gezien op de fatale dag van Patty Owens overlijden.

'Ja,' zei Regina en staarde Jeffrey aan.

Jeffrey kende Regina vaag als een van de verpleegsters die meestal avonddienst draaiden. Hij kon zich niet herinneren haar die dag te hebben gezien.

'Waar was dokter Rhodes toen u hem zag?'

'Hij was in de ruimte voor de anesthesisten bij operatiekamer nummer elf,' antwoordde Regina en bleef Jeffrey strak aankijken.

Weer had Jeffrey het voorgevoel dat er voor hem iets heel vervelends zou gebeuren, maar hij had er geen idee van wat het zou kunnen zijn. Hij kon zich herinneren dat hij het merendeel van de dag in die OK bezig was geweest. 'Wat gaat ze zeggen?' fluisterde Randolph hem toe.

'Ik heb geen idee,' fluisterde Jeffrey terug, die op zijn beurt strak naar de vrouw bleef kijken en tot zijn verbazing voelde dat ze hem echt vijandig gezind was.

'Heeft dokter Rhodes u gezien?'

'Ja.'

Opeens herinnerde Jeffrey zich haar verschrikte gezicht toen ze het gordijntje had opengetrokken. Hij had Randolph niet verteld dat hij zich die dag niet goed had gevoeld. Daar had hij wel even over gedacht, maar hij had het niet aangedurfd. Destijds had hij gemeend dat zijn handelwijze getuigde van toewijding en zelfopoffering. Later was hij daar niet meer zo zeker van geweest. Dus had hij het nooit aan iemand verteld. Hij wilde Randolphs arm vastpakken, maar daar was het al veel te laat voor.

Davidson keek de juryleden een voor een doordringend aan en stelde toen de volgende vraag. 'Vond u het vreemd dokter Rhodes daar te zien?'

'Ja. Het gordijn was dicht en die operatiekamer werd niet gebruikt.'

Davidson bleef naar de jury kijken. 'Wilt u ons vertellen wat dokter Rhodes daar deed?'

'Hij was zichzelf intraveneus iets aan het toedienen,' zei Regina boos.

In de rechtszaal werd opgewonden gemompeld. Randolph keek Jeffrey geschokt aan. Jeffrey schudde schuldig zijn hoofd. 'Ik kan het verklaren,' mompelde hij lam.

Davidson ging verder. 'En wat heeft u daarna gedaan?'

'Ik ben naar het nachthoofd gegaan, die het hoofd van de afdeling anesthesie heeft opgebeld. Helaas kon die pas worden bereikt nadat de ramp al een feit was,' antwoordde de vrouw.

Meteen na die uiterst schadelijke verklaring had Randolph om een reces gevraagd en dat ook gekregen. Zodra Jeffrey en hij onder vier ogen met elkaar konden spreken, had hij hem naar dat infuus gevraagd. Jeffrey had hem verteld dat hij zich die dag beroerd had gevoeld en dat hij de enige was geweest die bij die bevalling kon assisteren. Hij vertelde exact wat hij had gedaan om te kunnen blijven werken, inclusief het infuus en de opiumtinctuur.

'Wat heb je me verder nog niet verteld?' vroeg Randolph boos.

'Niks.'

'Waarom heb je het me niet eerder verteld?'

Jeffrey schudde zijn hoofd, omdat hij dat zelf ook niet precies wist. 'Ik heb het nooit prettig gevonden toe te geven dat ik ziek was, ook niet voor mezelf. De meeste artsen handelen zo. Misschien denken we graag dat wij zelf onkwetsbaar zijn.'

'Ik wil weten waarom je het míj, je advocaat nota bene, niet hebt kunnen vertellen.'

'Ik denk dat ik er bang voor was,' gaf Jeffrey toe. 'Ik heb al het mogelijke voor Patty Owen gedaan. Iedereen die mijn verslag leest, zal dat kunnen bevestigen. Ik had er geen enkele behoefte aan dat iemand zich zou gaan afvragen of ik wel in topvorm was. Misschien had ik het idee dat je me niet zo intensief zou verdedigen als je ook maar het vage idee had dat ik nog wel eens schuldig zou kunnen zijn.'

'Christus!' riep Randolph uit.

Later had Randolph tijdens het kruisverhoor geprobeerd de schade zoveel mogelijk beperkt te houden, onder andere met de stelling dat Regina niet kon weten of Jeffrey zichzelf een verdovend middel had toegediend, of alleen een infuus had aangebracht om een ernstige vorm van uitdroging tegen te gaan.

Toen riep Davidson Sheila Dodenhoff als getuige op. Net als Regina keek zij Jeffrey woedend aan terwijl ze haar verklaring aflegde.

'Mevrouw Dodenhoff,' zei Davidson, 'is u aan de beklaagde, dokter Rhodes, destijds iets eigenaardigs opgevallen?'

'Inderdaad!' zei ze triomfantelijk.

'Wilt u het Hof vertellen wàt u is opgevallen?'

'Ik heb gezien dat zijn pupillen heel erg klein waren,' zei Sheila. 'Ze waren zelfs nauwelijks te zien!'

Davidsons volgende getuige was een wereldberoemde oogarts uit New York, die zich had gespecialiseerd in het functioneren van de pupil. Davidson vroeg hem welk middel de menselijke pupil zo kon verkleinen.

'Morfine,' zei de specialist zonder ook maar een seconde te aarzelen.

Terwijl het proces zich voortsleepte, probeerde Randolph de opgelopen schade recht te breien door te zeggen dat Jeffrey de opiumtinctuur had geslikt in verband met diarree. Opium bevatte morfine, stelde hij, en daardoor waren de pupillen van zijn cliënt zo klein geweest. Hij legde ook uit dat Jeffrey zich die vloeistof intraveneus had toegediend om griepsymptomen te bestrijden die vaak een gevolg van uitdroging zijn. Het was echter duidelijk dat de jury die verklaringen niet slikte, vooral nadat Davidson ook nog een bekend internist als getuige had opgeroepen.

'Wilt u me eens vertellen, dokter, of het gebruikelijk is dat artsen zichzelf zo behandelen als dokter Rhodes dat schijnt te hebben gedaan?'

'Nee, dat is het absoluut niet,' zei de internist.

De doodsklap kwam toen Davidson Marvin Hickleman als getuige opriep. 'Meneer Hickleman, heeft u operatiekamer nummer vijftien schoongemaakt nadat Patty Owen daar was behandeld?'

'Ja, dat klopt.'

'Ik heb begrepen dat u toen in de container naast de apparatuur van de anesthesist iets eigenaardigs heeft gevonden?'

'Ja, een leeg buisje Marcaine.'

'In welke concentratie?'

'.75%,' zei Marvin.

'Ik heb een concentratie van .5% gebruikt. Daar ben ik zeker van,' had Jeffrey in Randolphs oor gefluisterd.

'Heeft u ook buisjes gevonden met een concentratie van .5 %?' vroeg Davidson, alsof hij Jeffrey had gehoord.

'Nee,' antwoordde Marvin. 'Beslist niet.'

Tijdens het kruisverhoor had Randolph de zaak helaas alleen nog maar erger gemaakt. 'Meneer Hickleman, is het uw gewoonte om naar de concentratie van de toegediende middelen te kijken als u een operatiekamer schoonmaakt?'

'Nee.'

'Maar in dit geval heeft u het wel gedaan.'

'Klopt.'

'Waarom?'

'Omdat de dienstdoende hoofdzuster mij erom had gevraagd.'

De laatste klap werd toegediend door dr. Leonard Simon uit New York, een beroemd anesthesist. Davidson kwam meteen ter zake. 'Dokter Simon, wordt .75% Marcaine aangeraden voor een epidurale anesthesie bij een bevalling?'

'Beslist niet. Er zijn zelfs vele redenen aan te voeren om dat middel niet te gebruiken. Daar wordt op de bijsluiter ook voor gewaarschuwd en iedere anesthesist is daarvan op de hoogte.'

'Kunt u ons vertellen waarom het bij een bevalling wordt afgeraden?'

'Omdat het wel eens ernstige reacties veroorzaakt, zoals vergiftigingsverschijnselen bij het centrale zenuwstelsel.'

'U doelt op spasmen?'

'Inderdaad. Verder kan het middel ook van nadelige invloed zijn op

het hart, waardoor er een hartstilstand kan volgen.'
'En die reacties zijn in het verleden al wel eens fataal gebleken voor patiënten?'
'Dat klopt,' bevestigde de arts en dat was de laatste nagel aan Jeffrey's doodskist.
Het gevolg was dat Jeffrey, en Jeffrey alleen, schuldig werd bevonden. De nabestaanden van Patty Owen kregen van de jury elf miljoen dollar toegewezen; negen miljoen meer dan door Jeffrey's verzekering werd gedekt.
De uitspraak was voor Jeffrey in persoonlijk opzicht èn beroepshalve afschuwelijk. Hij ging aan zichzelf twijfelen: misschien had hij per ongeluk toch wel .75% Marcaine toegediend. Hij had er depressief van kunnen worden, maar daar ontbrak de tijd voor. Het O.M. besloot op grond van de afgelegde getuigenverklaringen Jeffrey aan te klagen wegens dood door schuld en nu wachtte hij de uitspraak van een tweede jury daarover af. Jeffrey's mijmeringen werden opnieuw onderbroken door de gëuniformeerde parketwachter, die weer naar de kamer van de jury terugging. Waarom duurde het zo lang? Dit was een marteling en de inzet was zo enorm hoog.
Een geldboete krijgen was vervelend, maar overkomelijk. Een veroordeling wegens moord en een daaropvolgende gevangenisstraf was iets heel anders. Jeffrey meende niet tegen een leven achter tralies opgewassen te zijn. Hij had Carol gezegd dat hij liever definitief naar een ander land vluchtte dan een gevangenisstraf uitzat.
Hij keek naar de lege stoel van de rechter, Janice Maloney. 'Leden van de jury,' had de rechter twee dagen eerder gezegd, 'voordat u de beklaagde, dokter Jeffrey Rhodes, schuldig kunt bevinden, moet u er zeker van zijn dat de dood van Patty Owen werd veroorzaakt door een handeling van de beklaagde die levensbedreigend was en getuigde van onverschilligheid jegens het menselijk leven. Daarvan is volgens de wet sprake wanneer een persoon die over een goed beoordelingsvermogen beschikt, een handeling verricht waarvan hij vrijwel zeker weet dat die voor een ander persoon de dood of zwaar lichamelijk letsel tot gevolg zal hebben. Bovendien is er van een dergelijke handeling sprake wanneer kwaadwillendheid, haat of boos opzet is bewezen.'
Jeffrey had de indruk dat de uitspraak van de jury zou worden bepaald door de vraag of die geloofde dat hij morfine had gebruikt of niet. Als men dat geloofde, zouden ze uitgaan van boos opzet. In ieder geval zou Jeffrey zo redeneren wanneer hij een van de jury-

leden was. Iedere anesthesie was immers potentieel gevaarlijk, vandaar dat een patiënt of familieleden er altijd officieel toestemming voor moesten geven.

Jeffrey was echter nog het meest geschrokken van de opmerking die de rechter had gemaakt over een mogelijke straf. Ze had de juryleden meegedeeld dat zelfs een veroordeling wegens de mindere tenlastelegging van doodslag haar zou dwingen Jeffrey te veroordelen tot een gevangenisstraf van drie jaar.

Drie jaar! Jeffrey begon te transpireren en tegelijkertijd liepen de koude rillingen over zijn rug.

'Allen opstaan!'

De juryleden kwamen binnen en geen van hen keek Jeffrey aan. Was dat een goed of een slecht teken? Jeffrey wilde Randolph daarnaar vragen, maar durfde het toch niet.

De rechter kwam binnen, nam plaats, legde enige paperassen recht en schoof een kan met water wat naar links.

Iedereen ging weer zitten, behalve de juryleden.

'Wil de beklaagde opstaan en zich tot de jury wenden?'

Jeffrey stond langzaam op en zag dat alle juryleden hem nu aanstaarden, maar uit de blik in hun ogen kon hij niets opmaken.

'Mevrouw de voorzitter, is de jury tot een unanieme uitspraak kunnen komen?'

'Jawel, Edelachtbare.'

Het velletje papier werd aan de rechter overhandigd. Zij las de uitspraak, knikte en gaf hem toen door aan de griffier.

'Mevrouw de voorzitter, is de beklaagde naar de mening van de jury schuldig of niet schuldig aan het ten laste gelegde?'

Jeffrey merkte dat hij op zijn benen stond te trillen.

'Schuldig!' zei de vrouw luid en duidelijk.

Met zijn rechterhand pakte Jeffrey de tafel vast om overeind te blijven. Hij voelde hoe Randolph zijn rechterarm vastpakte.

'Dit is pas de eerste ronde,' fluisterde de jurist hem in het oor. 'We gaan in hoger beroep, net zoals we dat de eerste keer hebben gedaan.'

De rechter verleende de jury décharge, na een ieder te hebben bedankt voor de gegeven tijd en inzet.

Jeffrey ging zitten en voelde zich verdoofd en koud. Randolph bracht hem in herinnering dat de rechter al tijdens die eerste rechtszaak de juryleden had moeten opdragen die beschuldiging van druggebruik te vergeten. 'Verder beschikt het openbaar ministerie alleen over aanwijzingen, geen harde feiten. Niemand heeft onomstotelijk kunnen bewijzen dat je morfine had gebruikt. Niemand!'

Jeffrey luisterde echter niet. Diep in zijn binnenste was hij heilig blijven geloven dat hij niet zou worden veroordeeld, om de doodeenvoudige reden dat hij niet schuldig was. Hij had nog nooit iets met het juridische systeem te maken gehad en had aldoor gemeend dat de waarheid toch wel boven tafel zou komen, ook wanneer hij ten onrechte in staat van beschuldiging werd gesteld. Maar nu zou hij de gevangenis in moeten.

De gevangenis! Op datzelfde moment zag hij iemand met handboeien op hem af lopen. Randolph fluisterde hem bemoedigende woorden toe. Jeffrey hoorde er niet één. Hij begon depressief te worden en voelde dat hij overvallen werd door paniek als hij eraan dacht dat hij in een kleine ruimte zou worden opgesloten.

Zodra de juryleden waren vertrokken, vroeg de openbare aanklager de rechter het vonnis uit te spreken.

'Dat zal ik nu niet direct doen,' zei de rechter. 'Het Hof zal eerst de reclassering opdracht geven tot het instellen van een onderzoek, en daarna zal ik vonnis wijzen.'

Na enig overleg werd besloten uitspraak te doen op de zevende juli.

'De staat verzoekt u vriendelijk de mogelijkheid van vrijlating op borgtocht af te wijzen, of het bedrag tenminste te verhogen van vijftigduizend tot vijfhonderdduizend dollar,' zei de openbare aanklager tegen de rechter.

'Wilt u zo goed zijn dat verzoek nader toe te lichten?'

'De serieuze aard van de aanklacht vereist, in combinatie met de uitspraak, een hoog bedrag dat meer in overeenstemming is met de ernst van de misdaad waaraan de beklaagde thans door de jury schuldig is bevonden. Bovendien doen geruchten de ronde dat dokter Jeffrey Rhodes liever het land uit zou vluchten dan de hem door het Hof opgelegde straf uit te zitten.'

De rechter keek Randolph aan, die opstond. 'Edelachtbare, ik wil er nog eens met nadruk op wijzen dat mijn cliënt altijd door zijn gedrag heeft laten blijken zich zijn verantwoordelijkheden jegens de maatschappij bewust te zijn. Hij is nog nooit eerder veroordeeld en is vastbesloten het vonnis van het Hof aan te horen. Mijns inziens is een bedrag van vijftigduizend dollar hoog genoeg.'

'Heeft uw cliënt ooit wel eens te kennen gegeven van plan te zijn de hem opgelegde straf te ontlopen?' vroeg de rechter en keek Randolph over de rand van haar bril aan.

'Ik geloof niet dat mijn cliënt in staat is iets dergelijks te denken of te zeggen,' antwoordde Randolph.

De rechter keek naar Randolph en toen naar de openbare aanklager. 'Bedrag bepaald op vijfhonderdduizend dollar,' zei ze. Toen wendde ze zich rechtstreeks tot Jeffrey. 'Dokter Rhodes, u bent schuldig bevonden en heeft daardoor het recht niet de staat Massachusetts te verlaten. Is u dat duidelijk?'

Jeffrey knikte.

'Edelachtbare...!' protesteerde Randolph.

Maar de rechter gaf een klap met de hamer en stond op.

Zodra ze weg was, begonnen alle aanwezigen druk te praten. Jeffrey keek even naar Carol, die hem triest aanstaarde, en werd toen meegenomen naar een Spartaans ingericht kamertje, waarin slechts een eenvoudige tafel en rechte, houten stoelen stonden. Hij ging zitten op de stoel die Randolph hem aanwees. Zijn handen trilden en hij leek ademnood te krijgen.

Randolph deed zijn best hem te kalmeren. Hij was woedend over het vonnis, maar optimistisch over de kansen wanneer ze in beroep gingen tegen deze uitspraak.

Toen kwam Carol binnen. 'Praat jij maar eens met hem,' zei de jurist, 'dan ga ik bekijken of die borgtocht zich op de een of andere manier laat regelen.'

Carol knikte. 'Het spijt me voor je,' zei ze, toen Randolph het kamertje uit was.

Jeffrey knikte. Het was aardig van haar dat ze hem had gesteund, vond hij, en moest op zijn lip bijten om niet te gaan huilen.

'Het is zo oneerlijk,' zei Carol en ging naast hem zitten.

'Ik wil niet naar de gevangenis,' was het enige dat Jeffrey kon zeggen. 'Ik kan nog altijd niet geloven dat dit allemaal echt gebeurt.'

'Het is nog niet voorbij. Randolph gaat in beroep.'

'Dan worden we alleen maar met een herhaling geconfronteerd. Ik heb al twee keer een proces verloren.'

'Het zal wel anders zijn. Straks kijken ervaren rechters naar het bewijsmateriaal en komt er geen emotionele jury aan te pas.'

Randolph kwam terug met de mededeling dat Michael Mosconi, die zo mogelijk voor een schriftelijk bewijs van borgstelling zou moeten zorgen, onderweg was. Carol en hij begonnen aan een geanimeerd gesprek over de beroepsprocedure. Jeffrey vroeg zich af of hij als gevolg van deze uitspraak nog wel praktijk zou mogen blijven uitoefenen. Naar alle waarschijnlijkheid niet, wist hij.

Michael Mosconi arriveerde enige minuten later; een kleine man met een groot, bijna kaal hoofd. Verder had hij heel sprekende, donkere ogen die vrijwel alleen uit pupillen leken te bestaan. Hij zette zijn aktentas op tafel neer en haalde er een dossier uit met Jeffrey's naam erop.

'Oké, hoe hoog is de borg nu geworden?' Hij had het eerste bedrag van vijfigduizend dollar al opgehoest en daarvoor zelf vijfduizend geïncasseerd.

'Vijfhonderdduizend,' zei Randolph.

Mosconi floot. 'Met wie denken ze te maken te hebben? Volksvijand nummer één?' De eerste vijftigduizend had hij bij elkaar gekregen door een hypotheek te nemen op het huis van Carol en Jeffrey. Dat was getaxeerd op achthonderdduizend dollar en er rustte nog een hypotheek van driehonderdduizend op. 'Komt dat even mooi uit!' zei hij. 'Ik zal de rest van het bedrag los kunnen krijgen door op jullie kasteeltje in Marblehead nog een hypotheek te nemen van vierhonderdvijftigduizend.'

Jeffrey knikte. Carol haalde haar schouders op.

Terwijl Mosconi allerlei formulieren begon in te vullen, zei hij: 'Verder moeten we het natuurlijk ook nog hebben over mijn honorarium. Vijfenveertigduizend dollar, in contanten.'

'Zoveel contant geld heb ik niet,' zei Jeffrey.

Mosconi hield op met schrijven.

'Maar je kunt het wel bij elkaar krijgen,' zei Randolph.

'Dat denk ik wel.'

'Ja of nee? Ik doe dit niet voor de lol,' zei Mosconi.

'Ik zal voor het bedrag zorgen,' zei Jeffrey.

'Normaal gesproken wil ik boter bij de vis hebben,' ging Mosconi verder, 'maar omdat u arts bent, zal ik genoegen nemen met een cheque. Dan stel ik echter wel als voorwaarde dat het volledige bedrag morgen op uw bankrekening staat. Is dat mogelijk?'

'Dat weet ik niet,' zei Jeffrey.

'In dat geval zult u in hechtenis moeten blijven tot u het wel weet.'

'Ik zal zorgen dat het er is,' zei Jeffrey, die het idee dat hij ook maar een paar nachten in een cel zou moeten doorbrengen, domweg niet kon verdragen.

'Heeft u een cheque bij u?' vroeg Mosconi.

Jeffrey knikte.

Mosconi ging weer verder met schrijven. 'Ik hoop, dokter, dat u begrijpt dat ik u een grote dienst bewijs door het aannemen van een cheque, dus heb ik liever niet dat u dit aan de grote klok hangt. U zorgt er dus voor dat het bedrag binnen vierentwintig uur op uw rekening staat?'

'Ik zal het vanmiddag nog regelen,' zei Jeffrey.

'Geweldig.' Mosconi duwde de papieren Jeffrey's kant op. 'Nu moet u beiden tekenen en dan kan ik verder.'

Jeffrey tekende, zonder te kijken waar hij nu precies zijn handtekening onder zette. Carol las het document wel zorgvuldig door. Daarna schreef Jeffrey een cheque voor vijfenveertigduizend dollar uit, die Mosconi in zijn aktentas stopte. 'Ik kom terug,' zei hij met een sluwe glimlach en liep op zijn dooie gemakje naar de deur.

'Aardige kerel!' constateerde Jeffrey sarcastisch zodra de man was vertrokken.

'Hij bewijst je een dienst, al is het zeker zo dat je normaal gesproken niet snel met dat slag mensen in aanraking zult komen. Voordat hij terugkomt, zou ik graag met je willen bespreken wat er precies zal gebeuren tijdens het onderzoek dat wordt verricht voordat de rechter vonnis wijst.'

'Wanneer tekenen we beroep aan?' vroeg Jeffrey.

'Meteen.'

'En ik ben op borgtocht vrij tot die procedure echt in werking is gezet?'

'Waarschijnlijk wel,' antwoordde Randolph ontwijkend.

'God zij dank voor kleine gunsten,' zei Jeffrey. 'Ik moet echter wel bekennen dat ik weinig vertrouwen meer heb in ons juridische systeem.'

'Jeffrey, je moet positief blijven denken!' vermaande Carol hem.

Jeffrey keek naar zijn vrouw en begon te beseffen hoe boos hij in feite was. Hij ergerde zich eraan dat Carol nu meende hem te moeten voorhouden dat hij positief moest blijven denken. Hij was kwaad op het systeem, kwaad op het lot, boos op Carol, en zelfs kwaad op zijn advocaat. Nu ja, woede was waarschijnlijk gezonder dan neerslachtigheid.

'Alles is geregeld,' zei Mosconi, die weer binnenkwam en zwaaide met een officieel ogend document. Toen gaf hij de man van de rechtbank die achter hem aan was gekomen, een teken dat hij Jeffrey's handboeien moest losmaken.

Opgelucht masseerde Jeffrey zijn polsen en wilde nu zo snel mogelijk weg.

'Ik ben er zeker van dat ik u niet hoef te herinneren aan de vijfenveertigduizend dollar die ik van u krijg,' merkte Mosconi op. 'Onthoudt u alstublieft wel dat ik voor u iets heb gedaan wat in feite tegen de regels is.'

'Dat apprecieer ik ook,' zei Jeffrey met enige moeite.

Jeffrey had de frisse lucht nog nooit zo gewaardeerd als deze keer. Het was een zonnige lentemiddag en aan de hemel dreven een paar wolkjes voorbij. De zon was warm, maar de lucht verfrissend. Het was verbazingwekkend hoe Jeffrey's zintuigen waren aangescherpt door het idee van een mogelijke gevangenschap. Randolph nam afscheid op het ruime plein voor het afschuwelijk moderne Bostonse stadhuis. 'Het spijt me dat het zo is gegaan. Ik heb echt mijn uiterste best gedaan.'

'Dat weet ik,' zei Jeffrey. 'Ik weet ook dat ik een lastige cliënt ben geweest en het niet makkelijk voor je heb gemaakt.'

'Morgenochtend spreek ik je wel weer. Tot ziens, Carol.'

'Ik weet niet of ik hem aardig moet vinden of moet haten,' zei Jeffrey. 'Ik weet niet eens of hij zijn werk goed heeft gedaan of niet, gezien het feit dat ik ben veroordeeld.'

'Volgens mij heeft hij gedaan wat hij kon,' zei Carol.

'Ga je niet terug naar je werk?' riep Jeffrey haar na, omdat ze in de tegenovergestelde richting van haar kantoor liep.

'Ik had een middag vrij genomen,' zei ze over haar schouder. Ze bleef staan toen hij niet achter haar aan kwam. 'Je kunt me een lift naar mijn auto geven.

Hoe ga je binnen vierentwintig uur vijfenveertigduizend dollar bij elkaar scharrelen?' vroeg Carol en schudde haar donkerblonde haren.

Jeffrey raakte opnieuw geïrriteerd. De financiën hadden binnen hun huwelijk altijd voor problemen gezorgd. Carol gaf graag geld uit, Jeffrey spaarde liever. Hij gaf niet meteen antwoord op haar vraag en besefte vrijwel meteen dat hij in feite niet kwaad was op haar. Wel op het juridische systeem en de juristen die dat in stand hielden.

Jeffrey ging achter het stuur van zijn auto zitten, haalde eens diep adem en wendde zich toen tot Carol. 'Ik ben van plan een hogere hypotheek op het huis te nemen. We zouden er verstandig aan doen maar meteen even bij de bank langs te gaan.'

'Ik denk niet dat ze je nog een hypotheek zullen geven, gezien het feit dat je net die documenten voor Mosconi hebt ondertekend.'

'Daarom wil ik er nu meteen naar toe, want van dat gegeven zullen ze nog wel niet op de hoogte zijn. Het duurt gewoonlijk een paar dagen voordat zoiets in de computers is verwerkt.'

'Denk je dat je daar verstandig aan doet?'

'Weet jij een andere manier om dat bedrag voor morgenmiddag bij elkaar te hebben?'

'Nee, dat denk ik niet.'

Jeffrey wist dat zij dat bedrag zelf best vrij zou kunnen maken, maar hij was absoluut niet bereid haar erom te vragen. Ze had het geld dat zij verdiende altijd voor zichzelf gehouden en dat wilde hij nu niet opeens gaan veranderen.

Terwijl hij in noordelijke richting over de Tobinbrug reed, voelde hij zich uitgeput en leek zich te moeten inspannen om adem te halen. Hij begon zich af te vragen waarom hij zich met al deze poespas bezighield, zeker nu het vaststond dat hij als arts toch geen praktijk meer zou mogen uitoefenen. In dat vak was hij goed, van andere beroepen wist hij nauwelijks iets af. Wat zou hij anders kunnen doen dan artikelen in de rekken van een supermarkt zetten? Hij was op zijn tweeënveertigste een veroordeelde, waardeloze man geworden.

Toen Jeffrey bij de bank was, zette hij de auto neer, maar stapte niet uit. Hij boog zich voorover en liet zijn hoofd op het stuur rusten. Misschien moest hij alles maar gewoon vergeten en naar huis gaan om te slapen.

Toen het portier aan de passagierskant werd geopend, keek hij niet eens op.

'Is alles met jou in orde?' vroeg Carol.

'Ik ben een beetje depressief.'

'Dat is begrijpelijk, maar we kunnen nu beter naar binnen gaan, voordat je helemaal niet meer in beweging kunt komen.'

'Mijn hemel, wat ben jij begrijpend,' reageerde Jeffrey geïrriteerd.

'Een van ons beiden moet praktisch blijven en ik wil jou niet de gevangenis in zien gaan. Als je dat geld morgen niet op je rekening hebt staan, zal dat namelijk wel gebeuren.'

'Ik heb het afschuwelijke voorgevoel dat ik daar toch terecht zal komen, wat ik ook doe.' Met veel moeite stapte hij de auto uit. 'Ik vraag me echter alleen af wie er slechter aan toe is. Ik, omdat ik de gevangenis in moet, of jij, omdat je naar Los Angeles gaat verhuizen.'

'Heel geestig,' zei Carol, die blij was dat hij eindelijk een grapje maakte, ook al kon zij er dan niet om lachen.

Dudley Fransworth was de manager van het kantoor in Marblehead van Jeffrey's bank. Hij ontving hen in zijn eigen kantoortje.

'Wat kan ik voor je doen?' vroeg hij vriendelijk. Hij was even oud als Jeffrey, maar zag er door zijn witte haren ouder uit.

'We zouden de hypotheek op ons huis graag willen verhogen,' zei Jeffrey.

'Dat zal geen problemen opleveren,' zei Dudley, die naar een dossierkast liep en daar een map uit haalde. 'Om welk bedrag zou het gaan?'

'Vijfenveertigduizend dollar,' antwoordde Jeffrey.

Dudley ging zitten en sloeg de map open. 'Inderdaad geen probleem. Als je dat wenst, zou je zelfs meer kunnen krijgen.'

'Nee, die vijfenveertigduizend zijn voldoende. Het bedrag moet echter wel morgen op mijn rekening staan.'

'Ai! Dat zal niet meevallen, maar ik zal zien wat ik kan doen. Kunnen jullie morgenochtend nog eens langs komen?'

'Als ik mijn bed uit kan komen,' zei Jeffrey met een zucht.

Dudley keek Jeffrey even aan. Hij voelde aan dat er iets aan de hand was, maar was te veel heer om daarnaar te vragen.

Jeffrey en Carol liepen terug naar hun auto's. 'Zal ik onderweg naar huis een hapje te eten halen?' stelde Carol voor. 'Waar heb je zin in? Een stukje kalfsvlees of zo?'

'Ik heb geen honger.'

'Nu misschien niet, maar straks zul je je maag voelen knorren.'

'Dat betwijfel ik,' zei Jeffrey.

'Ik ken je en ik weet dat je honger zult krijgen, dus ga ik wat boodschappen doen. Wat wil je hebben?'

'Zoek maar iets uit wat jij lekker vindt,' zei Jeffrey en stapte zijn auto in. 'Ik voel me zo beroerd dat ik me niet kan voorstellen dat ik een hap door mijn keel zal kunnen krijgen.'

Jeffrey zette de wagen thuis in de garage neer en liep rechtstreeks door naar zijn kamer. Carol en hij sliepen al een jaar ieder in een eigen kamer. Het was Carols idee geweest, maar tot zijn eigen verbazing had Jeffrey er van het begin af aan geen bezwaar tegen gehad. Dat was een van de eerste duidelijke tekenen geweest dat hun huwelijk niet meer zo was als het zou moeten zijn.

Jeffrey deed de deur achter zich dicht en op slot. Hij keek naar zijn boeken en tijdschriften, die keurig naar hoogte stonden gerangschikt. Die zou hij de eerste tijd niet nodig hebben. Hij pakte Bromages *Epidural Analgesia* en smeet het tegen de muur. Het veroorzaakte een deukje in het pleisterwerk en smakte toen op de grond. Door dat gebaar voelde hij zich niet beter. In feite gaf het hem een schuldig gevoel. Hij pakte het boek op, streek de pagina's glad en zette het terug op zijn vaste plaatsje. Gewoontegetrouw zorgde hij ervoor dat de rug parallel stond met de ruggen van andere boeken. Toen ging hij in de stoel bij het raam zitten en staarde naar buiten. Hij wist dat hij zich van dat ellendige zelfmedelijden zou moeten ontdoen wanneer hij nog iets wilde bereiken. Hij hoorde Carols wagen komen aanrijden, even later gevolgd door het dichtsmijten van een portier. Een paar minuten later werd er zacht op zijn deur geklopt. Hij negeerde dat, want hij wilde alleen zijn.

Jeffrey vocht tegen steeds groter wordende schuldgevoelens. Misschien was dat nog wel het ergste aspect van de veroordeling. Nu zijn zelfvertrouwen was ondermijnd, vroeg hij zich opnieuw af of hij op die rampzalige dag soms toch een verkeerde concentratie had gebruikt. Wellicht wàs de dood van Patty Owen wel zijn schuld.

Uren verstreken terwijl Jeffrey steeds meer dreigde te worden overmand door het gevoel waardeloos te zijn. Alles wat hij ooit had gedaan, leek idioot en zinloos. Hij had in alle opzichten gefaald, als anesthesist en als echtgenoot. Hij kon niets bedenken waar hij een succes van had gemaakt. Op de middelbare school was het hem zelfs al niet gelukt te worden ingedeeld bij het basketballteam!

Toen hij de zon zag ondergaan, had Jeffrey het gevoel dat hij hem nimmer meer zou zien schijnen. Hij overwoog dat er maar weinig mensen waren die wisten wat voor invloed een veroordeling wegens onbekwaam handelen op het emotionele en professionele leven van een arts had, vooral als er geen sprake van onbekwaam handelen was geweest. Zelfs wanneer hij dit proces had gewonnen, zou zijn leven er toch blijvend door zijn veranderd. Hij had het echter verloren en daardoor waren de gevolgen nog veel rampzaliger. Het geld was wel het minste van zijn problemen.

Uit zijn tas pakte hij twee kleine flesjes met de Ringer-oplossing, een scherpe naald en spul om zichzelf een infuus toe te dienen. Toen pakte hij een buisje met succinylcholine en een buisje met morfine. Hij zoog 75 mg van het eerste middel op en deed dat in een van de flesjes met de Ringer-oplossing. Toen zoog hij 75 mg morfine op, een gigantische hoeveelheid.

Als anesthesist kende Jeffrey de meest effectieve manier om zelfmoord te plegen. Voor andere artsen gold dat niet, hoewel onder hen gemiddeld wel meer geslaagde zelfmoordpogingen voorkwamen dan onder het grote publiek. Sommigen schoten zichzelf dood, een bloedige aangelegenheid die merkwaardigerwijze niet altijd succes had. Anderen namen een overdosis; een methode die ook niet altijd het gewenste resultaat opleverde. Maar al te vaak werden die mensen nog op tijd gevonden en werd hun maag leeggepompt. In andere gevallen waren de toegediende middelen wel voldoende om een coma te veroorzaken, maar niet de dood.

Jeffrey voelde zich geleidelijk aan iets minder depressief. Het was bemoedigend een doel te hebben. Hij haalde het schilderij dat boven het bed hing van de muur, om aan de haak de flessen te kunnen ophangen. Toen ging hij op de rand van het bed zitten en begon zich via zijn linkerhand de Ringer-oplossing toe te dienen. De fles met de succinylcholine werd met zijn andere hand verbonden, zonder dat hij de blauwe stop eraf haalde.

Jeffrey ging op het bed liggen. Hij was van plan zichzelf met de hoge dosis morfine te injecteren en dan de fles met de succinylcholine aan te sluiten. De morfine zou hem al lang naar dromenland hebben gestuurd voordat de succinylcholine-concentratie zijn ademhalingssysteem zou verlammen.

Net toen hij zichzelf de morfine wilde gaan toedienen, werd er zacht op zijn deur geklopt.

Jeffrey schrok op. Wat een moment om door Carol te worden gestoord! Hij reageerde niet op de klop, maar diende zichzelf de injectie nog niet toe. Hij hoopte dat ze weg zou gaan als ze dacht dat hij nog sliep. In plaats daarvan begon ze steeds harder te kloppen. 'Jeffrey! Jeffrey, het eten is klaar!'

Er volgde een korte stilte en even dacht Jeffrey dat ze het had opgegeven. Toen hoorde hij de deurkruk omdraaien. *Jeffrey, is alles met jou in orde?'*

Jeffrey haalde eens diep adem. Hij wist dat hij iets moest zeggen, omdat de kans anders groot was dat ze uit bezorgdheid de deur zou forceren. Het laatste dat hij wilde, was dat ze hem zo zou zien.

'Alles is prima!'

'Waarom reageerde je dan niet?'

'Ik sliep.'

'Waarom is de deur op slot?' vroeg ze verder.

'Omdat ik niet gestoord wilde worden, denk ik.'

'Het eten is klaar.'

'Aardig van je, maar ik heb nog steeds geen honger.'

'Je moet wat eten. Ik heb kalfscoteletjes gemaakt, je lievelings-gerecht.'

'Carol, alsjeblieft! Ik heb echt geen trek.'

'Kom nu een hapje eten, al was het alleen maar om mij een plezier te doen.'

Woedend zette Jeffrey het buisje met de morfine op het nachtkastje en koppelde de IV los. Hij liep naar de deur en deed die een klein stukje open, zodat ze niet naar binnen kon kijken. 'Luister. Ik heb je al eerder gezegd dat ik geen honger had en dat is nog steeds zo. Ik wil niet eten en ik vind het niet prettig dat je probeert me daar een schuldgevoel over te geven. Heb je me goed begrepen?'

'Jeffrey, kom mee, want ik vind niet dat je nu alleen moet zijn. Ik heb de moeite genomen boodschappen te doen en voor je te koken. Het minste dat je kunt doen, is proberen iets te eten.'

Jeffrey besefte dat hij hier niet onderuit zou kunnen. Als ze een-maal een besluit had genomen, was ze daar niet makkelijk van af te brengen.

'Oké,' zei hij met een berustende zucht.

'Wat is er met je hand?' vroeg ze, toen ze een druppeltje bloed op de rug ervan zag.

'Niets,' zei hij. Hij keek naar de hand, zag dat die bleef bloeden en probeerde razendsnel een smoesje te verzinnen.

'Je bloedt echt.'

'Ik heb me gesneden aan een velletje papier. Maak je geen zorgen, ik overleef het wel. Ik kom zo naar beneden.'

'Beloofd?'

'Beloofd.'

Jeffrey borg alle spullen weer op in zijn dokterstas en smeet de ver-pakkingen weg in de prullenmand in de badkamer.

Toen pas besefte hij echt hoever het met hem was gekomen. Hij hield zichzelf voor dat hij niet aan zijn gevoelens van wanhoop mocht toegeven, in ieder geval niet voordat hij alle mogelijke juridi-sche wegen had bewandeld. Jeffrey had tot voor kort nooit over zelfmoord nagedacht. Hij had echt versteld gestaan over de paar gevallen van zelfmoord die hem bekend waren, hoewel hij wel kon begrijpen dat iemand zich zo wanhopig kon voelen dat er geen andere uitweg mogelijk leek.

Gek genoeg, of misschien niet zo gek, waren hem alleen zelf-moordpogingen bekend van artsen die ongeveer in dezelfde situatie verkeerden als Jeffrey. Eén vriend kon hij zich in het bijzonder herinneren: Chris Everson. Wanneer Chris precies was gestorven wist hij niet meer, maar het moest nog geen twee jaar geleden zijn geweest.

Chris was ook een anesthesist geweest, en jaren geleden hadden ze samen hun co-schappen gedaan. Chris zou zich nog wel hebben herinnerd dat ze in die periode griepsymptomen met Ringer-oplossing te lijf gingen. Ook hij was vervolgd wegens onbekwaam handelen toen een van zijn patiënten bij een epidurale anesthesie totaal verkeerd had gereageerd.

Jeffrey deed zijn ogen dicht en probeerde zich de details van die zaak te herinneren. De patiënt van Chris had een hartstilstand gekregen zodra Chris de proefdosis van twee cc had toegediend. Hoewel ze het hart weer aan de praat hadden kunnen krijgen, was de patiënt er quadroplegisch en semi-comatoos uit gekomen. Binnen een week was er toen een proces aangespannen tegen Chris en het Valley Hospital en alle anderen die er ook maar iets mee te maken hadden gehad. Ook toen werd dezelfde strategie gehanteerd: halen wat er te halen viel.

Maar Chris was nooit voor de rechtbank verschenen. Hij had zelfmoord gepleegd voordat het vooronderzoek was afgerond. Hoewel de anesthesieprocedure als onberispelijk was omschreven, was de eiser uiteindelijk toch in het gelijk gesteld en had hij een schadevergoeding toegewezen gekregen van een omvang die in de geschiedenis van Massachusetts geen precedent had.

Jeffrey kon zich nog heel goed herinneren hoe hij op het bericht van Chris' zelfmoord had gereageerd. Vol ongeloof. Hij kon zich niet voorstellen hoe Chris tot die afschuwelijke daad was gekomen. Hij genoot de reputatie een goede anesthesist te zijn, een van de allerbesten. Kort daarvoor was hij getrouwd met een beeldschone operatiezuster, die in het Valley Hospital werkte. Hij leek een stralende toekomst tegemoet te gaan, tot de nachtmerrie toesloeg...

Een zachte klop op de deur bracht Jeffrey terug naar het heden. Carol was er weer.

'Jeffrey, kom je nu? Het eten begint koud te worden!'

'Ik kom eraan!'

Nu hij maar al te goed wist wat Chris allemaal zou hebben moeten doorstaan, wenste Jeffrey dat hij destijds contact met hem had gehouden. Zelfs nadat de man een einde aan zijn leven had gemaakt, had Jeffrey niets anders gedaan dan de begrafenis bijwonen. Hij had niet eens contact opgenomen met Kelly, Chris' vrouw, hoewel hij zich bij de begrafenis plechtig had voorgenomen dat wel te doen.

Een dergelijk gedrag was niets voor hem en hij vroeg zich af waarom hij zo harteloos was geweest. Het enige excuus dat hij kon bedenken, was dat hij de sterke behoefte had gehad die episode uit zijn geheugen te wissen. De zelfmoord van een collega met wie hij zich zo makkelijk kon identificeren, was een zeer verontrustend gegeven. Misschien kon hij het eenvoudig niet aan de gebeurtenissen onder ogen te zien. Tijdens je studie werd zelfonderzoek niet gestimuleerd; je werd geacht een afstandelijke houding aan te nemen. Hij dacht terug aan de laatste keer dat hij Chris had gezien, voordat het noodlot toesloeg, en was nog steeds van mening dat het doodzonde was dat die man een einde aan zijn leven had gemaakt. Zouden anderen net zo over zijn eigen dood hebben gedacht als Carol hem niet was komen storen?

Nee, zelfmoord was geen echte oplossing. Nu in ieder geval nog niet. Zolang er leven was, was er hoop, nietwaar? En wat was er gebeurd na de zelfmoord van Chris? Toen hij eenmaal dood was, had niemand zijn naam kunnen verdedigen of zuiveren. Ondanks alle depressiviteit en wanhoop maakte Jeffrey zich nog altijd woedend over een systeem dat hem had veroordeeld terwijl hij niets fout had gedaan. Dan kon hij toch alleen maar zijn uiterste best doen om zijn naam van alle blaam te zuiveren?

Voor de betrokken juristen, zelfs voor Randolph, betekende dit alles wellicht niets anders dan zaak nummer zoveel, maar voor hem, Jeffrey, lag dat heel anders. Zijn leven stond op het spel. Zijn carrière. Alles. Het meest ironische was nog wel dat Jeffrey op de dag van Patty Owens overlijden zijn uiterste best had gedaan al het mogelijke voor die vrouw te doen. Toewijding had hem gemotiveerd, en dit was zijn beloning.

Als hij zijn vak ooit nog zou kunnen uitoefenen, zou hij bang zijn voor het effect dat deze zaak op al zijn medische beslissingen zou hebben. Welke zorg mochten patiënten verwachten van artsen die voortdurend bang moesten zijn te worden aangeklaagd en daardoor niet meer op hun instinct durfden te vertrouwen, omdat ze voortdurend tegen alles ingedekt moesten zijn? Hoe had dit systeem zich zo kunnen ontwikkelen? In ieder geval werden de paar 'slechte' artsen er niet door geëlimineerd, omdat de ironie wilde dat zij slechts zelden voor een rechtbank werden gedaagd. Wel werden tegenwoordig heel wat goede artsen op deze manier buiten spel gezet.

Jeffrey waste zijn handen voordat hij de trap af ging, naar de keuken, en moest aan nog iets denken wat hij onbewust had verdrongen. Een van de beste, meest toegewijde internisten die hij ooit had gekend, had vijf jaar geleden zelfmoord gepleegd op dezelfde avond dat hij een dagvaarding had ontvangen wegens onbekwaam handelen. Hij had zich met een jachtgeweer in zijn mond geschoten. Die man had niet eens het vooronderzoek afgewacht, laat staan het proces. Dat had Jeffrey destijds hogelijk verbaasd, omdat iedereen wist dat de aanklacht nergens op berustte. De arts had, hoe ironisch het ook was, het leven van de man gered. Nu vermoedde Jeffrey wel waarom de internist zo wanhopig was geweest.

Toen Jeffrey klaar was in de badkamer, liep hij naar de slaapkamer terug en trok een schone pantalon en een schoon overhemd aan. Toen deed hij de deur open en rook het eten dat Carol had klaargemaakt. Hij had nog altijd geen honger, maar zou zijn best doen iets te eten. Even bleef hij nog bovenaan de trap staan en nam zich plechtig voor zich met hand en tand te verzetten tegen depressieve gedachten. Daarna liep hij naar de keuken.

2

Jeffrey schrok wakker en zag verbaasd hoe laat het al was. Hij was de eerste keer rond een uur of vijf wakker geworden, in de fauteuil bij het raam. Hij had zich moeizaam uitgekleed en was zijn bed in gedoken, met het idee dat hij toch niet meer in slaap zou vallen. Kennelijk was dat toch gebeurd.

Hij nam een snelle douche, liep zijn slaapkamer uit en ging op zoek naar Carol. Hij was wat minder depressief dan de dag daarvoor en verlangde naar enig menselijk contact en een beetje medeleven. Hij wilde Carol ook zijn verontschuldigingen aanbieden voor zijn gedrag de avond daarvoor. Het was maar goed dat ze hem had gestoord en geïrriteerd, besefte hij nu, want anders had hij zelfmoord gepleegd. Voor het eerst van zijn leven had woede een positief effect gehad.

Carol bleek echter al lang weg te zijn. Ze had een briefje achtergelaten op de keukentafel, waarin ze schreef dat ze hem niet wakker had willen maken omdat hij zijn rust nodig had, dat ze vroeg op kantoor moest zijn en dat ze er zeker van was dat hij dat wel zou begrijpen.

Jeffrey nam cornflakes en pakte de melk uit de ijskast. Hij benijdde Carol om haar baan. Als hij kon werken, zou hij in ieder geval iets te doen hebben, zich nuttig kunnen maken, wellicht iets kunnen terugkrijgen van zijn oude gevoel van eigenwaarde. Nooit had hij beseft in welke mate zijn persoonlijkheid door zijn werk werd gedefinieerd.

Jeffrey ging terug naar zijn slaapkamer, deed alle spullen die hij voor zijn zelfmoord had willen gebruiken in oude kranten en deponeerde die in de afvalemmer in de garage. Hij wilde niet dat Carol ze zou vinden. Hij vond het nu een vreemd idee dat hij uit eigen vrije verkiezing de dood zo nabij was geweest.

Hij had eerder ook wel eens aan zelfmoord gedacht, maar alleen in zijn verbeelding, zoals die keer toen zijn vriendinnetje in de tweede klas van de middelbare school de voorkeur had gegeven aan zijn beste vriend. Hij had het, tot gisterenavond, nooit serieus overwogen en nu had het toch maar een haartje gescheeld of hij was ertoe overgegaan.

Jeffrey liep het huis weer in en vroeg zich af wat voor reacties zijn zelfmoord zou hebben veroorzaakt bij vrienden en familieleden. Carol zou het waarschijnlijk als een opluchting hebben ervaren, omdat ze dan had kunnen afzien van de echtscheidingsprocedure. Zou iemand hem hebben gemist? Waarschijnlijk niet...

Onzin, zei hij tegen zichzelf. Belachelijk, zo'n laag gevoel van eigenwaarde. Het onderwerp zelfmoord liet zich echter niet makkelijk uit zijn gedachten verbannen. Weer dacht hij aan Chris Everson. Had hij zelfmoord gepleegd vanwege een acute depressie, zoals Jeffrey gisterenavond bijna was overkomen, of was hij het al enige tijd van plan geweest? In ieder geval was zijn heengaan een groot verlies geweest, voor zijn familie en patiënten en zelfs voor de medische stand.

Jeffrey bleef voor een van de ramen van de huiskamer staan en staarde met nietsziende ogen naar buiten. De situatie waarin hij verkeerde, was ook rampzalig. Als hij zijn beroep niet meer mocht uitoefenen en de gevangenis in draaide, was dat een even groot verlies als wanneer hij met succes zelfmoord had kunnen plegen. 'Verdomme!' schreeuwde hij. 'Verdomme, verdomme!'

Hij pakte een kussen en beukte daarop in, maar al snel werd hij er moe van en legde het weer op zijn plaats. Toen ging hij mistroostig zitten. Hij vouwde zijn handen, zette zijn ellebogen op zijn knieën en probeerde zichzelf in de gevangenis voor te stellen. Een afschuwelijke gedachte. Wat een travestie van gerechtigheid!

Jeffrey dacht aan zijn collega's in het ziekenhuis en andere artsenvriendjes. In eerste instantie hadden ze hem gesteund, in ieder geval tot de dagvaarding voor het tweede proces. Daarna hadden ze hem gemeden als de pest. Hij voelde zich geïsoleerd, alleen en bovenal kwaad.

'Het is niet eerlijk!' zei hij tussen opeengeklemde kaken en smeet in grote woede een beeldje van Carol kapot. Toen hij de rommel had opgeruimd, kwam hij tot een heel belangrijke conclusie: hij zou niet de gevangenis in gaan!

Geen sprake van. In beroep gaan was onzin. Hij had evenveel vertrouwen in het juridische systeem als in sprookjes.

De beslissing werd plotseling en vastberaden genomen en Jeffrey voelde zich geweldig opgelucht. Hij keek op zijn horloge. De bank zou spoedig zijn deuren openen. Opgewonden liep hij naar zijn kamer en pakte zijn paspoort. Hij bofte dat de rechtbank hem alsnog op borgtocht had vrijgelaten. Toen belde hij Pan Am en hoorde dat hij snel naar New York zou kunnen vliegen. Dan met de bus naar Kennedy Airport en doorvliegen naar Rio, non-stop of met een paar onderbrekingen bij exotische oorden.

Jeffrey belde de bank op en kreeg Dudley aan de lijn. Met moeite hield hij zijn stem in bedwang en informeerde naar de verhoging van de hypotheek. 'Geen probleem,' zei Dudley trots. 'Ik heb aan een paar touwtjes getrokken en toen kwam de toestemming meteen. Wanneer ben je van plan hiernaartoe te komen? Ik wil er zeker van zijn dat ik er dan ben.'

'Zo meteen,' zei Jeffrey, die in gedachten al druk bezig was met het maken van een tijdschema. Timing zou het allerbelangrijkste zijn. 'Eén verzoek nog. Ik zou het geld graag contant willen opnemen.'

'Grapje zeker.'

'Nee.'

'Het is nogal ongebruikelijk,' zei Dudley aarzelend.

Jeffrey dreigde even wanhopig te worden. Hij kon niet zonder zakgeld naar Zuid-Amerika vertrekken en wist dat hij Dudley op de een of andere manier een verklaring zou moeten geven. 'Dudley, ik ben helaas een beetje in de problemen gekomen,' zei hij.

'Die mededeling staat me niet aan.'

'Het is anders dan je denkt, want het heeft niets te maken met een gokschuld of zo. Heb je iets over mijn problemen in de krant gelezen? Ik moet dat bedrag betalen aan een man die mijn vrijstelling op borgtocht heeft geregeld.'

'Ik heb er niets over gelezen,' zei Dudley, vriendelijker.

'Ik ben vervolgd en veroordeeld wegens een tragisch ongeval bij het toedienen van een anesthesie. Ik zal je op dit moment niet met de details vervelen, maar het probleem is wel dat ik die vijfenveertigduizend nu meteen nodig heb om die man te kunnen betalen. Contant, zoals hij heeft geëist.'

'Een cheque van onze kassier moet toch voldoende zijn?'

'Dudley, die man heeft tegen me gezegd dat hij het bedrag contant in handen wil hebben. Ik heb hem dat toegezegd. Maak het alsjeblieft niet moeilijker voor me dan het toch al is.'

Even bleef het stil en Jeffrey meende Dudley te horen zuchten.

'Kan het in biljetten van honderd dollar?'

'Perfect,' zei Jeffrey.

'Ik hoop niet dat je van plan bent lang met zoveel geld op zak rond te lopen.'

'Alleen in Boston,' zei Jeffrey en legde de hoorn op de haak, hopend dat Dudley niet de politie zou bellen om zijn verhaal te controleren. Hoe minder mensen aan hem dachten hoe beter, in ieder geval tot hij in New York weer in een vliegtuig was gestapt. Jeffrey ging zitten en schreef een briefje voor Carol, met de mededeling dat hij de vijfenveertigduizend had meegenomen, maar zij de rest mocht houden. De brief liep echter niet lekker en onder het schrijven bedacht hij al dat hij niemand wilde laten weten wat zijn bedoeling was, voor het geval hij onverhoopt vertraging zou oplopen. Snel verfrommelde hij het velletje papier, stak het met een lucifer in brand en smeet het in de open haard. Hij zou Carol vanuit de een of andere plaats in het buitenland opbellen. Dat zou persoonlijker zijn dan een brief, en bovendien veiliger.

Toen vroeg hij zich af wat hij moest meenemen. Hij wilde niet met al te veel bagage zeulen en koos voor een kleine koffer, waarin hij alleen het allernoodzakelijkste stopte. Toch moest hij nog bovenop het deksel gaan zitten om de koffer dicht te kunnen krijgen. Daarna deed hij het een en ander in zijn aktentas, waaronder zijn toiletartikelen en een setje schoon ondergoed.

Toen zag hij zijn dokterstas. Hij aarzelde even en vroeg zich af wat hij zou doen als er iets helemaal mis ging. Voor de zekerheid pakte hij de spullen die hij nodig zou hebben om zelfmoord te kunnen plegen. Eigenlijk wilde hij daar niet meer aan denken, dus hield hij zichzelf voor dat het een soort levensverzekering was. Hij hoopte dat hij dat alles niet nodig zou hebben, maar nu had hij het toch bij zich, voor het geval dat...

Jeffrey voelde zich eigenaardig en een beetje triest toen hij waarschijnlijk voor het laatst in zijn huis om zich heen keek. Het verbaasde hem echter wel dat hij er nauwelijks door van streek raakte. Er stonden zoveel dingen die hem herinnerden aan plezierige of onplezierige gebeurtenissen uit het verleden. Jeffrey besefte echter dat hij dit huis voornamelijk in verband bracht met zijn mislukte huwelijk, en dus zou het verstandig zijn het achter zich te laten. Voor het eerst sinds maanden leek hij weer energie te hebben. Dit scheen de eerste dag van een nieuw leven te zijn.

Met de koffer in de kofferbak en zijn aktentas op de bank naast hem reed Jeffrey de garage uit en keek niet meer om. Toen hij in de buurt van de bank kwam, begon hij bang te worden. Zijn nieuwe leven begon opmerkelijk: hij was voornemens opzettelijk een vergrijp te begaan door het bevel van het Hof te negeren. Toen hij het parkeerterrein van de bank op draaide, was hij zeer nerveus en voelde zijn mond kurkdroog aan. Stel dat Dudley de politie had opgebeld? Dan zou iemand al snel beseffen dat Jeffrey waarschijnlijk andere plannen had met dat geld. In sommige opzichten voelde hij zich net een bankrover, hoewel het geld technisch gesproken van hem was. Hij haalde eens diep adem, liep naar de balie en vroeg naar Dudley.

Dudley kwam glimlachend naar hem toe, nam hem mee naar zijn kantoor en gebaarde hem plaats te nemen. Jeffrey trilde, hoewel het erop leek dat hij zich nergens zorgen over hoefde te maken.

'Heb je trek in een kopje koffie of iets fris?' vroeg Dudley. Cafeïne had hij niet nodig, concludeerde Jeffrey, dus vroeg hij om een glas vruchtesap.

'Ik ga het geld even halen,' zei Dudley, toen Jeffrey een glas sinaasappelsap had gekregen. Even later kwam hij terug met een kanvastas met negen pakketjes met elk vijftig biljetten van honderd dollar. Jeffrey had nog nooit zoveel geld bij elkaar gezien en begon zich steeds ongemakkelijker te voelen.

'Hartelijk dank voor alle moeite,' zei hij tegen Dudley.

'Je zult het wel willen tellen?'

'Nee, ik vertrouw jullie volkomen.'

Jeffrey moest een ontvangstbewijs ondertekenen en kreeg nogmaals de waarschuwing dat hij voorzichtig moest zijn met zoveel contant geld op zak. 'Ik beloof je dat ik geen rare dingen zal doen,' zei hij. 'Het kantoor van die man is hier vlakbij. Mijn hemel, ik zie dat het al na negenen is en om negen uur had ik dat geld bij hem moeten afgeven.' Hij stopte de stapeltjes in zijn aktentas en stond op.

Jeffrey liep snel terug naar zijn auto en reed extra voorzichtig het parkeerterrein af, terwijl hij regelmatig in de achteruitkijkspiegel keek om te zien of hij niet werd gevolgd. Tot dusverre was alles goed gegaan.

Hij ging regelrecht door naar het vliegveld en zette zijn auto op het dak van de grote parkeergarage neer. Het kaartje legde hij in de asbak. Als hij Carol belde, zou hij haar zeggen waar ze de wagen kon ophalen.

Met zijn aktentas in zijn ene en de koffer in zijn andere hand liep Jeffrey naar de balie van Pan Am. Hij probeerde zich te gedragen als de doorsneezakenman die op reis ging, maar hij was erg zenuwachtig en zijn maag leek zich voortdurend te verkrampen. Als iemand hem herkende, zou hij in zijn kraag worden gegrepen.

Toen hij eindelijk aan de beurt was, kocht hij een ticket voor de shuttle van half twee 's middags en ook een ticket voor een vlucht van New York naar Rio. De man achter de balie zei tegen Jeffrey dat hij veel beter laat in de middag rechtstreeks naar Kennedy kon vliegen, omdat hij dan niet met de bus van La Guardia naar Kennedy hoefde te gaan, maar Jeffrey hield voet bij stuk. Hoe eerder hij uit Boston weg was, hoe beter hij zich zou voelen.

Zodra zijn vlucht werd omgeroepen, stond hij op. Hij kreeg een plaatsje vooraan toegewezen en toen hij zijn koffer in het bagagerek had opgeborgen en zijn aktentas bij zijn voeten, ging hij zitten en deed zijn ogen dicht. Het was hem al bijna gelukt.

Het viel echter niet mee om weer een beetje tot bedaren te komen. Nu hij eenmaal in het vliegtuig zat, besefte hij hoe serieus en onherroepelijk hetgeen hij had gedaan, in feite was. Tot dusverre had hij nog geen vergrijp begaan, maar zodra het vliegtuig het luchtruim van Massachusetts verliet, zou dat veranderen en was terugkeren onmogelijk.

Jeffrey begon te trillen en keek nog eens op zijn horloge. Het was één minuut voor half twee. Over drie minuten zou de deur worden gesloten. Had hij een juiste beslissing genomen? Hij vroeg zich af welke invloed deze handeling op het in beroep gaan zou hebben. Zou de indruk dat hij schuldig was er niet door worden versterkt? Zou hij extra lang in de gevangenis moeten zitten wanneer hij alsnog werd gepakt, vanwege deze vluchtpoging? Wat kon hij in Zuid-Amerika gaan doen? Hij sprak niet eens Spaans of Portugees. Opeens drongen de consequenties van zijn voornemen volledig tot hem door. Hij kon dit niet doorzetten!

'Wacht!' schreeuwde hij en zag dat alle mensen naar hem keken. 'Ik moet het toestel uit.' Hij maakte zijn veiligheidsriem los en probeerde zijn aktentas onder de stoel uit te trekken. Die schoot open en een deel van de inhoud, waaronder een stapeltje geld, viel eruit. Snel stopte hij alles weer in de tas en pakte zijn koffer. Niemand zei iets, iedereen keek stomverbaasd naar de paniekerige man.

Jeffrey rende naar een van de leden van het cabinepersoneel. 'Ik moet het toestel uit!' zei hij nogmaals en voelde het zweet van zijn voorhoofd druppelen. 'Ik ben arts. Het gaat om een noodgeval.'

'Oké,' zei de vrouw rustig, en gaf iemand buiten een teken.

De deur ging weer open en Jeffrey rende naar buiten. De deur van de vertrekhal was gesloten, maar niet op slot. Snel liep hij verder, maar werd meteen aangeroepen door de man die de wacht bij de uitgang hield.

'Uw naam?' vroeg die man, met een uitdrukkingsloos gezicht.

Jeffrey aarzelde, want hij wilde dit niet hoeven uitleggen.

'Ik kan u uw ticket niet teruggeven als ik uw naam niet weet,' zei de man, die lichtelijk geïrriteerd raakte.

Jeffrey noemde zijn naam en nam zijn ticket in ontvangst. Snel stopte hij dat in zijn zak en liep naar het herentoilet. Hij haatte zichzelf. In eerste instantie omdat hij die zelfmoordpoging niet had doorgezet en nu ook omdat hij niet echt was gevlucht. Welke mogelijkheden restten hem nog? Hij kreeg de neiging opnieuw depressief te worden, maar verzette zich daartegen.

Chris Everson had zijn plan in ieder geval ten uitvoer gebracht, al was het ook een foute beslissing geweest. Jeffrey vervloekte zichzelf nogmaals vanwege het feit dat hij geen betere vriend voor Chris was geweest. Als hij toen had geweten wat hij nu wist, had hij hem wellicht kunnen redden. Verder was het natuurlijk schandalig dat hij nooit contact had opgenomen met Kelly, Chris' weduwe.

Jeffrey plensde koud water op zijn gezicht. Toen hij weer wat bij zijn positieven was gekomen, pakte hij zijn bagage en liep het toilet uit. Hij voelde zich afschuwelijk alleen en geïsoleerd, hoe druk het ook op het vliegveld was. De gedachte terug te gaan naar een leeg huis stond hem niet aan, maar hij wist niet waarheen hij verder nog zou kunnen. Doelloos liep hij in de richting van de garage.

Hij zette zijn koffer in de kofferbak en legde de aktetas weer naast zich op de bank. Toen ging hij achter het stuur zitten en staarde nietsziend voor zich uit, wachtend op inspiratie.

Enige uren lang bleef hij zo zitten en dacht na over zijn falen. Nog nooit had hij zich zo depressief gevoeld. Wat zou er met Kelly Everson zijn gebeurd? Hij had haar voor Chris' dood een paar keer op een feest ontmoet en kon zich zelfs herinneren dat hij enige complimenteuze opmerkingen over haar had gemaakt tegenover Carol, die dat op een gegeven moment niet meer zo bijzonder had kunnen waarderen.

Zou Kelly nog altijd in het Valley Hospital werken? Hij herinnerde zich dat de vrouw vrij lang was, en slank. Ze had bruin haar gehad, met rode en blonde vlekjes erin. Hij herinnerde zich ook haar gezicht: breed, donkerbruine ogen en een stralende glimlach die vaak om haar lippen speelde. Hij herinnerde zich echter vooral haar uitstraling. Ze had iets speels over zich gehad, dat zich perfect vermengde met haar vrouwelijke warmte en oprechtheid, waardoor de meeste mensen haar meteen aardig vonden.

Zij moest, meer dan wie dan ook, weten wat hij op dit moment doormaakte en zou beslist begrijpen hoe beroerd hij er aan toe was. Misschien zou ze hem wel een paar suggesties aan de hand kunnen doen om uit de depressie te komen. In ieder geval was de kans groot dat ze hem wat medeleven zou kunnen schenken en daar had hij op dit moment erg veel behoefte aan.

Jeffrey liep terug naar het hoofdgebouw van het vliegveld en zocht in de telefoongids de naam Everson op. Hij vond een adres dat zou kunnen kloppen, en draaide het nummer. Net toen de telefoon aan de andere kant van de lijn vier maal was overgegaan en hij wilde ophangen, werd er door een vrouw met een vriendelijke stem opgenomen.

Jeffrey noemde zijn naam, maar was er niet zeker van of ze nog wist wie hij was. Ze herkende hem echter onmiddellijk. 'Jeffrey! Wat leuk jouw stem weer eens te horen. Ik was van plan je op te bellen toen ik hoorde dat je in de problemen was gekomen, maar ik kon mezelf er niet toe brengen, vooral omdat ik er niet zeker van was of je me nog zou kennen.'

Jeffrey bood haar op zijn beurt meteen zijn excuses aan voor het feit dat hij haar niet eens een keertje eerder had gebeld.

'Je hoeft je daarvoor niet te verontschuldigen,' zei ze. 'Een tragedie werkt vaak intimiderend, zoals wanneer iemand kanker krijgt. Ik weet dat artsen de zelfmoord van een collega vaak heel moeilijk kunnen verwerken. Ik was ontroerd toen ik je op de begrafenis zag. Het zou Chris goed hebben gedaan te weten dat je om hem gaf. Hij had echt respect voor jou en heeft eens tegen me gezegd dat je de beste anesthesist was die hij kende. Dus voelde ik me vereerd toen je kwam. Sommige vrienden van hem zijn destijds niet gekomen, maar ik kon daar wel begrip voor hebben.'

Jeffrey wist niet goed hoe hij daarop moest reageren en veranderde van gespreksonderwerp door te zeggen dat hij blij was haar thuis te treffen.

'Ik ben net terug van mijn werk. Ik neem aan dat je weet dat ik niet meer in het Valley Hospital werk?'

'Nee, dat wist ik niet.'

'Na de dood van Chris leek het me verstandig van baan te veranderen en nu werk ik in het St. Joe's, op de Intensive Care. Ben jij nog altijd aan het Boston Memorial verbonden?'

'In zekere zin,' reageerde Jeffrey ontwijkend. Hij was bang dat ze zou weigeren hem te ontvangen. Wat was ze hem uiteindelijk verschuldigd? 'Kelly, ik vroeg me af of ik even bij je langs zou mogen komen,' zei hij na een korte stilte.

'Wanneer?'
'Als het jou schikt... zou ik nu naar je toe kunnen komen.'
'Prima,' zei ze en vertelde hem hoe hij moest rijden.

Michael Mosconi had Jeffrey's cheque voor zich liggen toen hij Owen Shatterly van de Boston National Bank opbelde. Hij was zenuwachtig, want hij had slechts één maal eerder in zijn carrière genoegen genomen met een persoonlijke cheque, al was het toen dan wel goed afgelopen. Maar Michael had van collega's de meest afschuwelijke verhalen gehoord.

Hij werd doorverbonden met het toestel van Owen Shatterly en moest even wachten. Michael trommelde met zijn vingers op het bureaublad. Het was tegen vieren en hij wilde er zeker van zijn dat de cheque was gedekt. Shatterly was een oude bekende en een vriend van hem, dus zou hij er beslist geen enkel bezwaar tegen hebben dat even voor hem na te kijken.

Toen Shatterly aan de lijn kwam, vertelde Michael hem wat hij weten wilde. 'Eén seconde,' zei de man en Michael hoorde hem meteen iets intikken op het toetsenbord van een computer.

'Om welk bedrag gaat het?' vroeg Shatterly.

'Vijfenveertigduizend.'

Shatterly lachte. 'Op de rekening staan drieëntwintig dollar en nog een paar dollarcenten.'

Michael voelde zich misselijk worden van de schrik. 'Ben je er zeker van dat er vandaag niets op is gestort?'

'Ja.'

Michael legde de hoorn op de haak.

'Problemen?' vroeg Devlin O'Shae, een steviggebouwde man die eens bij de politie had gewerkt, maar was ontslagen nadat hij was veroordeeld wegens omkoping.

Devlin had het zich gemakkelijk gemaakt op een bank tegenover Michaels bureau. Hij had een denim jack aan, een gebleekte spijkerbroek en zwarte cowboylaarzen. Aan een oorlel bengelde een klein, gouden Maltezer kruisje en hij droeg zijn haren in een net paardestaartje.

Michael zei niets en dat was voor Devlin voldoende. 'Kan ik je ergens mee helpen?'

'Misschien wel.'

Devlin was bij Mosconi langs gekomen toen hij even niets te doen had. Hij had net een moordenaar teruggehaald uit Canada, nadat de man het land uit was gevlucht, en hij werd door Michael van tijd tot tijd ingeschakeld. Nu vond Michael dat hij Devlin er maar eens op uit moest sturen om Jeffrey aan zijn belofte te herinneren. Hij legde Devlin de situatie uit. 'Ik kan best even een praatje met hem gaan maken,' zei Devlin en stond op.

'Vergeet niet dat je aardig moet blijven. Hij is een arts en dient alleen even aan mijn bestaan te worden herinnerd.'

'Ik ben altijd aardig,' zei Devlin. 'Dat is nu juist een van mijn grootste charmes.' Hij was blij dat hij iets te doen had. Een ritje naar Marblehead stond hem best aan, ook al zou hij er dan niet al te briljant voor worden betaald. Misschien zou hij in het Italiaanse restaurant daar meteen een hapje gaan eten, en dan een paar biertjes tot zich nemen in zijn lievelingscafé bij de haven.

Kelly bewoonde een charmant, twee verdiepingen tellend huis, dat wit was geschilderd, met zwarte luiken voor de ramen. Rechts van het huis bevond zich een grote garage voor twee auto's, links een overdekt portiek.

Jeffrey zette zijn auto aan de overkant langs de stoeprand neer en probeerde te bedenken wat hij zou zeggen. Nog nooit was hij naar iemands huis toe gegaan in de hoop medeleven en begrip te krijgen. Bovendien was er een kans dat ze hem koel zou bejegenen, hoe hartelijk haar stem over de telefoon ook had geklonken. Nadat hij voldoende moed had verzameld, zette hij zijn auto weer in de eerste versnelling en reed Kelly's oprijlaan in. Toen ging hij naar de voordeur, met zijn aktentas in de hand, omdat hij zoveel contant geld niet onbewaakt durfde achter te laten.

Kelly deed al open voordat hij had kunnen aanbellen. Ze had een strakke, zwarte tricot aan, met beenwarmers en een roze haarband in haar haren. 'Aerobics,' zei ze en bloosde even licht. Toen omhelsde ze Jeffrey. Hij kreeg er bijna de tranen van in zijn ogen, want het was lang geleden dat iemand hem spontaan had omhelsd. Toen keek ze hem aan. 'Kom binnen, ik ben blij dat je er bent!'

Jeffrey stond in een ruime hal, met rechts de eetkamer en links de huiskamer. Achterin de hal leidde een fraaie wenteltrap naar de bovenverdieping.

'Trek in een kopje thee?' vroeg Kelly.

'Je hoeft voor mij geen moeite te doen.'

'Onzin. Kom mee.' Ze pakte zijn hand en nam hem via de eetkamer mee naar de keuken, die was voorzien van een groot raam dat uit-

58

zicht bood op de achtertuin. De tuin zou best eens een opknapbeurt kunnen gebruiken, zag Jeffrey, maar het huis zelf was brandschoon. Hij ging op een rieten bankje zitten en zette zijn aktentas op de grond. 'Wat zit er in die tas?' vroeg Kelly, terwijl ze water opzette. 'Ik dacht dat artsen altijd klein zwarte koffertjes bij zich hadden als ze op huisbezoek gingen. Je lijkt nu wel een vertegenwoordiger van een of ander verzekeringsbedrijf.' Ze lachte parelend en liep naar de ijskast om er iets te eten uit te halen.

'Als ik je liet zien wat erin zit, zou je je ogen niet geloven,' zei Jeffrey.

'Waarom zeg je dat?'

Jeffrey reageerde niet en Kelly ging er niet verder op door. 'Ik ben blij dat je hierheen bent gekomen!' De ketel begon te fluiten en ze zette thee. Toen schonk ze voor Jeffrey en haarzelf een kopje in en serveerde er een grote plak cake bij.

Jeffrey besefte dat hij sinds die morgen niets meer had gegeten en genoot van de cake.

'Is er iets bijzonders waar je over wilt praten?' vroeg Kelly.

'In de eerste plaats wil ik mijn verontschuldigingen aanbieden voor het feit dat ik geen betere vriend voor Chris ben geweest. Na alles wat ik de afgelopen maanden heb meegemaakt, kan ik me wel zo ongeveer voorstellen wat hij heeft moeten doorstaan. In die tijd had ik daar echter geen idee van.'

'Ik denk dat niemand daar enig idee van had. Zelfs ik niet,' zei Kelly triest.

'Ik wil geen pijnlijke herinneringen voor je naar boven halen,' verontschuldigde Jeffrey zich meteen.

'Maak je geen zorgen. Ik heb het nu verwerkt, en juist daarom had ik jou wel eens mogen bellen. Hoe red je het?'

'Het valt niet mee.'

Kelly gaf hem een kneepje in zijn hand. 'Dat kan ik me voorstellen. Ik denk niet dat er veel mensen zijn die beseffen wat voor een invloed zo'n proces op een arts kan hebben.'

'Jij weet dat beter dan de meeste mensen. Chris en jij hebben er de allerhoogste prijs voor betaald.'

'Is het waar dat je de gevangenis in moet?'

'Daar ziet het wel naar uit.'

'Dat is belachelijk!' zei Kelly met een felheid die Jeffrey verbaasde.

'Ik ga in hoger beroep, maar ik heb niet meer zoveel vertrouwen in zo'n procedure.'

'Hoe is het mogelijk dat jij de grote zondebok bent geworden? Wat is er gebeurd met de andere artsen en het ziekenhuis? Zijn die niet vervolgd?'

'Nee. Ik heb enige jaren geleden een kortstondig probleem met morfine gehad, moet je weten. Standaardverhaal: het werd me voorgeschreven wegens rugpijn door een ongeluk met mijn fiets. Tijdens het proces werd gesuggereerd dat ik vlak voor die bevalling nog morfine had gebruikt. Verder heeft iemand een leeg buisje Marcaine van .75% gevonden en in die concentratie mag het middel tijdens een bevalling niet worden toegediend. Het buisje met een concentratie van .5% is door niemand gevonden.'

'Maar je hebt die .75% toch zeker niet gegeven?'

'Ik controleer altijd het etiket, maar dat gebeurt zo volslagen automatisch dat je je dat later vaak niet of nauwelijks meer kunt herinneren. Ik kan me niet voorstellen dat ik .75% heb gebruikt, maar wat kan ik daar verder nog over zeggen? Ze hebben dàt buisje gevonden.'

'Je moet niet aan jezelf gaan twijfelen. Dat begon Chris ook te doen.'

'Makkelijker gezegd dan gedaan.'

'Waar wordt dat spul in die concentratie voor gebruikt?'

'Het wordt voor allerlei verschillende medische handelingen gebruikt, zoals bijvoorbeeld bij oogoperaties.'

'Was er voor die bevalling zo'n oogoperatie uitgevoerd in die operatiekamer, of een andere operatie waarvoor ze die .75% Marcaine nodig hadden?'

'Dat denk ik niet, maar helemaal zeker ben ik er niet van.'

'Het zou misschien de moeite waard zijn dat toch eens na te gaan,' zei Kelly. 'In de rechtszaal zul je er waarschijnlijk niet veel aan hebben, maar het zou wel goed zijn om je zelfvertrouwen en je gevoel van eigenwaarde weer op te vijzelen.'

'Hmmm. Ik denk dat je daarin gelijk hebt.' Hij vroeg zich af hoe hij hiernaar zou kunnen informeren nu hem officieel de toegang tot het ziekenhuis was ontzegd.

'Hoe zit het trouwens met dat zelfvertrouwen van jou?' Haar stem klonk luchtig, maar aan haar ogen zag Jeffrey dat ze het heel serieus meende.

'Ik heb het gevoel dat ik met een expert aan het praten ben. Heb je soms de een of andere cursus psychiatrie gevolgd?'

'Nee. Helaas heb ik op de harde manier, door het opdoen van ervaring, moeten leren hoe belangrijk zelfvertrouwen is. Ik ben ervan overtuigd dat Chris zelfmoord heeft gepleegd omdat hij bijna geen zelfvertrouwen meer had. Ik weet dat hij iets dergelijks nooit zou hebben gedaan als hij een hogere dunk van zichzelf had gehad. Hij heeft zichzelf niet van het leven beroofd vanwege de tragedie met die patiënt op zich, of door schuldgevoelens. Chris hoefde zich nergens schuldig over te voelen, net als jij. Maar zijn zelfvertrouwen en zijn gevoel van eigenwaarde werden er volledig door ondermijnd en dat heeft hem over de rand geduwd. Men heeft er geen idee van hoe gevoelig zelfs de meest briljante artsen zijn voor de gevolgen van een proces. Hoe beter een arts is, hoe harder zo'n klap zal aankomen. Het feit dat een aanklacht volslagen onterecht is, heeft daar in wezen niets mee te maken.'

'Je hebt volkomen gelijk,' zei Jeffrey. 'Toen ik destijds hoorde dat Chris zelfmoord had gepleegd, was ik stomverbaasd. Ik wist hoe hij als mens en als arts was. Nu kan ik zijn daad volkomen begrijpen. Het verbaast me eigenlijk dat er niet meer artsen zijn die een dergelijke poging ondernemen. Ikzelf heb het gisterenavond geprobeerd.'

'Meen je dat?'

'Ja. Het had maar een haartje gescheeld of ik was Chris achterna gegaan.'

Kelly vloog overeind, pakte zijn schouders vast en schudde hem woest heen en weer. 'Waag het niet iets dergelijks nog eens te doen. Je mag er zelfs niet eens aan denken! Zelfmoord getuigt absoluut niet van moed. Integendeel, het is het meest laffe dat je kunt doen. En het is egoïstisch. Je doet er iedereen die je achterlaat, verdriet mee. Ik wil dat je me belooft dat je me meteen opbelt als je er ooit nog eens over zit te denken, hoe laat het ook is. Denk aan je vrouw. Chris' zelfmoord heeft me zoveel schuldgevoelens gegeven; je hebt daar geen idee van. Ik had het gevoel dat ik op de een of andere manier jegens hem had gefaald. Nu weet ik dat dat niet zo is, maar ik weet niet of ik ooit echt helemaal over zijn dood heen zal komen.'

'Carol en ik gaan scheiden,' zei Jeffrey.

'Vanwege dit proces?'

'Nee, de plannen waren er al eerder. Carol was zo vriendelijk de procedure een tijdje op te schorten.'

'Wat vervelend voor je.'

'Over die huwelijksproblemen maak ik me op dit moment wel de minste zorgen.'

'Beloof je me dat je me zult bellen als je weer van plan bent iets stoms te gaan doen?'

'Ik ben niet van plan...'

'Beloof het me.'

'Goed. Beloofd.'

'Het is gek. Het ene moment leek Chris nog vervuld te zijn van vechtlust en zei hij dat er met het middel voor die plaatselijke verdoving moest zijn geknoeid, en het volgende was hij dood.'

'Waarom dacht Chris aan geknoei?'

Kelly haalde haar schouders op. 'Daar heb ik geen flauw idee van. Hij leek echter te denken dat het een mogelijkheid was, en dat idee alleen al wond hem op. Vlak daarvoor was hij heel depressief geweest, dus was ik blij dat hij iets had gevonden waarin hij zich wilde vastbijten. Dagen lang is hij bezig geweest met handboeken over farmacologie en fysiologie. Hij heeft allerlei aantekeningen gemaakt en was er ook mee bezig op de avond dat hij zelfmoord heeft gepleegd. Ik heb hem toen pas de volgende morgen gevonden.'

'Wat ellendig voor je!'

'Het is een van de meest afschuwelijke ervaringen uit mijn leven geweest.'

'Aan wat voor een vorm van besmetting dacht Chris?'

'Dat weet ik ook niet. Jeffrey, het is nu al weer twee jaar geleden en Chris heeft me er nooit veel over verteld.'

'Heb jij er met andere mensen over gesproken?'

'Ik heb het destijds aan de advocaten verteld. Hoezo?'

'Het is een intrigerend idee,' zei Jeffrey.

'Ik heb Chris' aantekeningen bewaard. Als je daar interesse voor hebt, mag je ze van mij best inzien.'

'Dat zou ik graag willen,' zei Jeffrey.

Kelly stond op en nam Jeffrey mee, de eetkamer en de hal door. Daar bleef ze voor een gesloten deur staan.

'Dit was Chris' studeerkamer. Ik besef dat het je wel een beetje ongezond in de oren zal klinken, maar na zijn dood heb ik deze deur gewoon afgesloten en alles gelaten zoals het was. Vraag me niet waarom ik dat heb gedaan. Ik had destijds het idee dat Chris op deze manier toch nog een beetje bij me was. Dus wees erop voorbereid dat het allemaal wel een beetje stoffig zal zijn.' Ze maakte de deur open en ging naar binnen.

Jeffrey liep achter haar aan de studeerkamer in. Alles zat inderdaad onder een dikke laag stof en aan het plafond hingen zelfs een paar spinnewebben. De luiken waren dicht en tegen een muur aan zag Jeffrey een boekenkast vol boeken die hij meteen herkende. Standaardwerken over de anesthesie. Andere boeken over algemenere medische onderwerpen.

Midden in de kamer stond een groot, oud bureau vol papieren en boeken. In een van de hoeken van de kamer stond een makkelijke stoel, waarvan het zwarte leer was gebarsten. Naast de stoel lag eveneens een grote stapel boeken. Kelly stond met over elkaar geslagen armen tegen de deurpost aangeleund, alsof ze eigenlijk liever niet naar binnen ging. 'Een troep, vind je niet?'

'Je vindt het toch niet erg als ik wat rondneus?' vroeg Jeffrey. Hij voelde enige verwantschap met zijn gestorven collega, maar wilde Kelly niet van streek maken.

'Ga je gang. Zoals ik je al heb gezegd, heb ik Chris' dood inmiddels verwerkt. Ik ben al enige tijd van plan geweest deze kamer op te ruimen, maar ik ben er domweg nog niet toe gekomen.'

Jeffrey liep om het bureau heen. Er stond een lamp op, die hij graag aan wilde doen. Hij was niet bijgelovig en geloofde absoluut niet in het bovennatuurlijke, maar toch had hij het gevoel dat Chris hem iets wilde vertellen.

Op het bureau lag een hem heel bekend boek. *Pharmacological Basis of Therapeutics*, van Goodman en Gillman. Daarnaast zag hij *Clinical Toxicology*. Naast die boeken een stapel aantekeningen. Jeffrey boog zich over het geopende boek van Goodman en Gillman heen en zag een paragraaf over Marcaine. De opmerking over de mogelijk negatieve bijverschijnselen was dik onderstreept.

'Was er bij die zaak van Chris ook Marcaine in het geding?' vroeg Jeffrey.

'Ja,' zei Kelly. 'Ik dacht dat je dat wist.'

'Niet echt.' Hij had niet gehoord welk middel Chris toen had gebruikt. Elk narcotisch middel zorgde af en toe voor complicaties, zo had de praktijk bewezen.

Jeffrey pakte de stapel aantekeningen op en begon vrijwel meteen te niezen.

Kelly drukte een hand tegen haar mond om haar glimlach te verbergen. 'Ik had je al voor het stof gewaarschuwd!'

Jeffrey niesde nogmaals.

'Neem mee wat je wilt bekijken en laten we naar de huiskamer gaan,' stelde Kelly voor.

Met waterige ogen pakte Jeffrey de boeken over farmacologie en toxicologie, en de aantekeningen. Voordat Kelly de deur van de studeerkamer had gesloten, niesde hij voor de derde keer.

'Jeffrey, zal ik een hapje te eten maken? Veel bijzonders heb ik niet in huis, maar wel gezonde spullen.'

Hij zou dat aanbod in feite dolgraag willen aannemen, maar wist, gezien haar kleding, dat ze eigenlijk naar die aerobic-les moest. Dat zei hij ook.

'Ik kan het best een keertje overslaan,' stelde ze hem gerust.

'Dan eet ik graag een hapje mee,' zei hij en verbaasde zich lichtelijk over haar vriendelijkheid.

'Prima. Installeer jij je dan maar lekker op de bank in de huiskamer. Als je dat wilt, mag je van mij gerust je schoenen uittrekken.'

Jeffrey deed dat meteen. Hij legde de boeken op de tafel neer, keek even toe hoe zij in de keuken druk aan de slag ging, dingen uit de ijskast en uit diverse kasten haalde. Toen pakte hij de aantekeningen die Chris had gemaakt en begon ze door te bladeren. Het eerste dat hij zag, was een handgeschreven samenvatting van de complicaties die zich tijdens die tragische casus van Chris hadden voorgedaan.

'Ik moet nog even naar de winkel om de hoek,' hoorde hij Kelly zeggen. 'Blijf jij alsjeblieft rustig zitten.'

'Graag, als je daar echt geen bezwaar tegen hebt,' zei Jeffrey, die van al die aandacht en zorgzaamheid genoot.

'Ik ben zo weer terug!'

Toen ze weg was, keek Jeffrey eens uitgebreid in de gezellige kamer om zich heen, blij met zijn besluit om Kelly te bellen. Dat was de beste beslissing die hij de laatste vierentwintig uur had genomen, los van het afzien van zelfmoord of een vlucht naar het buitenland.

Jeffrey ging weer op zijn gemak zitten en las Chris' aantekeningen aandachtig door:

Henry Noble, een zevenenvijftigjarige, blanke man werd in het ziekenhuis opgenomen om zijn prostaat te laten verwijderen wegens kanker. Dokter Wallenstern vroeg om een epidurale anesthesie. Ik heb de man bezocht op de avond voor de operatie. Hij was wat angstig, maar zijn gezondheid was goed. Hart in orde, ECG normaal. Bloeddruk normaal. Neurologisch onderzoek normaal. Geen allergieën, ook niet voor medicijnen. In 1977 was hij voor een herniaoperatie volledig onder narcose gebracht, zonder dat dat problemen had opgeleverd. Ook geen problemen bij plaatselijke verdovingen wegens diverse tandheelkundige ingrepen. Omdat hij zenuwachtig was, heb ik 10 mg Diazepam voorgeschreven - oraal toe te dienen, een uur voordat hij naar de operatiekamer zou worden gebracht. Toen hij daar de volgende morgen arriveerde, was hij opgewekt. De Diazepam had een positief effect. De patiënt was wat slaperig, maar kon worden gewekt. Het toedienen van de epidurale punctie leverde geen problemen op. Controle van de juiste positie werd door mij verricht met 2 cc steriel water met epinephrinum. Na het aanbrengen van een kleine catheter werd de patiënt weer in rugligging geplaatst. Een proefdosis van .5% Marcaine met een kleine hoeveelheid epinephrinum werd toen bereid uit een flesje van 30 ml. Die proefdosis werd geïnjecteerd. Meteen daarna klaagde de patiënt over duizeligheid, gevolgd door ernstige darmkrampen. De hartslag versnelde, maar niet zo sterk als had mogen worden verwacht wanneer de proefdosis per ongeluk in een ader was gespoten. Daarna deed zich algemene fasciculatie voor, die een hyperaesthesia deed vermoeden. Een speekselvloed suggereerde een parasympathische reactie. Intraveneus werd atropine toegediend. Kleine pupillen werden geconstateerd. De patiënt kreeg een aanval van grand mal, die werd behandeld met succinylcholine en valium, intraveneus toegediend. De patiënt werd voortdurend van zuurstof voorzien. Toen kwam er een hartstilstand. Het hart bleek zich zwaar te verzetten tegen stimulerende middelen, maar uiteindelijk was er toch weer een sinusritme. De toestand van de patiënt was gestabiliseerd, maar hij kwam niet bij bewustzijn. De patiënt werd vervolgens overgebracht naar de Intensive Care, waar hij een week lang comateus bleef en meerdere malen een hartstilstand kreeg. Er was ook sprake van een verlamming die niet alleen de ruggegraat betrof, maar ook de craniale zenuwen. Aan het einde van de week kreeg de patiënt een hartstilstand die meer niet ongedaan kon worden gemaakt.

Jeffrey keek op van de aantekeningen en herinnerde zich weer hoe hij zich had gevoeld tijdens zijn wanhopige pogingen om het leven van Patty Owen te redden. Zijn handen begonnen ervan te transpireren. De overeenkomsten tussen beide casussen waren heel opvallend, niet alleen door de spasmen en de hartstilstand. Jeffrey kon zich nog zo goed de details herinneren, de speekselvloed, de over Patty's wangen stromende tranen. Verder de buikpijn en de zeer kleine pupillen. Geen van die reacties was een normaal neveneffect van een plaatselijke verdoving, al konden de neveneffecten bij sommige patiënten in neurologisch en cardiologisch opzicht wel eens heel negatief zijn.

Jeffrey bestudeerde de volgende bladzijde aantekeningen. Twee woorden stonden in grote letters opgeschreven. MUSCARINE en NICOTINE. Jeffrey herkende ze meteen uit zijn studententijd. Ze hadden te maken met het functioneren van het autonome zenuwstelsel. Toen zag hij de woorden 'irreversibel block: blokkade van de hoge ruggemergzenuwen, waarbij ook de carniale zenuwen betrokken zijn', gevolgd door een reeks uitroeptekens.

Jeffrey hoorde hoe Kelly met haar auto de oprijlaan op draaide en de garage in reed. Hij keek op zijn horloge. Boodschappen doen kon ze verdomd snel!

Daarna las hij de aantekeningen van Chris over een NMR-rapport van Henry Noble in de periode toen hij verlamd en comateus was geweest. De gegevens waren niet opmerkelijk.

'Hai!' zei Kelly vrolijk toen ze binnenkwam. 'Heb je me gemist?' Ze lachte terwijl ze wat boodschappen op het aanrecht neerzette. Toen liep ze naar Jeffrey toe en ging achter hem staan. 'Wat betekenen al die kreten?' vroeg ze, wijzend.

'Ik weet het niet,' gaf Jeffrey toe, 'maar deze aantekeningen zijn wel fascinerend. Er bestaan zoveel overeenkomsten tussen die zaak van Chris en de mijne dat ik niet goed weet wat ik ermee aan moet.'

'Ik ben blij dat iemand er tenminste iets mee kan doen,' zei Kelly, die weer naar de keuken liep. 'Daardoor krijg ik het gevoel dat het toch niet zo idioot was om dat allemaal te bewaren.'

'Het was helemaal niet idioot,' zei Jeffrey en pakte het volgende velletje. Het was een getypt verslag van de autopsie op Henry Noble, die door de lijkschouwer was verricht. Chris had een streep gezet onder de opmerking 'axonale degeneratie onder de microscoop waargenomen' en daar een aantal vraagtekens achter gezet. Verder had hij ook 'toxicologie negatief' onderstreept, en er een uitroepteken achter geplaatst. Jeffrey begreep het niet.

De rest van de aantekeningen bestond uit samenvattingen van artikelen die voornamelijk uit het boek van Goodman en Gillman over farmacologie waren gehaald. Een snelle blik erop maakte Jeffrey al duidelijk dat ze betrekking hadden op het functioneren van het autonome zenuwstelsel, en hij besloot dat materiaal later te bestuderen. Hij legde de papieren weer op een stapel.

Daarna liep hij de keuken in en ging naast Kelly bij het aanrecht staan. 'Wat kan ik voor je doen?'

'Je zou je moeten ontspannen,' zei Kelly, die de sla aan het wassen was. 'Ik help jou liever een handje.'

'Best. Ga jij de barbecue op de veranda achter het huis dan maar aansteken. In die la liggen de lucifers.' Kelly wees met een blaadje sla. Jeffrey pakte de doos lucifers en liep naar buiten. De barbecue werkte op propaangas en al snel had hij bekeken hoe hij hem moest aansteken.

Voordat hij naar binnen ging, keek hij even naar de onverzorgde tuin. Het lange gras was prachtig groen. Het had die lente veel geregend en daardoor stonden de varens tussen de bomen er schitterend bij.

Vol ongeloof schudde Jeffrey zijn hoofd. Het leek vrijwel onmogelijk dat hij gisterenavond bijna zelfmoord had gepleegd en die middag nog een poging had willen ondernemen om naar Zuid-Amerika te vluchten. Nu stond hij hier op een veranda in Brookline en zou hij gaan barbecuen met een aantrekkelijke, gevoelige, ontwapenende vrouw. Het leek bijna te mooi om waar te zijn, zeker wanneer je in aanmerking nam dat hij binnenkort waarschijnlijk gevangen zou worden gezet.

Jeffrey zoog de koele, frisse lucht diep zijn longen in en keek toe hoe een roodborstje een worm uit de vochtige aarde pikte. Toen liep hij weer naar binnen, om te zien of hij verder nog ergens mee kon helpen.

Het eten was heerlijk en een groot succes. Jeffrey genoot er intens van, vooral omdat het praten met Kelly zo natuurlijk en makkelijk ging. Kelly serveerde er een glas witte wijn bij, die ze achterin de ijskast had liggen, en voor het eerst sinds maanden kon Jeffrey weer lachen. Dat was op zich al iets bijzonders.

Na het eten zetten ze koffie en gingen weer op de rieten bank zitten. Chris' aantekeningen en handboeken brachten Jeffrey weer terug naar de serieuze werkelijkheid.

'Ik vind het vervelend opnieuw een minder aangenaam gespreksonderwerp aan te snijden,' zei Jeffrey, 'maar wat is eigenlijk de uitspraak geweest in dat proces tegen Chris?'

'De eiser is door de jury in het gelijk gesteld,' antwoordde Kelly. 'De schadevergoeding moest worden betaald door het ziekenhuis, Chris en de chirurg, volgens de een of andere ingewikkelde verdeelsleutel. Ik geloof dat de verzekeringsmaatschappij van Chris het hoogste bedrag heeft moeten betalen, maar daar ben ik niet zeker van. Gelukkig stond het huis alleen op mijn naam, dus hebben ze daar geen beslag op kunnen leggen.'

'Ik heb het verslag van Chris bekeken en volgens mij was er totaal geen sprake van onbekwaam handelen.'

'Of dat wel of niet zo was, wordt onbelangrijk tijdens een proces waarbij de emoties zo hoog oplopen, Jeffrey. Wanneer de eisende partij een goede advocaat in de arm neemt, kan die er altijd voor zorgen dat de jury zich met de patiënt gaat identificeren.'

Jeffrey knikte. Dat was helaas maar al te waar. 'Ik wil je om een gunst vragen,' zei hij na een korte stilte. 'Zou je het erg vervelend vinden als ik die aantekeningen een tijdje van je leen?'

'Natuurlijk niet.'

Jeffrey ging een kwartiertje later weg en Kelly liep met hem mee naar zijn auto. Ze hadden zo vroeg gegeten dat het buiten nog licht was. Jeffrey bedankte haar uitgebreid voor haar spontane gastvrijheid. 'Je hebt er geen idee van hoe intens ik hiervan heb genoten,' zei hij gemeend.

Hij ging achter het stuur zitten, legde de aktentas met het geld en nu ook Chris' aantekeningen weer naast zich op de voorbank en hoorde Kelly zeggen: 'Vergeet niet dat je me hebt beloofd me meteen op te bellen als je weer rare dingen gaat denken!'

'Dat zal ik onthouden,' stelde hij haar gerust. Tevreden reed hij naar huis. De paar uurtjes in Kelly's gezelschap hadden hem een stuk opgewekter gemaakt. Gegeven de omstandigheden verbaasde het hem dat hij zo normaal op haar had kunnen reageren. Hij wist echter ook dat dat meer met Kelly's psyche te maken had dan met de zijne. Toen hij de straat in draaide waar hij woonde, moest hij een hand uitsteken om de voorkomen dat de aktentas zou vallen. Rare dingen zaten daarin. Toiletartikelen, ondergoed, veertigduizend dollar contant geld en een stapel aantekeningen van iemand die zelfmoord had gepleegd.

Hoewel hij niet verwachtte bij die aantekeningen iets te vinden dat hem zou vrijpleiten, gaven ze hem wel weer hoop. Misschien zouden de ervaringen van Chris hem op iets wijzen dat hij zelf over het hoofd had gezien.

Hij vond het vervelend dat hij al zo snel afscheid van Kelly had moeten nemen, maar hij was blij vroeg thuis te zijn. Hij was van plan de aantekeningen van Chris nog eens wat grondiger door te nemen en dan uit zijn eigen boekenkast een aantal naslagwerken te voorschijn te halen om die te raadplegen.

3

Jeffrey trapte vlak voor de garagedeur op de rem, stapte uit en rekte zich uit. Marblehead was een schiereiland dat uitstak in de Atlantische Oceaan, en overal kon je er de zee ruiken, ook nu. Jeffrey boog zich om zijn aktentas op te pakken, smeet het portier dicht en liep naar de voordeur.

Onder het lopen genoot hij van het zingen van de vogels in de boom voorin de tuin, van het gekrijs van een eenzame zeemeeuw, die hoog in de lucht rondcirkelde. Het was echt lente geworden, al had hij dat tot nu toe eigenlijk door alle ellende niet beseft.

Bij de voordeur herinnerde Jeffrey zich zijn koffer, aarzelde even en besloot toen die later uit de kofferbak te halen. Hij pakte zijn sleutel en ging naar binnen.

Carol stond in de hal, met haar handen op haar heupen, en aan haar gezichtsuitdrukking kon Jeffrey zien dat ze boos was. Welkom thuis, dacht hij. En hoe heb *jij* het vandaag gehad? Hij zette de aktentas neer.

'Het is bijna acht uur,' zei Carol met overduidelijk ongeduld.

'Dat weet ik.'

'Waar ben je geweest?'

Jeffrey hing zijn jack op. Misschien had hij even moeten bellen? Vroeger zou hij dat wel hebben gedaan, maar de tijden waren veranderd, nietwaar?

'Ik vraag jou toch ook niet waar jij bent geweest,' zei hij.

'Ik bel altijd op als ik later thuiskom. Dat is een kwestie van burgermansfatsoen.'

'Ik veronderstel dat ik niet al te beleefd ben.' Jeffrey was te moe om te gaan ruziën. Hij pakte zijn aktentas en was van plan meteen door te gaan naar zijn kamer. Maar hij bleef opeens staan toen hij een grote man zag, die nonchalant tegen de deurpost van de keuken geleund stond. Jeffrey vielen meteen de paardestaart, de denim kleren, de cowboylaarzen en de tatoeages op. De man droeg een gouden oorbel en in zijn hand hield hij een flesje Kronenbourg.

Jeffrey keek Carol vragend aan.

'Terwijl jij de hort op was, heb ik de aanwezigheid van dat varken moeten verdragen,' zei Carol spinnijdig, 'en dat is allemaal jouw schuld. Waar ben je geweest?'

Jeffrey had er geen idee van wat er aan de hand was. De onbekende man glimlachte en knipoogde, alsof Carol hem net een geweldig complimentje had gemaakt.

'Ik zou ook graag willen weten waar jij bent geweest, ouwe jongen,' zei de boef. 'Ik weet al wel waar je níét bent geweest.' Hij nam een slok bier en glimlachte weer, alsof hij van dit alles werkelijk genoot.

'Wie is die man?' vroeg Jeffrey aan Carol.

'Devlin O'Shae,' zei de onbekende en liep op Carol af. 'Ik heb samen met dat leuke wijfie van je uren op je zitten wachten.' Hij stak een hand uit om Carol in haar wang te knijpen, maar die sloeg ze meteen weg. 'Mijn hemel, wat ben jij een fel katje!'

'Wat is er hier aan de hand?' vroeg Jeffrey.

'Meneer O'Shae is de charmante afgezant van meneer Michael Mosconi,' zei Carol boos.

'Afgezant?' herhaalde Devlin. 'O, wat een mooi woord! Klinkt heel sexy!'

'Ben je naar de bank geweest om met Dudley te overleggen?' vroeg Carol, die Devlin negeerde.

'Natuurlijk,' zei Jeffrey en wist opeens waarom die man er was.

'Wat is er toen gebeurd?'

'Ja, wat is er toen gebeurd?' herhaalde Devlin. 'Volgens onze bronnen is er geen geld op de rekening gestort, zoals was overeengekomen, en dat is een heel beroerde zaak.'

'Er was even sprake van een probleempje,' stamelde Jeffrey, die op zo'n ondervraging niet voorbereid was geweest.

'Wat voor probleempje?' vroeg Devlin, die nu vlak naast hem stond en Jeffrey met zijn wijsvinger in zijn borstkas porde.

'Allerlei papieren die moesten worden ingevuld, zoals dat gaat op een bank.'

'Stel nu eens dat ik je niet geloof?' zei Devlin en gaf Jeffrey met zijn vlakke hand een klap tegen de zijkant van zijn hoofd.

Jeffrey drukte een hand tegen zijn pijnlijke oor.

'Je kunt me hier niet zomaar de wet komen voorschrijven.' Hij probeerde zijn stem autoritair te laten klinken.

'O nee?' Devlin pakte het flesje bier in zijn rechterhand over en gaf Jeffrey toen met zijn linkerhand opnieuw een keiharde klap tegen zijn hoofd. Het gebeurde zo snel dat Jeffrey de man niet kon ontwijken en tegen de muur aan viel.

'Ik zal je eens even iets in herinnering brengen,' zei Devlin. 'Je bent een veroordeelde misdadiger, mannetje, en de enige reden waarom je op dit moment niet in de gevangenis zit weg te rotten, is dat de heer Mosconi zo vrijgevig is.'

'Carol, bel de politie!' schreeuwde Jeffrey met een mengeling van angst en woede.

'Ha!' zei Devlin. 'De politie bellen? Werkelijk geweldig, doktertje. Ik ben degene die de wet achter me heeft staan, niet jij. Ik ben hier alleen als een... Schatje, hoe noemde je me ook al weer?'

'Een afgezant,' zei Carol snel, in de hoop dat de man daardoor weer wat tot bedaren zou komen.

'Ja. Zoals zij zegt, ben ik een afgezant. Een afgezant die je even moet herinneren aan je afspraak met meneer Mosconi. Toen hij vanmiddag de bank had gebeld, was hij een beetje teleurgesteld. Wat is er met het geld gebeurd dat op je rekening had moeten staan?'

'Dat is niet de schuld van de bank,' zei Jeffrey, die bad dat de kerel niet in zijn aktentas zou kijken. Als hij al dat contante geld zag, zou hij zonder meer aannemen dat Jeffrey van plan was geweest te vluchten. 'Morgen staat het geld op die rekening, want nu zijn alle vereiste papieren ingevuld.'

'Je bent me toch zeker geen smoesjes aan het verkopen, hè?'

'Ze hebben me verzekerd dat er verder geen problemen meer kunnen ontstaan.'

'Dus morgenochtend staat het geld op die rekening?'

'Absoluut.'

'In dat geval ga ik maar weer eens,' zei Devlin. 'Als het geld er morgen niet is, kom ik terug, zoals je duidelijk zal zijn.' Hij liep naar Carol toe en wilde haar het flesje bier geven. 'Bedankt voor de borrel, schatje.'

Ze nam het flesje van hem aan.

'Het zal jullie wel niet spijten mij te zien vertrekken,' zei Devlin bij de deur. 'Ik was dolgraag een hapje mee blijven eten, maar ik heb bij Rosalie een afspraak met een paar nonnetjes.' Hij lachte schor en trok de deur achter zich dicht.

Enige momenten lang kwamen Jeffrey en Carol niet in beweging. Ze hoorden een auto starten en wegrijden. Toen verbrak Carol de stilte. 'Wat is er bij de bank gebeurd? Waarom hadden ze het geld niet voor je klaarliggen?' vroeg ze razend.

Jeffrey gaf geen antwoord. Hij trilde van top tot teen, wetend dat hij zich op geen enkele manier tegen een man als Devlin kon verdedigen en in dit geval inderdaad de wet niet achter zich had staan. De gevangenissen moesten vol zitten met dergelijke kerels, meende hij. 'Geef me antwoord op mijn vraag!' snauwde Carol. 'Waar ben je geweest?'

Jeffrey begon in de richting van zijn kamer te lopen. Hij wilde alleen zijn.

Carol pakte zijn arm vast. 'Ik vroeg je wat!'

'Laat me los!'

Dat deed ze. Weer liep hij verder, maar ze kwam achter hem aan. 'Jij bent niet de enige die aan spanningen onderhevig is!' schreeuwde ze. 'Ik heb recht op een verklaring. Urenlang heb ik dat varken in mijn nabijheid moeten dulden.'

'Dat spijt me,' zei Jeffrey, die voor de deur van zijn kamer bleef staan.

'Ik ben tot nu toe naar mijn idee heel begrijpend geweest,' hield Carol vol, 'maar nu wil ik weten wat er op de bank is gebeurd. Dudley zei gisteren dat hij geen problemen verwachtte.'

'Straks zal ik je dat wel vertellen.'

'Ik wil er nu over praten!'

Jeffrey deed de deur open, liep naar binnen en belette Carol achter hem aan te komen. 'Straks!' zei hij, luider dan zijn bedoeling was geweest. Toen deed hij de deur dicht en op slot.

Carol sloeg gefrustreerd met haar vuisten op de deur en begon te huilen. 'Je bent een onmogelijke man. Ik begrijp niet hoe ik de echtscheiding heb kunnen opschorten.' Woedend trapte ze tegen de deur en rende toen naar haar eigen kamer.

Jeffrey smeet de aktentas op zijn bed en ging ernaast zitten. Het was niet zijn bedoeling geweest Carol zo van streek te maken, maar hem was geen andere mogelijkheid overgebleven. Hoe zou hij haar kunnen uitleggen wat hij nu moest doorstaan terwijl er al jarenlang geen sprake meer was van echte communicatie tussen hen? Hij wist dat hij haar een verklaring was verschuldigd, maar wilde daar pas mee komen wanneer hij had besloten wat hij nu verder zou doen. Als hij haar vertelde dat hij het geld in contanten bij zich had, zou ze hem dwingen er meteen mee naar de bank te gaan. Hij had echter tijd nodig om na te denken, want opnieuw was hij er niet zeker van wat hij nu verder moest doen.

Hij stond op en liep naar de badkamer. Daar nam hij een glas water, dat hij met twee handen moest vasthouden om niet te morsen.

Even keek hij in de spiegel en zag dat zijn beide oren knalrood waren. Hij rilde toen hij zich herinnerde hoe hulpeloos hij zich had gevoeld. Jeffrey liep de slaapkamer weer in en keek naar de aktentas. Die maakte hij open en duwde Chris' aantekeningen opzij. Zodra hij de stapeltjes bankbiljetten zag, wenste hij dat hij die middag in het vliegtuig was blijven zitten. Dan zou hij nu al een aardig eind onderweg naar Rio en naar een nieuw leven zijn geweest. Het leek wel alsof zijn ontmoeting met Kelly zich in een ander leven had afgespeeld.

Jeffrey keek op zijn horloge en zag dat het even na achten was. De laatste shuttle van Pan Am ging om half tien weg. Als hij zich haastte, zou hij die nog kunnen halen.

Hij herinnerde zich hoe beroerd hij zich die middag in dat vliegtuig had gevoeld. Zou hij zoiets echt kunnen doorzetten? Hij liep de badkamer weer in en keek in de spiegel nogmaals naar zijn oren. Waartoe zou een kerel als Devlin verder nog in staat zijn wanneer ze dag in dag uit samen in een gevangenis zaten?

Jeffrey draaide zich om en liep terug naar de aktentas. Die deed hij dicht en op slot. Hij zou naar Brazilië gaan.

Toen Devlin het huis van Jeffrey en Carol had verlaten, was hij vast van plan in het Italiaanse restaurant een hapje te gaan eten en daarna een paar biertjes tot zich te nemen in een kroeg bij de haven. Maar toen hij een klein eindje had gereden, trapte hij intuïtief op de rem. In gedachten liet hij het gesprek dat hij met de arts had gehad, nog eens de revue passeren. De man had gelogen toen hij zei dat de bank moeilijk deed over dat geld. Nu vroeg hij zich af waarom Rhodes had gelogen. 'Artsen denken altijd dat ze slimmer zijn dan alle andere mensen bij elkaar!' zei hij hardop.

Devlin draaide, reed terug naar het huis van Jeffrey, vond een parkeerplaatsje en zette de auto neer.

Hij had twee mogelijkheden. Hij kon weer naar binnen gaan om de dokter te vragen waarom hij had gelogen, of hij kon hier een tijdje de wacht houden. Hij wist dat hij de man doodsbang had gemaakt. Dat was ook zijn bedoeling geweest. Als er over een uurtje of zo verder niets bijzonders was gebeurd, zou hij een hapje gaan eten en dan terugrijden voor een tweede gesprekje.

Devlin zette de motor af. Waarom zou die Jeffrey Rhodes zijn veroordeeld? vroeg hij zich af. Dat had Mosconi hem niet verteld. Rhodes leek in zijn ogen helemaal geen misdadiger...

Devlin deed het portierraampje dicht, vanwege de muggen, en kreeg het al snel behoorlijk warm. Net toen hij van plan was de auto te starten en weg te gaan, zag hij bij de garage iets bewegen. 'Wat krijgen we nu?' mompelde hij en dook zo ver mogelijk weg.

In eerste instantie kon Devlin niet zien of het mevrouw of meneer Rhodes was. Toen zag hij Jeffrey uit de schaduw te voorschijn komen. Hij had zijn aktentas bij zich en liep ineengedoken, alsof hij bang was dat iemand hem zou opmerken.

'Dit wordt interessant,' fluisterde Devlin. Als hij zou kunnen bewijzen dat Jeffrey van plan was te vluchten, en hij hem op tijd te grazen kon nemen, zou dat zijn portemonnee beslist ten goede komen!

Jeffrey haalde de auto van de handrem, zonder het portier dicht te doen, uit angst dat Carol hem zou horen. Pas toen hij de straat had bereikt, startte hij de motor en reed weg. Tot dusverre was het gemakkelijker gegaan dan hij had gedacht!

Zodra Jeffrey op Lynn Way reed, was hij al weer een stuk rustiger geworden. God zij dank zou hij al snel niet meer bang hoeven zijn voor die ellendige kerel en niet aan gevangenissen hoeven te denken!

Toen hij het internationale vliegveld Logan naderde, begon hij zich net als die ochtend weer ongerust te maken. Even zijn pijnlijke oren aanraken was echter al voldoende om vol te houden. Omdat hij nog een paar minuten over had, liep hij naar de balie om te laten controleren of zijn ticket voor Rio nog in orde was. De avondvlucht bleek een stuk goedkoper te zijn dan de middagvlucht, dus kreeg hij nog aardig wat geld terug. Met zijn ticket tussen zijn tanden, de koffer in zijn ene en de aktentas in zijn andere hand liep hij snel verder. Het had bij de balie allemaal wat langer geduurd dan hij had gepland en deze vlucht wilde hij niet missen.

Zodra hij zijn koffer op de lopende band had gezet, greep iemand hem van achteren in zijn kraag.

'Was je van plan op vakantie te gaan, dokter?' vroeg Devlin met een droge glimlach en trok het ticket tussen Jeffrey's tanden vandaan. 'Bingo!' zei hij stralend, zodra hij had gezien dat Rio de Janeiro de plaats van bestemming was. Hij zag zich al plaats nemen aan een van de grote goktafels in Las Vegas, want nu zouden zijn zakken aanzienlijk worden gespekt! Hij stopte Jeffrey's ticket in zijn zak en haalde toen uit zijn andere zak handboeien te voorschijn. Het zien van die dingen bracht Jeffrey weer bij zijn positieven. Hij zwaaide zijn aktentas hoog door de lucht, naar het gezicht van Devlin, die de klap niet zag aankomen. De tas trof Devlin tegen zijn linkerslaap. De man wankelde en viel en de handboeien kletterden op de grond.

Een vrouw gilde, waardoor een geüniformeerde politieman, die in een krant zat te lezen, opkeek. Jeffrey sprintte in de richting van de balie. Devlin bracht een hand naar zijn hoofd en zag bloed.

Jeffrey rende verder, af en toe tegen mensen opbotsend. Hij keek even om en zag Devlin, wijzend naar hem, staan praten met de agent. Recht voor Jeffrey bevond zich een roltrap, die mensen van de verdieping onder de vertrekhal naar boven bracht. In tegenovergestelde richting rende hij die af, baande zich met zijn ellebogen een weg door de mensenmenigte in de aankomsthal heen en rende naar buiten.

Daar bleef hij even naar adem snakkend staan en probeerde na te denken over wat hij nu verder zou doen. Hij wist wel dat hij hier zo snel mogelijk weg moest. De vraag was hoe. Er stonden enige taxi's klaar, maar ook een rij wachtende mensen. Hij zou naar de parkeergarage kunnen rennen om zijn eigen auto op te halen, maar intuïtief voelde hij aan dat hij dan niet meer weg zou kunnen komen. Devlin moest hem naar het vliegveld zijn gevolgd, dus zou zijn auto inmiddels wel in de gaten worden gehouden.

Terwijl Jeffrey nadacht, kwam er een bus aan die tussen de verschillende vertrek- en aankomsthallen op en neer pendelde. Zonder een seconde te aarzelen rende Jeffrey de weg op en ging recht voor de rijdende bus staan, woest met zijn armen zwaaiend.

Met piepende remmen kwam de bus tot stilstand en de chauffeur deed de deur open. 'Man, je bent ofwel krankzinnig, of vreselijk dom. Ik hoop dat laatste, want ik rij liever niet met een gek in mijn bus rond.'

Jeffrey hield zich vast aan het bagagerek en boog zich om naar buiten te kijken. Hij zag Devlin en de politieman staan, maar kon tot zijn grote vreugde constateren dat ze hem niet in het vizier hadden gekregen.

Jeffrey ging zitten en zette de aktentas op zijn schoot. De volgende halte van de bus was bij de centrale vertrekhal, waar de balies van Delta, United en TWA waren ondergebracht. Daar stapte Jeffrey uit en rende tussen het drukke verkeer door naar de rij taxi's. Ook daar stonden al veel mensen te wachten. Jeffrey dacht even na en stapte toen op de voorste taxi af.

'Ik ben arts en heb meteen een taxi nodig,' zei hij zo autoritair mogelijk.

Hij kon direct instappen en besteedde geen enkele aandacht aan het gemopper van de mensen die vooraan in de rij stonden. Snel trok hij het portier dicht.

'Waarheen?' vroeg de chauffeur, een jonge man met lang haar.

Jeffrey zei hem dat hij eerst maar eens het terrein van het vliegveld af moest rijden.

'Ik wil weten waarheen, man!' zei de chauffeur lichtelijk nijdig.

'Goed. Naar het centrum.'

'Waar in het centrum?'

'Dat zeg ik wel als we daar zijn. Rijden maar!'

'Jezus!' mompelde de chauffeur, die helemaal niet blij was met zo'n kort ritje. Bovendien leek deze passagier geschift te zijn! Toen ze een politiewagen passeerden, zag hij dat de man plat op de achterbank ging liggen. Nog mooier: een gek die ook nog eens voor de smerissen op de loop was!

Jeffrey ging weer rechtop zitten en keek door de achterruit. Er leek niemand achter hen aan te komen. In ieder geval zag hij geen zwaailichten en hoorde hij geen sirenes. Hij keek weer door de voorruit. Het was inmiddels donker geworden.

Had hij het juiste gedaan? Had hij weg moeten rennen, van de angstaanjagende Devlin vandaan, vooral gezien het feit dat er een agent bij was geweest?

Geschrokken herinnerde hij zich dat Devlin hem zijn ticket had afgepakt, omdat dat bewees dat hij had willen vluchten. Dat op zich was al voldoende om hem in de gevangenis te doen belanden. Wat voor invloed zou deze vluchtpoging op een aanvrage voor een proces in hoger beroep hebben?

Eén ding was duidelijk. Zijn gedrag liet zich in de ogen der wet beslist op geen enkele manier excuseren en nu zou hem ook een vluchtpoging ten laste worden gelegd.

De taxi reed de Sumner Tunnel in. Het was verhoudingsgewijs rustig op de weg, dus kwamen ze snel verder. Jeffrey vroeg zich af of hij rechtstreeks naar de politie moest gaan. Zou hij er verstandig aan doen zichzelf aan te geven? Misschien zou hij zich bij een busstation moeten laten afzetten, om de stad uit te gaan. Hij zou ook een auto kunnen huren, maar het probleem daarbij was dat rond deze tijd alleen op de vliegvelden auto's beschikbaar waren.

Jeffrey had er geen idee van wat hij nu moest doen. Ieder actieplan leek nadelen te hebben en iedere keer als hij dacht dat de ellende niet nog groter kon worden, bleek dat toch wel zo te zijn.

4

Dinsdag 16 mei 1989, twaalf over half tien 's avonds

'Ik heb goed nieuws en slecht nieuws,' zei Devlin tegen Mosconi. 'Wat wil je het eerste horen?' Devlin belde op vanaf het vliegveld, nadat hij zonder succes geruime tijd naar Jeffrey op zoek was geweest. De politieman had inmiddels al om versterking gevraagd, maar Devlin wilde van Mosconi nog meer hulp hebben. Het verbaasde hem ten zeerste dat Jeffrey weg had weten te komen.
'Ik heb geen zin in spelletjes,' zei Mosconi geïrriteerd. 'Zeg me wat je me te zeggen hebt.'
'Kom nu, niet zo somber. Eerst de goede, of eerst de slechte berichten?' Devlin vond het heerlijk Mosconi te pesten, omdat de man altijd zo snel op zijn teentjes was getrapt.
'Eerst de goede berichten dan maar. Als het tenminste echt goede zijn.'
'Hangt ervan af uit welke hoek je het bekijkt,' zei Devlin vrolijk. 'Het goede nieuws is dat je me geld schuldig bent. Een paar minuten geleden heb ik kunnen voorkomen dat de dokter op een vliegtuig stapte met bestemming Rio de Janeiro.'
'Echt waar?'
'Ja, en ik heb het ticket om dat te kunnen bewijzen.'
'Dat is geweldig, Dev!' zei Mosconi opgewonden. 'Mijn hemel, de borgsom voor die man is bepaald op vijfhonderdduizend dollar. Het zou me hebben geruïneerd. Hoe heb je het voor elkaar gekregen? Ik bedoel... Hoe wist je dat hij op de vlucht zou slaan? Ik moet toegeven dat je af en toe verbazingwekkend goed bent, makker.'
'Leuk dat te horen, maar je vergeet de slechte berichten.' Devlin glimlachte toen hij zich voorstelde hoe Mosconi op de volgende mededeling zou reageren.
'Oké, kom maar op.'
'Op dit moment weet ik niet waar onze dokter is. Hij is ergens in Boston. Verblijfplaats onbekend. Ik had hem in zijn kraag gegrepen, maar toen heeft die griezel me een dreun met zijn aktentas verkocht voordat ik hem de handboeien had kunnen omdoen. Ik had dat nooit van een arts verwacht!'

'*Je moet hem vinden!*' schreeuwde Mosconi. 'Verdomme, waarom heb ik die kerel ook vertrouwd? Ik had mijn hoofd moeten laten nakijken!'

'Ik heb de luchthavenpolitie de situatie uitgelegd, en die is ook naar hem op zoek,' zei Devlin. 'Ik heb er echter zo'n vermoeden van dat hij niet nogmaals zal proberen met een vliegtuig weg te komen. In ieder geval niet vanaf dit vliegveld. O ja, verder heb ik beslag laten leggen op zijn auto.'

'Ik wil dat die vent wordt gevonden,' zei Mosconi dreigend. 'Ik wil dat hij stante pede bij de gevangenispoort wordt afgeleverd. Heb je me goed begrepen, Devlin?'

'Jawel, makker, maar ik heb er nog geen getallen bij horen noemen. Wat bied je me om die gevaarlijke misdadiger op te sporen en aan te houden?'

'Dev, houd op met die grapjasserij.'

'Ik maak geen grapjes. Dokterlief is misschien niet zo heel erg gevaarlijk, maar ik wil weten hoe serieus jij het met die kerel meent. En dat kun je me het beste duidelijk maken door me te vertellen hoe hoog de beloning zal zijn.'

'Als je hem weer hebt gevonden, zullen we dat nader bespreken.'

'Michael, je denkt toch zeker niet dat ik gek ben?'

Er volgde een gespannen stilte, die door Devlin werd verbroken. 'Ik denk dat ik maar eens een hapje ga eten en dan een showtje pak. Tot ziens, ouwe makker.'

'Wacht! Oké. Ik zal het honorarium met je delen. Ieder vijfentwintigduizend.'

'Delen? Dat is niet de gebruikelijke gang van zaken, makker.'

'Kan best zijn, maar deze vent is dan ook geen koelbloedige, gewapende moordenaar.'

'Ik zie niet in wat voor verschil dat uitmaakt,' zei Devlin. 'Als je er iemand anders bij haalt, zal die de volle tien procent willen hebben, dus vijftigduizend. Ik zal het goed met je maken. Omdat we elkaar al zo lang kennen, ben ik bereid met veertig genoegen te nemen en kun jij er tien houden voor het invullen van alle paperassen.'

Mosconi vond het afschuwelijk om bakzeil te moeten halen, maar er zat niets anders op. 'Oké. Ik wil die dokter wel zo spoedig mogelijk in de nor hebben, voordat de borgsom verbeurd wordt verklaard. Duidelijk?'

'Ik zal hem mijn onverdeelde aandacht geven, vooral nu je er op hebt gestaan zo vrijgevig te zijn. Verder moeten we ervoor zorgen

dat de uitgangswegen worden afgesloten. Hier is de zaak al afgedekt, maar trein- en busstations en autoverhuurbedrijven moeten eveneens in de gaten worden gehouden.'
'Ik zal de politie bellen. Wat ga jij doen?'
'De wacht houden bij het huis van die man, want ik heb er zo'n vermoeden van dat hij daarheen zal gaan, of minstens zijn vrouw zal opbellen. Als hij dat laatste doet, zal zij wel naar hem toe gaan.'
'Als je hem te pakken hebt, moet je hem behandelen alsof hij twaalf mensen om zeep heeft gebracht. Ik meen het, Dev. Op dit moment kan het me niet zoveel schelen of hij in leven blijft of dood gaat.'
'Wanneer jij ervoor zorgt dat hij de stad niet uit kan, zal ik hem in zijn kraag grijpen. Wanneer je problemen mocht krijgen met de politie, bel je me maar via de autotelefoon.'

Het humeur van de taxichauffeur van Jeffrey verbeterde aanzienlijk naarmate het bedrag op de meter hoger werd. Jeffrey liet de man doelloos door Boston rond rijden en toen ze voor de derde keer in de buurt van Boston Gardens waren, wees de meter dertig dollar aan.
Jeffrey was bang om naar huis te gaan, want daar zou Devlin vrijwel zeker de wacht houden. Eigenlijk durfde hij nergens heen te gaan. De stations van de treinen en de bussen zouden inmiddels ook wel in de gaten worden gehouden.
Hij zou Randolph kunnen opbellen om te vragen of hij iets voor hem zou kunen doen, wat dan ook, om de status quo van enige uren geleden weer te herstellen. Optimistisch ten aanzien van die mogelijkheid was hij niet, maar het was de moeite van het proberen waard. Verder moest hij een hotelkamer huren, besloot hij, in een achteraf-hotelletje. De goede hotels zouden vast door Devlin worden gecontroleerd.
Jeffrey vroeg de taxichauffeur of hij een niet al te duur hotel wist. De man dacht even na. 'Het Plymouth Hotel,' zei hij toen.
Dat was een groot hotel, wist Jeffrey. 'Ik geef de voorkeur aan een minder bekend hotel en het mag best een beetje sjofel zijn.'
'De Essex?'
'Waar is dat?'
'Aan de andere kant van de combat zone,' antwoordde de chauffeur. De Essex was een smerig hotel, waar kamers per uur konden worden gehuurd door hoertjes en hun klanten.
'Dus van niet al te best allooi?' vroeg Jeffrey.
'Veel beroerder zul je ze niet kunnen vinden.'

'Prima. Breng me daar maar heen.'

De chauffeur draaide linksom Arlington Street af, Boylston op. Na een tijdje werden de straten smeriger. Leegstaande gebouwen, sexwinkels, veel afval op de trottoirs. In portieken en steegjes wemelde het van de zwervers. Toen de taxi moest wachten voor een rood stoplicht, kwam een jong meisje in een obsceen korte rok op de wagen af gelopen en trok vragend een wenkbrauw op. Zo te zien kon ze niet ouder dan een jaar of vijftien zijn.

De neonreclame van het Essex Hotel functioneerde niet al te best meer, zodat je alleen - heel toepasselijk - SEX EL zag staan. Jeffrey aarzelde. Sjofel was een nog te vriendelijke benaming voor dit etablissement.

'U wilde iets goedkoops hebben en dit is goedkoop,' zei de taxichauffeur.

Jeffrey gaf hem een biljet van honderd dollar, dat hij uit zijn aktentas had gehaald.

'Heeft u het niet kleiner?'

'Nee. Ik heb geen tweeënveertig dollar in klein geld.'

De man zuchtte en maakte een hele show van het wisselen. Jeffrey gaf hem tien dollar fooi en de man reed weg, na hem verder een prettige avond te hebben gewenst.

Jeffrey bekeek nogmaals de voorgevel van het hotel. Rechts ervan bevond zich een leegstaand gebouw, waarvan de ramen op de bovenverdiepingen waren dichtgetimmerd. Op de begane grond een pandjesbaas en een videoverhuurbedrijf. Links van het hotel stond een kantoorgebouw dat al even hard aan een opknapbeurt toe was. Daarnaast een drankwinkel, met tralies voor de etalage, die grensde aan een braakliggend terrein vol troep en kapotte bakstenen.

Jeffrey liep het Essex Hotel in. In de hal stonden alleen een versleten bank en zes metalen klapstoeltjes. Geen schilderijen aan de muur, wel een enkele telefoon. Er was een lift, maar volgens een bordje was die defect. Naast de lift bevond zich een deur die naar een trappenhuis leidde. Jeffrey voelde zich misselijk worden terwijl hij naar de balie liep.

Een sjofel geklede man van ergens voor in de zestig stond op en bekeek Jeffrey achterdochtig. Alleen drugshandelaren kwamen met een aktentas naar het Essex Hotel.

'Kan ik u ergens mee van dienst zijn?' vroeg hij, op een toon die het duidelijk maakte dat hij Jeffrey liever zag gaan dan komen.

Jeffrey knikte. 'Ik wil graag een kamer hebben.'

'Heeft u gereserveerd?'

Jeffrey kon zich niet voorstellen dat de man die vraag serieus bedoelde, maar hij wilde hem ook niet voor het hoofd stoten, dus speelde hij het spelletje mee.

'Nee.'

'Tien dollar per uur, of vijfentwintig per nacht.'

'Kan het ook voor twee nachten?'

De man haalde zijn schouders op. 'Vijftig dollar, plus omzetbelasting, en vooruit betalen.'

Jeffrey schreef zich in als Richard Bard, betaalde de man en gaf hem een redelijke fooi. Daarna kreeg hij een sleutel aan een metalen plaatje waarin *5F* stond gegraveerd.

Aan de trap was te zien dat het eens een fatsoenlijk hotel moest zijn geweest. Hij was gemaakt van massief marmer en de houten trapleuning was fraai bewerkt.

De kamer die Jeffrey had gekregen, bevond zich aan de straatzijde. Toen hij de deur openmaakte, zag hij meteen het licht van de neonreclame beneden. Hij deed het licht aan en bekeek zijn nieuwe onderkomen. De muren waren al in geen eeuwen meer behangen en de verf bladderde aan alle kanten af. Verder zag hij een eenpersoonsbed, een nachtkastje met lamp zonder lampekap, een kaarttafeltje en een enkele houten stoel. Een dunne deur leidde naar een badkamertje.

Jeffrey had de neiging meteen weer te vertrekken. Toen besefte hij dat hij hier vrede mee zou moeten hebben en deed de deur achter zich dicht en op slot. Hij voelde zich ontzettend alleen en geïsoleerd. Nu had hij werkelijk het dieptepunt bereikt, meende hij.

Hij ging op het bed zitten en liet zich toen achterover vallen. Pas toen zijn rug de matras raakte, besefte hij hoe moe hij was. Hij zou het heerlijk hebben gevonden uren te kunnen gaan slapen, maar wist dat dat onmogelijk was. Hij moest een plan, een strategie bedenken, nadat hij een aantal telefoongesprekken had gevoerd.

Omdat er op de kamer geen telefoon was, moest Jeffrey naar de lobby om te bellen. Hij nam zijn aktentas mee, want die durfde hij geen minuut onbewaakt achter te laten.

Het eerste nummer dat hij draaide, was van Randolph Bingham. Terwijl hij Randolphs telefoon over hoorde gaan, kwam hetzelfde jonge meisje dat hij vanuit de taxi had gezien, het hotel in. Ze had een kaalhoofdige, zenuwachtige man bij zich. Jeffrey draaide het tweetal zijn rug toe en hoorde even later Randolphs aristocratische stem.

'Ik zit met een probleem,' zei Jeffrey zonder zijn naam te noemen, maar de jurist herkende zijn stem meteen. Met een paar eenvoudige zinnen bracht Jeffrey Randolph op de hoogte van alles wat er was gebeurd. Hij liet niets onvermeld, ook niet het feit dat hij Devlin met zijn aktentas een mep had verkocht, in het bijzijn van een politieman, en de daarop volgende race over het vliegveld.

'Mijn god,' was alles wat Randolph in eerste instantie zeggen kon zodra Jeffrey zijn verhaal had gedaan. Toen voegde hij daar, bijna boos, aan toe: 'Je beseft zeker wel dat dit je zaak geen goed zal doen. In beroep gaan wordt er niet makkelijker door en het is vrijwel zeker dat dit van invloed zal zijn op het vonnis.'

'Dat weet ik zelf ook wel. Ik heb je niet opgebeld om van jou te horen dat ik in de problemen ben gekomen. Wel om van je te horen hoe je me zou kunnen helpen.'

'Voordat ik iets doe, zul je jezelf moeten aangeven.'

'Maar...'

'Geen gemaar. Je positie is nu al beroerd genoeg.'

'Is de kans niet groot dat ik niet meer op borgtocht zal worden vrijgelaten wanneer ik mezelf aangeef?'

'Jeffrey, je hebt geen keus. Gezien het feit dat je het land uit hebt willen vluchten, kun je niet verwachten dat het Hof veel vertrouwen in je zal hebben.'

Randolph wilde nog iets zeggen, maar Jeffrey onderbrak hem. 'Het spijt me, maar ik ben niet bereid de gevangenis in te gaan, onder welke omstandigheden dan ook. Doe alsjeblieft wat je kunt. Ik neem wel weer contact met je op.' Jeffrey smeet de hoorn op de haak en keek om zich heen, om te zien of iemand het gesprek kon hebben gehoord. Het jonge meisje en haar klant waren verdwenen, de man achter de balie zat naar de televisie te kijken en een oude baas van ergens in de zeventig zat op de bank een tijdschrift door te bladeren.

Jeffrey belde naar huis.

'Waar ben je?' vroeg Carol meteen.

'In Boston.' Meer wilde hij haar niet vertellen, maar op deze informatie had ze recht. Hij wist dat ze woedend moest zijn omdat hij zonder iets te zeggen was vertrokken, maar hij wilde haar waarschuwen voor de mogelijkheid dat Devlin terug zou komen. En hij wilde dat ze de auto zou ophalen. Op medeleven rekende hij niet.

'Waarom heb je me niet gezegd dat je wegging?' snauwde Carol. 'Al die maanden lang heb ik je geduldig bijgestaan en daar word ik nu op deze manier voor bedankt. Ik heb je overal in huis gezocht voordat het tot me doordrong dat je auto weg was.'

'Over die auto wilde ik je nu net spreken.'

'Ik heb geen belangstelling voor die wagen van jou!'

'Carol, luister naar me!' schreeuwde Jeffrey. Toen hij merkte dat ze bereid was dat te doen, ging hij fluisterend verder. 'Mijn auto staat op het vliegveld, in de grote parkeergarage, en het kaartje zit in de asbak.'

'Ben je van plan te vluchten? Dan zullen we het huis kwijtraken. Ik heb die papieren ondertekend in het volste vertrouwen dat jij...'

'Sommige dingen zijn belangrijker dan het huis!' Jeffrey werd nijdig. 'Bovendien rust er geen hypotheek op ons huis aan de Cape. Als je je zorgen maakt over het geld, kun je dat hebben.'

'Je hebt me nog altijd geen antwoord gegeven op de vraag of je van plan bent te vluchten.'

'Dat weet ik nog niet. Echt niet. Luister, de auto staat op de tweede verdieping. Als je hem hebben wilt, is dat prima. Zo niet, even goede vrienden.'

'Ik wil het met je hebben over de echtscheiding,' zei Carol. 'Daar heb ik nu lang genoeg mee gewacht. Ik kan best begrip hebben voor jouw problemen, maar ik moet doorgaan met mijn eigen leven.'

'Ik bel je nog wel,' zei Jeffrey en legde de hoorn op de haak.

Triest schudde hij zijn hoofd. Hij kon zich niet eens meer de tijd herinneren dat Carol en hij elkaar vriendelijk hadden bejegend. Hij was op de vlucht geslagen en het enige waar zij zich zorgen over kon maken, was huis, geld en echtscheiding.

Ze had wel gelijk toen ze stelde dat zij verder moest gaan met haar eigen leven, veronderstelde hij en keek naar de telefoon. Het liefste zou hij Kelly bellen. Maar wat zou hij tegen haar kunnen zeggen? Kon hij haar vertellen dat hij had geprobeerd te vluchten, maar daarin had gefaald? Hij voelde zich steeds verwarder en onzekerder.

Moe klom hij de vijf trappen weer op, naar zijn deprimerende kamer. Hij ging bij het raam staan, keek naar buiten en vroeg zich af wat hij nu moest doen. O, hij zou Kelly zo dolgraag willen bellen! Toch kon hij dat niet doen, omdat de hele situatie hem in verlegenheid zou brengen. Hij liep naar het bed en vroeg zich af of hij zou kunnen slapen. Hij moest iets doen, dacht hij, en toen viel zijn oog op zijn aktentas.

5

Het enige licht in de kamer kwam van het televisiestoestel. Een pistool en een zestal flesjes Marcaine lagen op een bureau naast de televisie en glansden in het zachte licht. Op de televisie stonden drie Jamaïcanen duidelijk gespannen in een kleine hotelkamer. Ze hadden allemaal een geweer bij zich. De dikste van de drie keek telkens weer op zijn horloge. De spanning die de mannen uitstraalden, vormde een scherp contrast met het sonore reggae-ritme dat werd geproduceerd door een radio die op het nachtkastje stond. Opeens werd de deur opengetrapt.

Crocket kwam als eerste naar binnen, zijn wapen op het plafond gericht. Met een snelle, katachtige beweging drukte hij de loop tegen de borst van de dichtstbijzijnde Jamaïcaan en schoot hem dood. Crocket had met een tweede kogel al een einde aan het leven van de tweede Jamaïcaan gemaakt voordat Tubbs net op tijd binnenkwam om met nummer drie af te rekenen. Binnen een paar seconden was het allemaal voorbij.

Crocket schudde zijn hoofd. Zoals gewoonlijk ging hij gekleed in een duur linnen jasje van Armani over een katoenen T-shirtje. 'Prima timing, Tubbs,' zei hij. 'Die derde druiloor zou me problemen hebben kunnen geven.'

Toen de titelrol op het scherm verscheen, slaakte Trent Harding een triomfantelijke kreet. Geweld op de televisie had altijd een stimulerend effect op hem. Het gaf hem een agressieve energie die op de een of andere manier een uitlaatklep moest krijgen. Vaak stelde hij zich voor dat hij iemand kogels in zijn borst pompte, zoals Don Johnson dat zo regelmatig deed. Soms dacht Trent wel eens dat hij bij de politie had moeten gaan. Bij de militaire politie, in plaats van bij het medische corps van de marine. Toch had hij het daar best naar zijn zin gehad. Het was een uitdaging geweest en hij had er dingen geleerd die hij anders nooit zou hebben geleerd.

Trent stond op van de bank en liep zijn keuken in. Hij bewoonde een comfortabel appartement met een slaapkamer en twee badkamers. Hij zou zich best wat beters kunnen veroorloven, maar hij voelde zich hier prettig. Hij woonde op de bovenste etage van een vijf verdiepingen tellend gebouw aan de achterzijde van Beacon Hill. De slaapkamer en de huiskamer grensden aan Garden Street, de keuken en de grootste van de twee badkamers aan een binnenpleintje. Hij pakte een Amstel Light uit de ijskast en nam een grote slok. Misschien dat het bier hem weer een beetje tot rust zou brengen na *Miami Vice*. Zelfs afleveringen die hij al eens eerder had gezien, deden hem ernaar verlangen naar een bar te gaan om eens te kijken of hij geen rel kon trappen. Gewoonlijk vond hij in de buurt van Cambridge Street wel een paar homo's die hij een aframmeling kon geven.

Trent zag eruit als een man die moeilijkheden zocht. Hij zag er ook uit alsof hij die al vaker had gevonden. Hij was een zwaargebouwde, gespierde man van achtentwintig jaar, met geblondeerde haren en felblauwe ogen. Onder zijn linkeroog had hij een litteken dat doorliep tot zijn oor. Dat had hij opgelopen tijdens een gevecht met kapotte bierflesjes in een bar in San Diego. Het was hem op een paar hechtingen komen te staan, maar die andere man had zijn hele smoel moeten laten opkalefateren. Die had de fout gemaakt Trent te zeggen dat hij vond dat hij een lekkere kont had. De godvergeten flikker!

Trent liep terug naar zijn slaapkamer en zette het biertje boven op de televisie. Toen pakte hij het .45 pistool dat hij in ruil voor amfetaminen van een marineman had gekregen. Het voelde lekker aan. Trent richtte het wapen op het televisiescherm, draaide zich bliksemsnel om en mikte op het geopende keukenraam.

Aan de overkant van de straat deed een vrouw net het raam van haar slaapkamer open. 'Pech, schatje!' fluisterde Trent. Hij richtte het wapen zorgvuldig op het lichaam van de vrouw en haalde toen langzaam en doelbewust de trekker over.

'Pauw!' schreeuwde hij en glimlachte. In gedachten zag hij de vrouw haar appartement door geslingerd worden vanwege de klap, met een keurig gaatje in haar borst waar het bloed uit spoot.

Trent legde het wapen op de televisie neer, naast het bierflesje. Toen pakte hij een van de buisjes Marcaine van het bureau. Dat smeet hij in de lucht en ving het achter zijn rug met zijn andere hand weer op. Daarna liep hij op zijn dooie gemakje terug naar de keuken om de noodzakelijke spullen te pakken.

Eerst moest hij de glazen weghalen van de plank in een van de keukenkastjes naast de ijskast. Daarna kon hij bij de geheime bergruimte, tussen de wand van het kastje en de muur. Trent pakte een propaanbrander, een buisje met gele vloeistof en een naald. Het buisje had hij van een Colombiaan in Miami gekregen, de naalden kon hij vrijwel moeiteloos meenemen uit het ziekenhuis waar hij werkte. Hij liep met dat alles naar zijn slaapkamer terug.

Daar nam hij eerst nog eens een slokje bier. Toen haalde hij een kleine driepoot onder zijn bed vandaan, stak een sigaret op en stak daarmee de propaanbrander aan. Daarna zoog hij een beetje van de gele vloeistof op en verhitte de naald tot die roodgloeiend was. Hij bleef de naald in de vlam houden, pakte het buisje Marcaine en verwarmde de bovenkant ervan, tot die eveneens roodgloeiend was. Handig duwde hij de hete naald door het gesmolten glas en voegde een druppel van de gele vloeistof toe. Daarna kwam het lastigste deel. Nadat hij de naald had weggelegd, begon hij het buisje te schudden boven de vlam, waar hij het een paar paar seconden in hield, tot de naaldenprik weer dicht was.

Nadat hij het buisje uit de vlam had gehaald, bleef hij het schudden tot het glas aanzienlijk was afgekoeld.

'Verdomme!' zei Trent, toen hij het glas bij het uiteinde van het buisje plotseling zag inzakken. Het was nauwelijks te zien, maar toch te riskant: als het iemand opviel, zou het buisje worden weggegooid of, erger nog, met achterdocht worden bekeken. Trent smeet het in de vuilnisbak.

Nijdig pakte hij een nieuw buisje Marcaine. Hij zou het nog eens moeten proberen. Terwijl hij de procedure herhaalde, raakte hij steeds meer gespannen en vloekte woedend toen ook de derde poging op een mislukking bleek uit te draaien. De vierde keer ging alles echter naar wens.

Hij hield de ampul naar het licht en bekeek haar zorgvuldig. Bijna perfect. Hij kon nog zien dat het glas was doorboord, maar dan moest hij wel heel goed kijken. Dit zou nog wel eens zijn beste werkstukje tot nu toe kunnen zijn! Het gaf hem grote voldoening zo'n moeilijke procedure meester te zijn. Toen hij enige jaren geleden voor het eerst aan deze mogelijkheid had gedacht, had hij er geen idee van gehad of het ook echt zou werken. In die tijd had hij uren nodig gehad voor iets dat hij nu in minuten voor elkaar kon krijgen.

Toen Trent klaar was, borg hij alles op en zette de glazen weer op de plank.

Daarna pakte hij het buisje Marcaine waar hij mee geknoeid had en schudde er eens stevig mee. Het druppeltje gele vloeistof was al lang opgelost. Hij hield de capsule op zijn kop, om er zeker van te zijn dat die niet lekte.

Met een grijns bedacht hij welk effect dit buisje binnenkort zou hebben in een van de operatiekamers van het St. Joseph's. Die grijns werd breder toen hij dacht aan die doktoren, die zich God in Frankrijk waanden, en de beroering die binnen die kringen zou ontstaan.

Trent haatte artsen. Ze deden altijd net alsof ze alles wisten, terwijl ze in werkelijkheid te stom waren om voor de duvel te dansen, zeker de artsen die bij de marine werkten. Meestal wist Trent tweemaal zoveel als zij, maar toch moest hij naar hun pijpen dansen. Hij walgde vooral van de arts die hem had verraden toen hij wat amfetaminen had gestolen. Wat een hypocriet! Iedereen wist dat artsen er altijd met allerlei medicijnen en instrumenten vandoor gingen. Verder was er ook nog die maffe arts die tegenover Trents bevelvoerend officier zijn beklag had gedaan over Trents zogenaamde homoseksuele gedrag. Dat was de druppel geweest die de emmer had doen overlopen. Trent had ontslag genomen, omdat hij er geen zin in had gehad voor de krijgsraad te worden gesleept.

Maar hij was al wel goed opgeleid en het was geen probleem geweest als verpleger aan de slag te komen. Het tekort aan dergelijk personeel was zo groot dat hij zelf kon kiezen waar hij wilde werken. Ieder ziekenhuis wilde hem wel hebben, vooral omdat hij het werken in een OK prettig vond en daar ook ervaring mee had.

Het enige probleem van het werken in een niet-militair hospitaal was - los van de artsen - de rest van het medisch personeel. Sommigen van hen waren even erg als de artsen, vooral de afdelingshoofden. Die probeerden hem altijd iets te vertellen dat hij al wist. Toch vond Trent hen minder irritant dan de artsen. Zij waren degenen die het autonome handelen waaraan Trent bij de marine gewend was geweest, aan banden wilden leggen.

Trent stopte het buisje Marcaine waarmee hij had geknoeid in de zak van zijn witte verplegersjas, die in de kast bij de voordeur hing. Door het denken aan artsen schoot de naam van dokter Doherty hem weer te binnen en moest hij zijn kaken op elkaar klemmen. Hij smeet de kastdeur dicht, met zoveel geweld dat het hele gebouw ervan op zijn grondvesten leek te trillen. Die dag nog had Doherty, een van de anesthesisten, het lef gehad in aanwezigheid van een aantal verpleegsters kritiek op Trent te leveren omdat hij het niet zo nauw zou hebben genomen met het steriliseren van de apparatuur. En dat kwam uit de mond van een man die zijn masker niet eens fatsoenlijk opdeed als hij moest opereren, zodat zijn neusgaten vaak niet waren bedekt! Het had Trent woedend gemaakt. Ik hoop dat Doherty dat buisje in handen krijgt, dacht hij. Helaas zou hij dat op geen enkele manier zeker kunnen stellen. De kans was ongeveer een op de twintig, tenzij hij wachtte tot Doherty een epidurale injectie moest toedienen. Nu ja, wat kon het hem ook schelen? Het zou amusant worden, wie dat buisje ook in handen kreeg.

Nu hij eenmaal echt op de vlucht was, voelde Jeffrey zich verwarder dan ooit. Toch neigde hij in het geheel niet meer naar een zelfmoordpoging. Hij wist niet of hij dapper of laf was, maar hij zou het allemaal niet nog eens beroerder maken. Hij pakte het buisje met morfine en deponeerde de inhoud in de W.C.

Daarna voelde hij zich iets rustiger, omdat het voldoening gaf in ieder geval één besluit te hebben genomen. Vervolgens ordende hij de inhoud van zijn aktentas. Het geld werd onderin gelegd, met zijn ondergoed erbovenop. In de vakken in het deksel borg hij Chris' aantekeningen op, nadat hij die eerst naar grootte had gerangschikt. Terwijl hij met dat laatste bezig was, las hij ondanks alles af en toe toch een stukje en was blij dat hij daardoor zijn gedachten even kon verzetten.

Vooral de casus van Henry Noble bleef fascinerend. Jeffrey werd opnieuw getroffen door de overeenkomsten tussen het verhaal over die man en zijn ervaringen met Patty Owen, vooral ten aanzien van de eerste symptomen. Het grootste verschil was dat Patty's reactie heviger was geweest. Omdat beide patiënten Marcaine was toegediend, was het niet zo vreemd dat er sprake was van overeenkomsten. Het was wel eigenaardig dat in beide gevallen de eerste symptomen niet die waren geweest die je bij een negatieve reactie op een plaatselijke verdoving mocht verwachten.

Jeffrey had als anesthesist zoveel ervaring dat hij wel wist welke symptomen zich konden voordoen als gevolg van een overdosis die in het bloed terechtkwam. Het kon van invloed zijn op het hart of het zenuwstelsel. In dat laatste geval betrof het meestal het centrale of het autonome stelsel, dat werd gestimuleerd of afgezwakt, of een combinatie van beide.

Nooit had Jeffrey echter reacties gezien zoals bij Patty Owen - de speekselvloed, het tranen, het plotselinge transpireren, de pijn in de buik en de kleine pupillen. Een deel van die symptomen was te verwachten bij een allergische reactie, maar niet bij een overdosis, en Jeffrey had redenen om aan te nemen dat Patty Owen niet allergisch voor Marcaine was geweest.

Hetzelfde probleem leek Chris dwars te hebben gezeten. Chris maakte melding van het feit dat de symptomen van Henry Noble voornamelijk muscarinisch van aard waren geweest, dus symptomen die je mocht verwachten wanneer delen van het parasympathisch stelsel werden gestimuleerd. Men sprak over 'muscarinisch' vanwege de sterke overeenkomsten met de symptomen die werden veroorzaakt door muscarine, een dodelijk alkaloïd dat wordt geproduceerd door een vliegenzwam, een giftige paddestoel. Dergelijke symptomen waren echter niet te verwachten bij een middel als Marcaine. Waarom hadden ze zich dan toch in beide gevallen voorgedaan? Het was een echte puzzel.

Jeffrey deed zijn ogen dicht. Het was heel ingewikkeld, en hoewel hij er tijdens zijn studietijd wel over had gehoord, kon hij zich een groot deel van de fysiologische details niet meer herinneren. Wel wist hij dat een plaatselijke verdoving van invloed kon zijn op het sympathische deel van het autonome zenuwstelsel en niet op het parasympathische deel, zoals dat bij Noble en Owen wel was gebeurd. Een makkelijke verklaring diende zich niet aan.

Jeffrey's intense concentratie werd verbroken door een klap tegen de muur en enig overdreven gekreun uit de kamer naast de zijne. Hij zag, helaas, een beeld voor ogen van het jonge hoertje en haar klant. Het gezucht ging nog enige tijd door en hield toen op.

Jeffrey liep naar het raam en zag buiten zwervers, hoertjes en pooiers. Wat een buurt! dacht hij.

Hij liep weer terug naar het bed en probeerde een verklaring voor de casussen Noble en Owen te vinden. Had Chris gelijk? Was er iets mis geweest met de Marcaine? Als Chris en hij geen ernstige medische fout hadden gemaakt, moest die theorie beslist aan een nader onderzoek worden onderworpen. Indien hij de juistheid ervan zou kunnen bewijzen, zou de farmaceutische firma die het middel had vervaardigd als de schuldige moeten worden aangewezen. Jeffrey wist niet precies wat het juridische apparaat zou doen wanneer die theorie kon worden bewezen. Maar gezien zijn recente aanvaringen met dat systeem wist hij dat de wielen, hoe langzaam dan ook, wel zouden gaan draaien. Misschien zou Randolph een manier weten om dat proces wat te versnellen! Jeffrey glimlachte even. Zou het niet geweldig zijn als zijn reputatie en zijn carrière op die manier konden worden gered? Maar hoe zou hij kunnen bewijzen dat er iets mis was geweest met een buisje

Marcaine dat hij vijf maanden geleden had gebruikt?

Opeens kreeg hij een idee en pakte snel Chris' aantekeningen. Chris had voor de proefdosis 2 cc Marcaine uit een ampul van 30 cc gehaald, en daaraan zijn eigen 1:100 000 epinephrinum toegevoegd. Meteen daarna waren bij Henry Noble de eerste reacties gekomen. In het geval van Patty Owen had Jeffrey in de OK een nieuwe ampul van 30 cc Marcaine gebruikt. Pas na het toedienen van *die* Marcaine waren de eerste reacties gekomen. Voor de proefdosis had Jeffrey een apart buisje van 2 cc gebruikt, zoals hij dat altijd deed. Als de Marcaine besmet was geweest, moest dat dus in beide gevallen met een ampul van 30 cc zijn gebeurd. Dat zou betekenen dat Patty een veel grotere dosis toegediend had gekregen dan Henry Noble en dat verklaarde ook waarom haar reacties zoveel sterker waren geweest, en Noble nog een week in leven was gebleven.

Voor het eerst sinds maanden kreeg Jeffrey weer een beetje hoop dat hij de draad van zijn oude leven toch ooit opnieuw zou kunnen oppakken. Hij had nooit aan de mogelijkheid van besmetting gedacht, maar nu leek die hem opeens heel reëel. Het zou echter tijd en inspanning kosten om die theorie te bewijzen. Wat zou zijn eerste stap moeten zijn?

In de eerste plaats had hij meer informatie nodig over plaatselijke anesthesie en het autonome zenuwstelsel, maar daar was verhoudingsgewijs makkelijk aan te komen. Hij hoefde er alleen maar wat boeken op na te slaan. Moeilijker zou het zoeken naar de besmettingsbron worden. Daarvoor zou hij het volledige verslag van de patholoog-anatoom moeten kunnen bestuderen en tot dusverre had hij daar slechts delen van gezien. Verder was er ook nog die kwestie die Kelly had aangesneden: hoe was dat buisje met .75% Marcaine in de afvalemmer terechtgekomen?

Onder de meest gunstige omstandigheden zou zo'n onderzoek al moeilijk zijn. Nu hij was veroordeeld en op de vlucht geslagen, werd het vrijwel onmogelijk.

Jeffrey ging naar de badkamer en keek in de spiegel. Zou hij zijn uiterlijk voldoende kunnen veranderen om niet te worden herkend? Na zijn studietijd was hij al in het Boston Memorial gaan werken, dus kenden honderden mensen hem daar van gezicht.

Jeffrey trok met een hand zijn lichtbruine haar strak naar achteren. Toen kamde hij zijn haren opzij, met rechts een scheiding. Als hij het naar achteren kamde, leek zijn voorhoofd breder. Een bril had hij nooit gedragen. Misschien moest hij er nu één aanschaffen. Hij had jaren lang een snor gehad en die zou hij nu kunnen afscheren. Dat laatste deed hij meteen. Het voelde vreemd aan om met zijn tong over een gladde bovenlip te strijken. Hij maakte zijn haren nat en kamde ze strak naar achteren. Het resultaat was bemoedigend: hij begon er al uit te zien als een andere man.

Toen schoor Jeffrey zijn bescheiden bakkebaarden weg. Het verschil was niet groot, maar alle beetjes hielpen, nietwaar? Zou hij zich kunnen voordoen als een andere arts? Daarvoor had hij een identiteitsbewijs nodig. Hij weigerde de moed op te geven en bleef diep nadenken. Als hij zich niet als een andere arts kon voordoen, was er nog een andere mogelijkheid. Ook de leden van de huishoudelijke dienst konden overal in het ziekenhuis komen en niemand vroeg die mensen ooit wat ze op een bepaalde plaats deden. Hij wist ook dat een kleine ploeg altijd diensten draaide van elf uur 's avonds tot zeven uur 's morgens en dat niemand daar in feite al te happig op was. Die ploeg zou voor hem perfect zijn. De kans dat hij mensen zou tegenkomen die hem kenden, was in die uren heel klein, want de laatste jaren had hij voornamelijk overdag gewerkt.

Jeffrey zou het allerliefste meteen aan de slag gaan. Dat betekende een bezoekje aan de bibliotheek. Als hij nu meteen vertrok, zou hij nog een uurtje hebben tot sluitingstijd. Voordat hij zich kon bedenken, borg hij Chris' aantekeningen in zijn aktentas op en deed die dicht.

Toen hij naar beneden liep, aarzelde hij. De stoffige, zurige lucht deed hem aan Devlins adem denken. Die man was hij even vergeten. Hij twijfelde er echter niet aan wat er met hem zou gebeuren wanneer Devlin hem weer te grazen kreeg, zeker na wat er op het vliegveld was gebeurd. Toch liep Jeffrey de trap verder af. Er was werk aan de winkel, en hij moest daarbij bijzonder op zijn hoede zijn. Bovendien zou hij een plan moeten bedenken voor het geval hij Devlin onverhoopt toch tegen het lijf liep. De oude baas met het tijdschrift was uit de hal verdwenen. De man achter de balie zat nog altijd televisie te kijken en merkte niet eens dat Jeffrey het hotel verliet.

Buiten werd hij meteen weer onrustig, mede door al dat contante geld dat hij nog altijd bij zich had en ook omdat dit nu niet direct een fraaie buurt was. Aan de overkant van de straat stonden twee mannen in een portiek een stickie te roken.

Jeffrey pakte zijn aktentas wat steviger vast en liep de trap af. Hij was van plan naar het Lafayette Centrum te lopen, waar hij wel een taxi zou kunnen vinden.

Toen hij zo ongeveer bij de drankwinkel was, zag hij een patrouillewagen van de politie zijn kant op komen. Zonder ook maar een seconde te aarzelen liep hij de winkel in.

'Kan ik u ergens mee van dienst zijn?' vroeg een man met een baard, die achter de toonbank stond. De politiewagen reed langzaam langs en gaf toen gas.

'Kan ik u ergens mee van dienst zijn?' herhaalde de man.

Jeffrey kocht een fles vodka, voor het geval de politiewagen nog eens terug zou komen, maar dat gebeurde niet. Snel draaide hij rechtsom en botste tegen een zwerver op.

'Heb je wat kleingeld voor me, makker?' vroeg de man met onvaste stem. Hij was kennelijk dronken en had bij zijn slaap een wond die net niet meer bloedde. Een van de glazen van zijn bril was gebarsten.

Jeffrey deed een stap naar achteren. De man was bijna even groot als hij, maar had donker, bijna zwart haar. Aan de baardgroei te zien, moest hij zich minstens een maand lang niet hebben geschoren. Maar Jeffrey's aandacht werd vooral getrokken door de kleren van de man. Hij droeg een gerafeld tweedelig pak, met een blauw Oxford-shirt, waaraan enige knoopjes ontbraken. Verder een gestreepte regimentsdas vol groene vlekken. Jeffrey vond dat de man eruitzag alsof hij op een dag naar zijn werk was vertrokken en nooit meer naar huis was teruggekeerd.

'Wat is er aan de hand? Versta je geen Engels?' vroeg de man.

Jeffrey haalde het wisselgeld uit zijn zak dat hij in de drankwinkel had gekregen. Toen hij dat de man overhandigde, bestudeerde hij diens gezicht. De ogen waren glazig, maar keken wel vriendelijk. Jeffrey vroeg zich af waardoor de man in zulke beroerde omstandigheden was komen te verkeren en voelde zich op een merkwaardige manier verwant met hem, mede omdat ze ongeveer even oud leken te zijn.

Zoals Jeffrey wel had verwacht, kon hij bij Lafayette, waar een luxueus hotel stond, makkelijk een taxi krijgen. Een kwartier later was hij bij de medische bibliotheek van Harvard.

Daar voelde hij zich thuis. Hij gebruikte de computer om een aantal boeken op te vragen over de fysiologie van het autonome zenuwstelsel en de farmacologie van middelen die voor een plaatselijke verdoving werden gebruikt. Zodra hij de boeken in handen had, nam hij aan een tafel plaats en was al snel in zijn onderzoek verdiept.

Het duurde niet lang voordat het Jeffrey duidelijk was wat Chris met die 'nicotine' had bedoeld. Hoewel de meeste mensen nicotine zagen als een actief ingrediënt van sigaretten, was het in werkelijkheid een vergif dat de autonome ganglia eerst stimuleerde en vervolgens blokkeerde. Veel symptomen die met nicotine in verband werden gebracht, waren dezelfde als die welke door muscarine werden veroorzaakt: speekselvloed, zweten, buikpijn en hevig tranen - dezelfde symptomen die zich bij Henry Noble en Patty Owen hadden voorgedaan. Bij een verbazingwekkend lage concentratie kon het zelfs al de dood tot gevolg hebben.

Dat alles maakte het voor Jeffrey duidelijk dat de besmetting moest zijn veroorzaakt door iets dat tot op zekere hoogte op een middel voor een plaatselijke verdoving leek, zoals dus bijvoorbeeld nicotine. Maar nicotine kon het niet zijn geweest, want dat was bij Henry Noble tijdens de lijkschouwing niet aangetroffen. Het zou verder, meende hij, moeten gaan om een minuscule hoeveelheid. Dus moest het iets heel sterks zijn. Maar Jeffrey had er geen idee van wat het geweest zou kunnen zijn. Tijdens het lezen stuitte hij echter op iets dat hij zich uit zijn opleiding herinnerde, maar waar hij later nooit meer aan had gedacht. Butoline, botulinustoxine, een van de sterkste erkende toxinen die de mens kende, was in staat membranen van zenuwcellen bij de synaps te 'bevriezen'. Toch kon er in geen van beide casussen sprake zijn geweest van dat middel, omdat de symptomen heel anders waren.

Nog nooit was de tijd zo snel voorbijgegaan. Ineens werd aangekondigd dat de bibliotheek ging sluiten. Met tegenzin pakte hij de aantekeningen van Chris en zijn eigen net gemaakte notities bij elkaar, leverde de boeken in en liep naar de deur. Toen bleef hij opeens stokstijf staan.

Hij zag hoe iedereen tassen moest openmaken, zodat iemand van de bibiliotheek kon controleren of er geen boeken werden ontvreemd. Dat was een standaardprocedure die hij helemaal was vergeten. Snel maakte hij rechtsomkeer en dook weg achter een schouderhoge vitrinekast. Daar maakte hij zijn aktentas open en begon het geld in zijn zakken te proppen.

Daarna kon hij zonder incident de bibliotheek verlaten. Hij had het gevoel dat hij vreselijk opviel door die uitpuilende zakken, maar daar liet zich op dit moment toch niets aan veranderen. Een taxi was er niet te vinden, dus stapte hij op de Green Line, die net kwam aangereden, omdat hij het verstandiger achtte in beweging te blijven.

Jeffrey ging zitten, deed zijn ogen dicht en dacht na over alles wat hij net had gelezen, in relatie tot zijn ervaringen met Patty Owen en die van Chris met Henry Noble. Een brokje informatie over een lokale anesthesie had hem verbaasd. Onder de kop 'negatieve reacties' had hij gelezen dat er af en toe wel eens een vernauwing van de pupil werd waargenomen. Dat had hij niet geweten. In datzelfde artikel stond vermeld dat er gewoonlijk sprake was van een vergroting van de pupil. Verwarrend was het wel!

Er was nog een overeenkomst tussen de casussen van Owen en Noble waar hij tot nu toe nog niet over had nagedacht. Henry Noble was verlamd geweest gedurende de week dat hij nog had geleefd. Het had er alle schijn van dat hij een volstrekt onomkeerbare spinale anesthesie toegediend had gekregen. Misschien dat Patty daar ook mee zou zijn geconfronteerd wanneer ze in leven was gebleven. Maar haar baby had het overleefd en vertoonde wel verlammingsverschijnselen. Men was van de veronderstelling uitgegaan dat dat een gevolg was van een zuurstoftekort in zijn hersentjes, maar nu was Jeffrey daar niet meer zo zeker van. Misschien was het een extra aanwijzing, die hij zou kunnen gebruiken om vast te stellen waarmee de Marcaine was besmet.

Jeffrey stapte bij Park Street uit. Daarna liep hij snel Winter Street af, telkens met een grote boog om surveillerende agenten heen, en dacht nu serieuzer dan ooit na over de mogelijkheid het Boston Memorial Hospital weer in te komen.

Het idee lid te worden van de huishoudelijke staf was helemaal niet gek, maar er kleefde wel een probleem aan. Om te kunnen solliciteren had hij een identificatiebewijs nodig, evenals een nummer van de sociale dienst. Toen hij bijna de drankwinkel had bereikt, moest hij opeens weer denken aan de man in het gerafelde pak en bleef staan. Ze waren ongeveer even oud en even groot geweest.

Jeffrey stak over naar het braakliggende terrein bij de drankwinkel, waar hij enige mensen zag zitten en liggen onder een soort cementen afdak.

Hij zette al zijn angst opzij en liep erheen, zoekend naar de man. Opeens zag hij hem. Hij was een van de kerels die in een halve cirkel met elkaar hadden zitten praten tot ze Jeffrey in het vizier kregen. Niemand zei iets. De stilte was te snijden en de spanning steeg. Sommige zwervers die op de grond hadden gelegen, waren gaan zitten om Jeffrey beter te kunnen zien.

'Hallo,' zei Jeffrey toen hij recht voor de man in kwestie stond.

De man bewoog zich niet.

'Herinner je je mij nog? Ik heb je ruim een uur geleden wat geld gegeven, daar, voor de drankwinkel.'

De man reageerde nog altijd niet.

'Ik dacht dat je misschien nog wel wat geld zou kunnen gebruiken,' zei Jeffrey, die uit zijn zak wat kleingeld en een paar dollarbiljetten te voorschijn haalde.

De man stak een hand uit en nam het geld aan. 'Bedankt, makker.'

'Ik heb hier een biljet van vijf dollar,' ging Jeffrey verder. 'Ik wil een weddenschap met je afsluiten dat je zo dronken bent dat je je niet eens meer het nummer kunt herinneren waarmee je bij de sociale dienst staat ingeschreven.'

'Wat bedoel je?' vroeg de man, die moeizaam overeind krabbelde. Twee andere mannen gingen eveneens staan. 'Ik zal je dat nummer noemen. Het is 139-3-1560.'

'Dat zal wel! Dat heb je net verzonnen!'

'Helemaal niet!' zei de man verontwaardigd en viste met veel moeite zijn portefeuille uit een broekzak. Hij haalde er iets uit, dat zijn rijbewijs bleek te zijn, en daarbij viel de portefeuille op de grond.

Jeffrey gaf de man zijn portefeuille terug.

'Hier, kijk zelf maar,' zei de zwerver en overhandigde Jeffrey zijn rijbewijs.

'Tsja, het lijkt erop dat je gelijk hebt,' zei Jeffrey, nadat hij het document zogenaamd uitgebreid had bestudeerd. Daarna gaf hij de man het bankbiljet, dat hem meteen door een van de twee anderen die waren gaan staan, uit handen werd gerukt.

'Geef terug!'

De andere man kwam op Jeffrey af, die snel een hand in zijn zak stopte en munten op de grond smeet. Iedereen dook erop af en Jeffrey rende zo snel mogelijk weg.

In zijn hotelkamer zette hij het rijbewijs op de rand van de wasbak en vergeleek zijn eigen gezicht met dat op de foto. De neus was volslagen anders, maar daar was niets aan te doen. Als hij zijn haren donkerder verfde en strak naar achteren kamde, en zich voorzag van een bril met donkere glazen, zou het hem misschien lukken. Hij had nu in ieder geval de beschikking over een echt bestaand nummer van de sociale dienst, en een naam en adres: Frank Amendola, Sparrow Lane 1617, Framingham, Massachusetts.

6

Trent Harding hoefde pas om zeven uur op zijn werk te zijn, maar om kwart over zes was hij zich in de garderobe van de afdeling chirurgie van het Saint Joseph's Hospital al aan het omkleden. Vanaf de plaats waar hij stond, kon hij de wasbak zien, en zichzelf, in de spiegel die erboven hing. Hij zette de spieren van zijn armen en zijn hals op. Prima. Wat hij zag, stond hem aan.

Trent ging minstens vier keer per week trainen tot hij er vrijwel bij neerviel. Zijn lichaam was net een beeldhouwwerk en hij was er zeker van dat anderen dat zagen en hem erom bewonderden. Toch was hij nog niet tevreden. Die spierballen konden nog best wat groter en aan zijn benen viel ook nog wel wat te verbeteren. Daar zou hij zich de komende week eens op gaan concentreren.

Trent was gewend vroeg naar het ziekenhuis te gaan, maar deze morgen was hij er eerder dan normaal. Hij was zo opgewonden geweest dat hij al wakker was voordat de wekker afging en omdat hij niet meer in slaap kon komen, was hij maar vroeg op pad gegaan. Bovendien nam hij er graag de tijd voor. Als hij een buisje Marcaine waarmee hij had geknoeid, tussen de normale ampullen neerzette, gaf hem dat altijd een gevoel van opwinding. Het was net zoiets als het plaatsen van een tijdbom. Hij was de enige die van het dreigende gevaar op de hoogte was.

Trent trok zijn ziekenhuiskleren aan en keek om zich heen. Inmiddels waren er twee anderen gearriveerd. De ene stond luid fluitend onder de douche, de andere was druk in de weer bij zijn kastje. Trent haalde het flesje Marcaine uit de zak van zijn witte jas en hield het verborgen in de palm van zijn hand, voor het geval er opeens iemand zou langslopen. Toen stopte hij het in zijn onderbroek. Het voelde even koud en ongemakkelijk aan. Daarna deed hij zijn kastje dicht en liep naar de lounge, waar de koffie al stond te pruttelen. Verpleegsters, verplegers en artsen, die spoedig naar huis zouden kunnen gaan omdat er geen spoedgevallen waren binnengebracht, zaten geanimeerd met elkaar te praten.

Niemand groette Trent, en hij zei ook niemand gedag. De meeste stafleden kenden hem niet eens, omdat hij nooit 's nachts dienst deed. Trent liep door naar de operatiekamers. De centrale balie was onbemand en op het grote bord waren met krijt al de operaties van die dag aangegeven. Trent bleef even staan, om te kijken welke OK die dag zou worden gebruikt, en of er epidurale injecties waren gepland. Weer raakte hij opgewonden. Dat bleek vandaag meerdere keren het geval te zijn, dus was de kans groot dat zijn flesje ook vandaag nog zou worden gebruikt.

Trent ging de gang verder af en liep de ruimte in waar de medicijnen werden bewaard. De operatieafdeling van het St. Joe's was in een U-vorm gebouwd. De operatiekamers lagen aan de buitenkant van de U, de voorraadkamer was in het midden gesitueerd.

Trent liep vastberaden verder, alsof hij het een en ander moest pakken. Er was niemand te zien, zoals gewoonlijk tussen kwart over zes en kwart voor zeven. Snel pakte hij een geopende doos met ampullen van 30 cc .5% Marcaine. Handig maakte hij de deksel open. Er konden vijf ampullen in de doos, maar er zaten er nu nog drie in. Trent verwisselde een van de goede ampullen voor de zijne. Toen zette hij de doos weer zorgvuldig op zijn plaats terug.

Nogmaals keek hij om zich heen. Er was niemand te zien. Zijn ogen dwaalden terug naar de doos Marcaine en hij raakte opnieuw bijna sensueel opgewonden. Het was hem weer gelukt en niemand zou ook maar kunnen vermoeden wat er aan de hand was. Het was zo verdomd makkelijk, en met een beetje mazzel zou de ampul vanmorgen al worden gebruikt.

Trent dacht er even over de andere twee goede buisjes ook weg te halen, om de zaak wat te versnellen. Hij wilde kunnen genieten van de chaos die zou ontstaan. Toch zag hij ervan af. In het verleden had hij nooit onnodig risico's genomen en dit was niet het juiste moment om dat te veranderen. Stel dat iemand bijhield hoeveel buisjes Marcaine er nog in voorraad waren?

Trent liep terug naar de garderobe om het goede flesje Marcaine op te bergen, dat hij eveneens in zijn onderbroek had gestopt. Daarna zou hij lekker een kopje koffie gaan drinken. Als er laat in de middag nog altijd niets was gebeurd, zou hij gaan kijken of zijn ampul nog in het doosje stond. Als er wel iets was gebeurd, zou hij dat snel genoeg horen, want dergelijke rampzalige berichten verspreidden zich altijd als een lopend vuurtje door het ziekenhuis.

In gedachten zag hij de ampul heel onschuldig in dat doosje staan. Het was een soort Russische roulette, die hem seksueel opwond.

Snel liep hij verder, en probeerde zich te beheersen. Als Doherty met dat buisje aan de slag ging, zou alles werkelijk helemaal perfect zijn!

Trents kaakspieren spanden zich toen hij aan de anesthesist dacht. Weer herinnerde hij zich hoe die man hem gisteren had vernederd. Nijdig sloeg hij met een gebalde vuist tegen de voorkant van zijn kastje. Enige mensen keken zijn kant op, maar Trent negeerde hen. Het ironische was dat hij Doherty tot gisteren aardig had gevonden. Hij was verdomme zelfs aardig tegen die klootzak geweest.

Nijdig draaide Trent aan het combinatieslot om zijn kastje open te maken. Toen ging hij er dicht tegenaan staan, haalde de ampul te voorschijn en stopte die in de zak van zijn witte jas. Misschien zou hij voor Doherty binnenkort iets heel speciaals moeten regelen.

Met een zucht van opluchting deed Jeffrey de deur van zijn kamer in het Essex Hotel achter zich dicht. Het was even na elven 's morgens. Hij was om half tien het hotel uit gegaan om wat boodschappen te doen en al die tijd was hij doodsbang geweest een bekende tegen het lijf te lopen: òf Devlin, òf de politie. Het was alles bij elkaar een zenuwslopende ervaring geweest.

Jeffrey legde de pakjes en zijn aktentas neer op het bed en maakte de kleinste zak open. Daar zat onder andere een tube haarverf in. Midnight Black, werd de kleur genoemd. Jeffrey kleedde zich uit en liep naar de badkamer, waar hij de instructies bij de haarverf nauwkeurig opvolgde. Tegen de tijd dat hij ermee klaar was en de gel in zijn haar deed die het strak naar achteren gekamd moest houden, zag hij eruit als en heel ander persoon. Hij vond zichzelf nog het meest lijken op een autoverkoper, of iemand uit een film uit de jaren dertig. Hij vergeleek zijn spiegelbeeld met de foto op het rijbewijs van Frank Amendola. Het kon ermee door, mits iemand niet al te nauwkeurig keek. Maar hij was nog niet klaar.

In de slaapkamer maakte hij een groter pakje open en haalde daar een donkerblauw polyester pak uit dat hij had gekocht in Filene's Basement en bij Pacifici had laten vermaken. Veel had er niet aan gedaan hoeven te worden, omdat hij niet wilde dat het pak al te best paste, dus had hij erop kunnen wachten.

Daarna haalde hij uit andere pakjes overhemden en een paar lelijke dassen te voorschijn. Hij trok een overhemd aan, deed een das om en pakte het kostuum. Toen ging hij op zoek naar de donkere bril die hij eveneens had aangeschaft. Zodra hij die had opgezet, liep hij de badkamer weer in. Nogmaals vergeleek hij zijn gezicht met dat op de foto en moest zijns ondanks glimlachen. In feite zag hij er afschuwelijk uit, maar de gelijkenis met Frank Amendola was nu opvallend goed. Het verbaasde hem dat kleine wijzigingen de algehele indruk van iemands uiterlijk zo beduidend konden veranderen. In een van de resterende pakjes zat een duffelse tas met een schouderriem en zes vakken. Daar stopte Jeffrey het geld in. Dat gezeul met die aktentas was veel te opvallend en hij was bang dat de politie hem aan de hand van dat ding nog wel eens zou kunnen herkennen. De kans was groot dat er bij zijn signalement expliciet melding van was gemaakt.

Toen haalde hij de succinylcholine te voorschijn. Nadat hij zich de hele morgen lang zorgen had gemaakt over de mogelijkheid dat Devlin opeens weer voor zijn neus zou staan, had hij een idee gekregen. Voorzichtig zoog hij in een lege injectiespuit veertig milligram succinylcholine op en sloot de spuit toen af. Hoe hij dat spul precies zou gebruiken, wist hij nog niet, maar nu had hij het in ieder geval bij zich, eerder als een psychisch steuntje in de rug dan als iets anders.

Met zijn bril op en zijn dufffelse tas over zijn schouder wierp Jeffrey nog een laatste blik om zich heen, zich afvragend of hij iets was vergeten. Hij vond het eigenlijk vervelend de kamer weer uit te gaan, omdat de angst dat hij door iemand zou worden herkend, dan meteen zou terugkomen. Maar hij wilde het Boston Memorial in kunnen en de enige manier waarop hij dat kon bereiken, was door te solliciteren naar een baan bij de huishoudelijke dienst.

Devlin duwde woest een paar mensen opzij toen hij de lift uit moest om naar het kantoor van Michael Mosconi te gaan. Hij was in een rothumeur. Het merendeel van de nacht had hij wakend doorgebracht, op de voorbank van zijn auto, bij het huis van Rhodes. Hij was er vrij zeker van geweest dat Jeffrey midden in de nacht naar huis zou komen, of op zijn minst dat hij Carol zou zien vertrekken. Tot even na achten die morgen was er echter helemaal niets gebeurd. Toen was Carol met haar Mazda RX7 de garage uit gescheurd, zodat de bandensporen op de straat te zien waren geweest.

Devlin was achter haar aan gegaan en dat was in het drukke verkeer geen makkelijke klus geweest. Alle hoop dat ze naar Jeffrey onderweg zou zijn, was echter de bodem ingeslagen toen ze haar auto bij het kantoor waar ze werkte had neergezet en met de lift naar de tweeëntwintigste verdieping was gegaan. Devlin had besloten haar voorlopig niet meer te schaduwen. Hij had meer informatie over Jeffrey nodig om te bepalen wat hij nu zou moeten doen.

'En?' vroeg Michael verwachtingsvol toen Devlin binnenkwam. Devlin reageerde niet meteen, omdat hij wist dat dat Michael gek zou maken. De kerel was altijd zo gespannen. Devlin liet zich op de bank tegenover Michaels bureau vallen en deponeerde zijn in cowboylaarzen gestoken voeten op de lage tafel. 'Wat en?' vroeg hij geïrriteerd.

'Waar is de dokter?' Michael meende dat Devlin hem zou gaan vertellen dat die man al keurig netjes bij de gevangenispoort was afgeleverd.

'Geen idee,' zei Devlin.

'Wat bedoel je daarmee?' De kans bestond nog altijd dat Devlin hem aan het pesten was.

'Dat lijkt me duidelijk,' reageerde Devlin.

'Voor jou misschien wel, maar voor mij niet.'

'Ik weet niet waar die kleine rotzak is,' gaf Devlin eindelijk toe.

'Godverdomme!' brieste Michael en hief zijn handen getergd ten hemel. 'Je hebt me gezegd dat je die vent te grazen zou nemen. Dat dat geen problemen zou opleveren. Je moet hem vinden. Dit is allang niet leuk meer!'

'Hij is niet meer naar huis gekomen.'

'Godverdomme! Godverdomme!' schreeuwde Michael met toenemende paniek. Hij verhief zich zo woest dat zijn draaistoel ertegen protesteerde. 'Straks kan ik mijn baan verder wel schudden.'

Devlin fronste zijn wenkbrauwen. Michael was nijdiger en opgewondener dan normaal. Die dokter zat hem kennelijk echt dwars.

'Maak je geen zorgen,' zei hij tegen Michael. 'Ik vind hem heus wel. Wat kun je me nog meer over die knaap vertellen?'

'Niets. Ik heb je al alles verteld wat ik van hem weet.'

'Overige familieleden? Vrienden?'

'Ik heb je al gezegd dat ik verder niets van die man afweet. Ik zou alleen een hypotheek op zijn huis regelen, en zal ik je eens wat vertellen? Ook in dat opzicht heeft die rotzak me een loer gedraaid. Vanmorgen heb ik een telefoontje gekregen van Owen Shatterly van de bank, die me meedeelde dat Jeffrey Rhodes de hypotheek op zijn huis al had verhoogd voordat mijn aanvrage in behandeling kon worden genomen. Nu kan de gevraagde borgsom niet eens door een hypotheek worden gedekt.'

Devlin lachte.

'Wat is daar verdomme zo grappig aan?' wilde Michael nijdig weten.

Devlin schudde zijn hoofd. 'Ik vindt het leuk dat zo'n kleine kwal van een arts zoveel problemen kan veroorzaken.'

'Ik vind het anders helemaal niet leuk. Owen heeft me ook verteld dat Rhodes de vijfenveertigduizend die hij aan mij had moeten geven, en waarvoor hij dus de hypotheek had verhoogd, in contanten heeft meegenomen.'

'Jezus, geen wonder dat die klap met die aktentas hard aankwam,' zei Devlin met een glimlach. 'Ik ben nog nooit met zoveel poen om de oren geslagen!'

'Heel geestig!' snauwde Michael. 'Maar de situatie wordt wel steeds beroerder. Ik dank God voor mijn vriend Albert Norstadt op het hoofdbureau van politie. Ze waren niet bereid ook maar iets te doen tot ik Norstadt erbij had gehaald.'

'Denken zij dat Rhodes nog altijd in de stad is?'

'Volgens mij hebben ze niet zoveel gedaan, maar ze hebben wel het vliegveld in de gaten gehouden, de busstations, de stations van de spoorwegen, autoverhuurbedrijven en zelfs taxibedrijven. Tot nu toe is er nog niets gemeld.'

'Ze doen hun best,' zei Devlin, die helemaal niet wilde dat de politie Rhodes zou vinden. 'Als hij nog in de stad is, zal ik hem een dezer dagen vinden. Als hij weg is, zal het iets langer duren. Maar vinden zal ik hem, dus ontspan je nu maar.'

'Ik wil dat hij vandaag wordt gevonden en als jou dat niet lukt, haal ik er wel iemand anders bij!'

'Wacht daar maar even mee!' zei Devlin, die zijn benen van de lage tafel af zwaaide en rechtop ging zitten. 'Ik vind hem heus wel.'

'Ik wil hem nu hebben, niet volgend jaar.'

'Hij is pas twaalf uur zoek.'

'Ja, maar wel met vijfenveertigduizend op zak! Ik wil dat je teruggaat naar het vliegveld, om te kijken of je daar zijn spoor kunt oppikken. Op de een of andere manier moet hij zijn teruggegaan naar de stad en dat heeft hij beslist niet lopend gedaan. Misschien herinnert iemand zich wel een magere vent met een aktentas.'

'Volgens mij kan ik beter de echtgenote in de gaten houden.'

'Volgens mij zijn ze al lang geen tortelduifjes meer. Dus ga je maar naar het vliegveld. Als je dat niet doet, stuur ik er iemand anders naar toe.'

'Oké, ik ga al!'
Devlin liep nijdig Mosconi's kantoor uit. Normaal gesproken liet hij zich door niemand de wet voorschrijven, maar hij wilde niet dat Michael er iemand anders bij zou halen. Concurrentie had hij niet nodig, zeker niet bij deze klus. Het enige probleem was nu echter wel dat hij iemand anders in de arm zou moeten nemen om die echtgenote in de gaten te houden. Maar wie?

Jeffrey bleef even op de brede trap van het Boston Memorial staan om moed te verzamelen. Opeens werd hij bang dat iemand hem toch zou herkennen. Hij schoof de tas wat verder op zijn schouder en bleef aarzelen, tot hij Mark Wilson zag aankomen.
Mark was ook een anesthesist, die Jeffrey goed kende, omdat ze samen hun co-schappen hadden gelopen. Hij was een grote, zwarte man met een immense snor, waar ze vaak grapjes over hadden gemaakt omdat Jeffrey's snorretje daarbij vergeleken zo miezerig had geoogd. Hij kwam aangelopen vanaf Beacon Street en stevende regelrecht op de hoofdingang van het ziekenhuis - en op Jeffrey - af. Dat was het duwtje dat Jeffrey nodig had. Snel liep hij de draaideur door en ging meteen op in een grote mensenmenigte. Hij liep verder, de lange gang door naar personeelszaken, waar hij een formulier kreeg overhandigd door een vriendelijke klerk.
Dat vulde hij in, gebruik makend van de naam Frank Amendola, diens nummer van de sociale dienst en zijn adres in Framingham. Verder kruiste hij aan dat hij graag bij de huishoudelijke dienst zou werken, in de nachtploeg. Als referentieadressen gaf Jeffrey enige ziekenhuizen op die hij van symposia kende. Hij hoopte dat het natrekken daarvan - als dat voor zo'n laagbetaalde baan al gebeurde - geruime tijd in beslag zou nemen.
Toen hij het formulier aan de klerk teruggaf, kreeg hij te horen dat er nu meteen een sollicitatiegesprek kon worden geregeld, maar dat ze ook een latere afspraak konden maken. Jeffrey zei dat hij het zo spoedig mogelijk wilde afhandelen.
Na een minuut of tien werd hij meegenomen naar het raamloze kantoortje van Carl Bodanski, een man van ergens achterin de dertig. Hij had donker haar en een aantrekkelijk gezicht en ging netjes maar saai gekleed in een donker kostuum. Jeffrey besefte dat hij de man meerdere malen in de cafetaria van het ziekenhuis had gezien, maar ze hadden elkaar nooit gesproken.
'Gaat u alstublieft zitten,' zei Bodanski vriendelijk, zonder op te

kijken. Jeffrey zag dat de man zijn sollicitatieformulier aan het bekijken was. Toen hij daarmee klaar was, bood hij Jeffrey iets te drinken aan, een aanbod dat zenuwachtig werd afgeslagen. Jeffrey bekeek Bodanski's gezicht aandachtig, maar zag er tot zijn grote vreugde geen blik van herkenning op verschijnen.

'Dus u heeft al eens eerder in ziekenhuizen gewerkt?'

'O ja.' Jeffrey glimlachte.

'En u zou graag bij de nachtploeg worden ingedeeld?' Bodanski wilde er zeker van zijn dat er geen sprake was van een vergissing. Dit leek te mooi om waar te zijn. Een sollicitant voor de nachtploeg, die er niet uitzag als een misdadiger of een buitenlander die illegaal in Amerika verbleef, en die bovendien ook nog eens Engels sprak.

'Inderdaad,' bevestigde Jeffrey. 'Ik was van plan overdag, of misschien 's avonds, aan de universiteit te gaan studeren, maar ik moet natuurlijk wel in mijn levensonderhoud kunnen voorzien.'

'Wat wilt u gaan studeren?'

'Rechten.' Dat was het eerste dat hem te binnen schoot.

'Heel ambitieus.'

Bodanski's gezicht klaarde steeds meer op. 'Wanneer zou u willen beginnen?'

'Zo snel mogelijk. Als het kan vanavond nog.'

'Vanavond?' herhaalde Bodanski. Dit was echt te mooi om waar te zijn.

Jeffrey haalde zijn schouders op. 'Ik ben net in de stad en een mens moet eten. Als Boston Memorial me niet kan gebruiken, ga ik het proberen bij het St. Joseph's of Boston City.'

'Dat hoeft niet, maar u zult begrijpen dat ik een paar dingen moet regelen. U moet een uniform hebben, en een identiteitskaart van ons. Verder moeten er ook nog enige formulieren worden ingevuld voordat u echt kunt beginnen.'

'Kunt u het echt niet nu meteen regelen?'

'Hmmm. Wacht u maar even.' Bodanski stond op. Jeffrey bleef zitten en keek om zich heen. Op het bureau stond een ingelijste foto van een vrouw en twee jonge kinderen. Dat was de enige persoonlijke noot aan de kamer, maar wel een heel aardige, meende hij.

Bodanski kwam terug met een kleine man met glanzend, zwart haar en een vriendelijke glimlach. Hij had het donkergroene uniform van de huishoudelijke dienst aan. Bodanski stelde hem voor als José

Martinez. Jeffrey stond op en gaf de man een hand. Hij had hem vele keren gezien, maar ook op het gezicht van Martinez verscheen geen blik van herkenning.

'Joe is het hoofd van de huishoudelijke dienst,' zei Bodanski, die een hand op de schouder van de man had gelegd. 'Hij heeft gezegd dat hij bereid is alles heel snel voor u te regelen, dus draag ik u bij dezen aan hem over.'

'Betekent dat dat ik ben aangenomen?'

'Jazeker. Straks moet u nog even bij mij komen, want ik heb een Polaroid-foto nodig voor het identiteitsbewijs. Verder moeten we u laten inschrijven bij een ongevallenverzekering. Heeft u nog een bepaalde voorkeur?'

'Nee.'

Martinez nam Jeffrey mee. Hij had een aangename stem en een aanstekelijk gevoel voor humor. Na enig zoeken vonden ze een uniform dat Jeffrey paste en daarna kreeg hij in de garderobe een eigen kastje toegewezen. Martinez vroeg hem het shirt aan te trekken voor een rondleiding door het ziekenhuis. Dat shirt zou voorlopig maar even genoeg moeten zijn, nu hij nog geen identiteitsbewijs had, legde hij uit.

'Ik zou het afschuwelijk vinden nog meer van uw tijd in beslag te nemen,' zei Jeffrey snel. Het laatste dat hij wilde, was overdag rondlopen in een ziekenhuis waar zoveel mensen hem kenden.

'Ik heb tijd genoeg en bovendien hoort het erbij,' antwoordde Martinez.

Aarzelend trok Jeffrey het donkergroene shirt aan, sloeg de tas weer over zijn schouder en legde zich bij het onvermijdelijke neer.

Martinez praatte aan een stuk door. Eerst stelde hij Jeffrey voor aan de leden van het huishoudelijk personeel die in de buurt waren. Toen gingen ze naar de wasserij, waar iedereen het veel te druk had om enige aandacht aan hen te besteden. Daarna de cafetaria, waar men regelrecht onvriendelijk reageerde.

Via de buitentrap gingen ze naar de polikliniek en het laboratorium, waarna Martinez aankondigde dat hij Jeffrey ook nog de operatieafdeling wilde laten zien.

'Moeten we zo onderhand niet terug naar meneer Bodanski?' vroeg Jeffrey geschrokken.

'We kunnen alle tijd nemen die we nodig hebben. Bovendien is het echt nodig dat ik je die afdeling laat zien, want daar zul je vanavond laat aan het werk moeten gaan.'

Jeffrey knikte. Ze stapten in de lift en toen die op de desbetreffende verdieping stopte, kreeg Jeffrey last van een branderig gevoel in zijn maag. Hij schrok toen Martinez zijn arm vastpakte om hem mee te trekken, de gang op. 'We zijn er.'

Jeffrey haalde eens diep adem en hield van schrik zijn adem in toen hij opeens Mark Wilson recht voor zich zag staan, die net de lift in wilde stappen. De donkere ogen van de man boorden zich in die van Jeffrey en die laatste verwachtte zonder meer iets te zullen horen als: 'Jeffrey, ben jij dat?'

'Ben je nog van plan uit te stappen?' hoorde hij hem echter vragen.

Het duurde enige seconden voordat het tot Jeffrey doordrong dat Mark hem niet had herkend. Toen gingen de liftdeuren dicht. Jeffrey zette de donkere bril wat rechter op zijn neus.

'Alles in orde met jou?' vroeg Martinez.

'Ja,' zei Jeffrey, die zich inderdaad stukken beter voelde. Het feit dat Mark hem niet had herkend, was bemoedigend.

Ze gingen naar de diverse laboratoria, waar Jeffrey evenmin door bekenden werd herkend. Toch hield hij even zijn adem in toen ze de operatiekamers naderden. Tot zijn opluchting merkte hij dat vrijwel niemand enige aandacht aan hen besteedde. Zijn vermomming was beter dan hij had durven hopen!

'Heb je ervaring met de kleding die men op een operatieafdeling draagt?' vroeg Martinez, die voor een van de kasten bleef staan. 'Wij moeten hier ook operatiekleding dragen van de directie.'

'Ja hoor,' zei Jeffrey.

'Prima. David Arnold zal je de rest hier vanavond laten zien, want nu is het nog veel te druk.'

'Ik begrijp het.'

Jeffrey trok zijn eigen kleren weer aan en ging terug naar het kantoor van Bodanski. Toen hij zijn handtekening onder enige formulieren moest zetten, maakte hij bijna de fout zijn eigen naam te gebruiken. Gelukkig kon hij zichzelf nog net op tijd corrigeren en krabbelde de handtekening van Frank Amendola neer.

Pas toen hij de draaideur weer door was en buiten op straat stond, haalde hij opgelucht adem. Hij voelde zich zelfs opgetogen. Tot dusverre was alles volgens plan gegaan.

Devlin had het vliegveld een uurtje geleden bereikt en liep nijdig een betonnen trap op. Het liefste zou hij iemand willen wurgen. Wie deed er eigenlijk niet toe.

Tot dusverre had zijn speuractie op het vliegveld helemaal niets opgeleverd, zoals hij al had verwacht. Hij had ook met de mensen van de parkeergarage gesproken, om te vragen of iemand gisteren rond een uur of negen een man met een crèmekleurige Mercedes 240D had zien aankomen. Natuurlijk had niemand iets gezien.

Hij had inmiddels het busperron bereikt en wachtte op de eerstvolgende bus. Toen die was gearriveerd, ging hij in de deuropening staan en probeerde in eerste instantie aardig te zijn. 'Sorry,' zei hij tegen de chauffeur, een magere, zwarte man met een rond metalen brilletje op zijn neus. 'Zou ik u iets mogen vragen?'

'Ik kan de deur niet dicht doen als u daar blijft staan en ik kan niet verder rijden wanneer de deur niet dicht is.'

Devlin keek even de bus in. Er waren slechts een paar mensen ingestapt, en die waren druk hun bagage aan het neerzetten. 'Het zal maar weinig tijd in beslag nemen,' zei Devlin. 'Ik ben namelijk op zoek naar een man die gisterenavond rond een uur of half tien in een van deze bussen kan zijn gestapt. Een magere, blanke vent met een aktentas. Ik vroeg me af of...'

'Wilt u alstublieft plaatsnemen?' onderbrak de chauffeur Devlin.

'Luister, makker, ik probeer vriendelijk te blijven.'

'U bent uw tijd aan het verspillen, want ik draai dienst tot half vier.'

'Zou u me dan de namen kunnen noemen van uw collega's die avonddienst hadden?' vroeg Devlin, die probeerde zich te beheersen.

'Dat kunt u op ons kantoor navragen. Wilt u nu alstublieft gaan zitten?'

Devlin deed even zijn ogen dicht.

'Gaan zitten of uitstappen,' zei de chauffeur, die er kennelijk ook meer dan genoeg van kreeg.

Dat was de druppel die de emmer deed overlopen. Devlin pakte de chauffeur bij de voorkant van zijn overhemd vast en tilde hem zijn stoel uit. 'Makker, zal ik je eens iets duidelijk maken? Die houding van je staat me niet aan. Ik wil niets anders dan een eenvoudig antwoord op een eenvoudige vraag.'

'Hé!' schreeuwde een van de passagiers.

Devlin hield de nu doodsbange chauffeur nog steeds vast en zag een man in een duur kostuum zijn kant op komen. 'Wat is hier gaande?' wilde de passagier weten.

Devlin greep de man bij zijn haren en duwde hem ruw naar achteren. De andere passagiers keken met open mond toe, maar niemand durfde de chauffeur nu nog te hulp te komen.

In de tussentijd deed de chauffeur zelf zijn best om iets te zeggen. Devlin liet hem los. De man viel op zijn stoel terug en hoestte. Toen gaf hij Devlin met schorre stem twee namen. 'Hun nummers ken ik niet, maar ze wonen alletwee in Chelsea.'

Devlin schreef de namen op en net toen hij dat had gedaan, ging zijn pieper. Hij pakte die, keek naar het schermpje en zag het telefoonnummer van Michael Mosconi verschijnen.

'Bedankt, makker,' zei hij tegen de chauffeur en stapte uit. De bus reed weg in een wolk van dieselgassen, met een deur die nog altijd openstond.

Devlin keek hem na en vroeg zich af of hij zometeen door de politie zou worden aangehouden. Als dat gebeurde, was de kans groot dat hij die mensen kende, want hij had uiteindelijk zelf meer dan vijf jaar bij de politie gezeten.

Devlin liep naar een openbare telefoon om Mosconi te bellen.

'Ik heb goed nieuws, Devlin,' zei Michael, zodra hij de telefoon had opgenomen. 'Eigenlijk zou ik het je niet moeten vertellen, omdat het je werk veel te makkelijk maakt, maar ik weet waar Jeffrey Rhodes uithangt.'

'Waar dan?'

'Niet zo snel. Als ik je dat zeg en jij hem gaat ophalen, is dat geen veertigduizend waard. Ik kan nu ook iemand anders in de arm nemen. Begrijp je wat ik bedoel?'

'Hoe ben je het te weten gekomen?'

'Norstadt, van het hoofdbureau van politie,' zei Michael triomfantelijk. 'Terwijl ze de taxibedrijven in de gaten hielden, kwam een van de chauffeurs melden dat hij een vent had meegenomen die Jeffrey Rhodes zou kunnen zijn. In eerste instantie hadden ze zomaar wat rondgereden.'

'Waarom heeft de politie hem nog niet in zijn kraag gegrepen?'

'Dat zouden ze beslist al hebben gedaan wanneer ze het op dit moment niet zo druk hadden met een rockgroep die naar Boston komt. Bovendien zijn zij van mening dat Rhodes geen serieuze bedreiging vormt, voor wie dan ook.'

'Wat bied je?'

'Tienduizend.'

'Oké.'

'Hij is in het Essex Hotel,' zei Michael. 'Dev, pak hem maar eens een beetje hardhandig aan. Hij heeft het me knap lastig gemaakt.'

'Met genoegen,' zei Devlin en meende dat ook. Jeffrey had hem een dreun verkocht met zijn aktentas en hem van dertigduizend dollar beroofd. Maar misschien liet dat laatste zich nog wel herstellen...

Devlin riep een taxi aan en liet zich voor vijf dollar naar de grote parkeergarage brengen.

Toen hij in zijn eigen wagen weer op de hoofdweg reed, voelde hij zich stukken beter. Hij ging regelrecht door naar het Essex Hotel, dat hij nog uit zijn tijd bij de politie kende in verband met een aantal invallen wegens handel in verdovende middelen.

Devlin liep naar de ingang en voordat hij de deur opendeed, stak hij even een hand onder zijn denim jasje, om de schouderholster van zijn .38 alvast los te maken. Hoewel hij er zeker van was dat Jeffrey niet gewapend was, wilde hij geen enkel risico nemen. De dokter was hem immers al een keer te slim af geweest.

Devlin keek in de lobby om zich heen en zag dat er in de tussenliggende jaren niets was veranderd. Hij kon zich zelfs de geur nog herinneren, alsof ze paddestoelen in de kelder aan het kweken waren. Toen de man achter de balie, die televisie zat te kijken, overeind kwam, herkende Devlin ook hem.

'Kan ik u ergens mee van dienst zijn?' vroeg de man, die Devlin met duidelijke afkeer opnam en een eindje van de balie vandaan bleef staan, alsof hij bang was dat de pas aangekomene hem meteen in de kraag zou grijpen.

'Ik ben op zoek naar een van je gasten,' zei Devlin. 'Hij heet Jeffrey Rhodes, maar zal zich wel onder een andere naam hebben ingeschreven.'

'Wij verstrekken geen informatie over onze gasten.'

'O nee?'

'Nee.'

'Waar denk je dat je werkt? De Ritz Carlton of zo? De enige klanten die jullie hier normaal gesproken hebben, zijn pooiers, hoertjes en drugsverslaafden.'

De man deed nog een stap naar achteren.

Devlin sloeg keihard met zijn vlakke hand op de balie. 'Ik heb het vandaag al moeilijk gehad en nu is het afgelopen! Ik heb je een heel eenvoudige vraag gesteld.'

'Er staat hier geen Jeffrey Rhodes ingeschreven,' stamelde de man.

Devlin knikte. 'Dat verbaast me niets. Ik zal hem eens beschrijven. Ongeveer even lang als jij, een jaar of veertig oud, snor en dun, bruin haar. Maakt een sympathieke indruk. Moet een aktentas bij zich hebben gehad.'

'Zou Richard Bard kunnen zijn.'

'En wanneer heeft die Richard Bard zich in dit hemelse etablissement laten inschrijven?'

'Gisterenavond, rond een uur of tien. Kijk maar. Hier staat hij.' Hij draaide het hotelregister Devlins kant op.

'En is die meneer Bard op dit moment aanwezig?'

'Nee. Hij is rond het middaguur vertrokken, maar toen zag hij er wel heel anders uit. Hij had zijn haar zwart geverfd en zijn snor afgeschoren.'

'Oké. Welke kamer heeft hij?'

'Nummer 5F.'

'Ik neem aan dat ik niet te veel vraag als ik je verzoek mij even daarheen te brengen?'

De man schudde zijn hoofd, deed de lade van de kassa op slot en kwam achter de balie vandaan.

Devlin liep achter hem aan de trap op. 'Is de lift nog steeds kapot?' informeerde hij. 'Toen ik hier vijf jaar geleden een inval deed, was dat al zo.'

'Bent u van de politie?'

'Zo ongeveer.'

Toen ze de vijfde verdieping hadden bereikt, was de receptionist vrijwel buiten adem en transpireerde hevig. Devlin liet hem even op verhaal komen voordat ze de gang door liepen naar kamer 5F.

Devlin klopte voor de zekerheid aan. Toen er geen reactie kwam, knikte hij naar de receptionist, als teken dat die de deur moest openmaken. De kamer was leeg.

'Ik denk dat ik hier op meneer Bard zal wachten,' zei Devlin, die naar het raam liep en naar buiten keek. 'Jij moet je mond houden als hij binnenkomt. Ik wil dat dit een verrassing is. Begrepen?'

De man knikte.

'Meneer Rhodes, alias meneer Bard, is voor de justitie op de loop,' ging Devlin verder. 'Er is een arrestatiebevel voor hem uitgevaardigd en hij is gevaarlijk. Als jij op de een of andere manier zijn achterdocht wekt, laat zich niet voorspellen hoe hij zal reageren. Begrijp je wat ik hiermee zeggen wil?'

'Natuurlijk. Meneer Bard deed al raar toen hij hier arriveerde en ik weet dat ik er toen nog even over heb gedacht de politie te bellen.'

'Dat zal best,' zei Devlin sarcastisch.

'Ik zal hier met niemand over praten,' zei de receptionist, terwijl hij de gang weer op liep.

'Daar reken ik op,' zei Devlin en deed de deur dicht.

Zodra hij alleen was, dook hij op de aktentas af en deponeerde die op het bed. Met trillende handen maakte hij het deksel open. Niets te vinden. Geen dollar! Alleen ingewikkelde aantekeningen waar hij vrijwel geen woord van begreep. Daarna doorzocht hij de hele kamer, voor het geval Jeffrey het geld ergens had verborgen. Ook die zoekactie leverde niets op. Het doktertje moest alles hebben meegenomen.

Devlin ging op het bed liggen, met zijn wapen naast zich. Rhodes kon iemand voor verrassingen plaatsen, en dat was wel het allerlaatste waar hij op dat moment behoefte aan had.

Jeffrey voelde zich aanzienlijk rustiger nu het bezoekje aan het Boston Memorial zonder incidenten was verlopen. Als mensen die hij heel goed kende, hem niet herkenden, hoefde hij in het openbaar nergens bang voor te zijn. Hij hield een taxi aan en liet zich naar het Saint Joseph's Hospital brengen.

Het was vervelend dat hij met zoveel geld op zak rondliep, maar in ieder geval was deze schoudertas minder opvallend dan zijn aktentas.

Het St. Joseph's Hospital was aanzienlijk ouder dan het Boston Memorial. Het was rond de eeuwwisseling gebouwd en later waren er enige zijvleugels aan toegevoegd. Oorspronkelijk was het een katholiek hospitaal geweest voor de minderbedeelden, maar in de loop der jaren was het uitgegroeid tot een druk en bekend algemeen ziekenhuis. Omdat het in een van de voorsteden stond, zag de omgeving er wat lieflijker uit dan die van het Boston Memorial.

Jeffrey vroeg aan een witharige dame die achter de informatiebalie van het ziekenhuis stond, hoe hij bij de Intensive Care moest komen. Met een glimlach verwees ze hem naar de tweede verdieping.

Jeffrey vond de afdeling zonder problemen en liep naar binnen.

Als anesthesist voelde hij zich meteen thuis in die ogenschijnlijk chaotische ruimte vol bijzonder geavanceerde apparatuur. Ieder bed was bezet. Apparaten sisten en piepten. In het midden was een centrale balie, waar verpleegsters aan en af liepen. Zoals gewoonlijk had iedereen het zo druk dat niemand enige aandacht aan Jeffrey besteedde.

Een paar seconden later had Jeffrey Kelly ontdekt en liep op haar af. Ze had net een telefoon van de haak genomen en gaf hem met haar ogen te kennen dat hij even moest wachten.

'Kan ik u ergens mee helpen?' vroeg ze, toen ze de hoorn weer op de haak had gelegd en snel een aantal laboratoriumgegevens aan een andere verpleegster had doorgegeven, die meteen een infuus ging bijstellen.

'Dat heb je al gedaan.'

'Wat zegt u?'

Jeffrey lachte. 'Ik ben het, Jeffrey.'

'Jeffrey?'

'Jeffrey Rhodes. Ik snap nog altijd niet dat niemand me herkent. Je zou nog gaan denken dat ik me door een plastisch chirurg onder handen heb laten nemen.'

'Wat doe jij hier? Wat is er met je snor gebeurd? En je haar?' vroeg ze stomverbaasd.

'Dat is een lang verhaal. Heb je een minuutje de tijd voor me?'

'Natuurlijk.' Ze vroeg een andere verpleegster het van haar over te nemen. 'Kom maar mee.'

Ze liepen een kleine lounge achter de Intensive Care in. 'Trek in een kopje koffie?' vroeg Kelly.

'Graag.'

'Waarom ben je vermomd?'

Jeffrey zette zijn tas neer en haalde de donkere bril van zijn neus. Daarna vertelde hij Kelly wat er was gebeurd sinds hij de avond daarvoor bij haar was weggegaan. Het fiasco op het vliegveld, het feit dat hij nu officieel als voortvluchtig werd beschouwd, de aanval op Devlin met zijn aktentas, de vlucht met de bus en het onderduiken.

'Dus je was van plan het land uit te gaan?' vroeg Kelly.

'Dat is zo,' gaf Jeffrey toe.

'En je wilde me niet bellen om me dat te vertellen?'

'Ik zou je hebben gebeld zodra ik daartoe in staat was. Op dat moment kon ik niet al te helder nadenken.'

'Waar slaap je nu?'

'In een of ander smerig hotel.'

'Jeffrey, dit klinkt allemaal heel beroerd,' zei Kelly en schudde haar hoofd. 'Misschien zou je jezelf beter kunnen aangeven. Je kansen in hoger beroep zullen door al dit gedoe beslist niet beter worden.'

'Als ik mezelf aangeef, stoppen ze me in de gevangenis en zal ik naar alle waarschijnlijkheid niet meer op borgtocht worden vrijgelaten. Zelfs als ze het nog wel in overweging willen nemen, kan ik het geld niet meer bij elkaar krijgen. Bovendien: of ik al dan niet in hoger beroep kan gaan, staat hier los van. En ik kan de gevangenis niet in omdat ik veel te veel te doen heb.'

'Wat bedoel je?'

'Ik heb de aantekeningen van Chris aandachtig bestudeerd en wat onderzoek gedaan in de medische bibliotheek,' zei Jeffrey opgewonden. 'Ik denk dat Chris nog wel eens gelijk kan hebben gehad toen hij een besmetting van de Marcaine vermoedde die hij aan Henry Noble had gegeven. Ik begin nu te vermoeden dat hetzelfde aan de hand was met de Marcaine die ik Patty Owen heb toegediend. Ik wil die incidenten aan een veel grondiger onderzoek onderwerpen.'

'Ik heb dit alles al eens eerder meegemaakt,' zei Kelly triest.

'Hoe bedoel je dat?'

'Toen Chris hierover praatte, klonk hij even enthousiast als jij. Niet lang daarna pleegde hij zelfmoord.'

'Het spijt me. Ik wilde geen pijnlijke herinneringen ophalen.'

'Ik maak me geen zorgen over het verleden, maar wel over jou,' reageerde Kelly. 'Gisteren was je depressief, vandaag ben je lichtelijk manisch. Hoe zul je er morgen aan toe zijn?'

'Prima. Geloof me nu maar op mijn woord. Volgens mij heb ik echt iets ontdekt.'

Kelly hield haar hoofd scheef en trok een wenkbrauw op terwijl ze Jeffrey vragend aankeek. 'Ik wil er zeker van zijn dat je je zult houden aan de belofte die je mij hebt gedaan.'

'Dat verzeker ik je.'

'Ik hoop dat je dat echt meent. Oké, vertel me dan maar eens wat je nu zo bezighoudt.'

'Een aantal dingen. De blijvende verlammingsverschijnselen bij Henry Noble, bijvoorbeeld. Normaal gesproken kunnen de craniale zenuwen niet verlamd raken na een epidurale anesthesie. In mijn geval heeft de baby last gekregen van verlammingsverschijnselen, die bovendien nog asymmetrisch waren ook.'

'Men dacht toch dat Noble verlamd was geraakt vanwege zuurstofgebrek door de spasmen en hartstilstanden?'

'Dat klopt, maar volgens Chris had men bij de autopsie een degeneratie van de zenuwcellen onder de microscoop waargenomen.'

'Dat kan ik niet meer volgen,' gaf Kelly toe.

'Degeneratie van zenuwceluitlopers komt normaal niet voor wanneer iemand even wat zuurstofgebrek heeft gehad, zoals dat bij Henry Noble het geval was. Als er bij hem al sprake was van zuurstofgebrek! Als de man wèl zoveel zuurstof te kort was gekomen dat die degeneratie was opgetreden, zouden ze hem niet meer hebben kunnen reanimeren. Bovendien komt zo'n degeneratie bij een locale anesthesie domweg nóóit voor. Er worden wel functies geblokkeerd, maar die middelen zijn beslist niet giftig voor de cellen.'

'Stel dat je gelijk hebt... Hoe wil je dat dan bewijzen?'

'Dat zal niet makkelijk zijn,' gaf Jeffrey toe, 'zeker niet nu ik op de vlucht ben voor de justitie. Toch wil ik het proberen. Ik wilde je vragen of je me misschien wilt helpen. Als mijn theorie juist is en ik het kan bewijzen, zou ook Chris' naam van alle blaam worden gezuiverd.'

'Natuurlijk zal ik je helpen. Dacht je nu echt dat je me dat moest vrágen?'

'Ik wil dat jij er serieus over nadenkt voordat je ja zegt. Ik ben nu eenmaal op de vlucht en als je me helpt, zou je van medeplichtigheid kunnen worden beschuldigd. Misschien zou je daarvoor zelfs kunnen worden veroordeeld. Dat weet ik niet.'

'Dat risico zal ik dan moeten nemen. Ik ben tot alles bereid om Chris' naam te zuiveren. Bovendien wil ik jou graag helpen,' zei Kelly verlegen en begon licht te blozen.

'De eerste stap is het achterhalen van een schriftelijk bewijs dat de twee ampullen Marcaine door hetzelfde farmaceutische bedrijf zijn geleverd. Dat moet op zich niet moeilijk zijn. Het zal echter lastiger zijn om te bewijzen dat ze tot eenzelfde zending behoorden, zoals ik vermoed. Hoewel er nogal wat maanden tussen Noble en Owen in zaten, is het mogelijk dat de ampullen in dezelfde tijd van de lopende band zijn gerold. Het ergste is in dat verband misschien nog wel dat er nog meer van die ampullen in omloop kunnen zijn.'

'Mijn hemel, wat een eng idee! Dan zou er zich dus opnieuw zo'n tragedie kunnen voordoen.'

'Ken jij nog iemand in het Valley Hospital die je zou kunnen vertellen welk bedrijf Marcaine aan hen levert? Ik weet toevallig dat het Boston Memorial die betrekt van Arolen Pharmaceuticals in New Jersey.'

'Dat moet ik kunnen achterhalen. Een goede vriendin van me, Charlotte Henning, werkt nog altijd op de OK daar. Ik spreek haar minstens eenmaal per week en ik zal haar opbellen zodra ik thuis ben.'

'Dat zou geweldig zijn,' zei Jeffrey. 'En wat mijzelf betreft: ik ben vanaf vandaag verbonden aan de huishoudelijke dienst van het Boston Memorial.'

'Wat zeg je?'

Jeffrey vertelde haar waarom hij naar die baan had gesolliciteerd en hoe hem dat was gelukt.

'Het verbaast me niets dat niemand je heeft herkend. Ik had er daarnet ook geen flauw idee van dat jij het was.'

'Maar met die mensen daar heb ik wel jaren lang samengewerkt.'

De deur naar de Intensive Care ging open en iemand zei tegen Kelly dat ze haar nodig hadden in verband met de opname van een nieuwe patiënt.

'Ik kom zo,' zei Kelly.

'Vanavond begin ik te werken,' zei Jeffrey.

'En wat ben je nu precies van plan daar te gaan doen?'

'In de eerste plaats gevolg geven aan een suggestie die jij hebt gedaan. Ik ga proberen een verklaring te vinden voor de aanwezigheid van dat flesje Marcaine met een concentratie van .75%, door eens na te gaan welke operaties er die dag verder nog meer zijn verricht in die OK. Verder wil ik het volledige rapport van de sectie op Patty Owen bekijken. Ik wil weten of ook haar zenuwceluitlopers onder een microscoop zijn bekeken, en ook of er is gelet op de aanwezigheid van mogelijke toxinen.'

'Het enige dat ik je op het hart kan drukken, is dat je heel voorzichtig moet zijn. Sorry, Jeffrey, maar ik moet nu echt weer aan het werk,' zei ze, terwijl ze snel haar laatste restje koffie opdronk.

Jeffrey spoelde zijn kop af, pakte zijn tas, zette zijn bril weer op en liep achter Kelly aan. 'Dank voor het beschikbaar stellen van je tijd.'

'Bel je me vanavond? Ik zal zo snel mogelijk contact opnemen met Charlotte.'

'Hoe laat ga je naar bed?'

'Nooit voor elven.'

'Dan zal ik je opbellen voordat ik naar mijn werk ga.'

Kelly keek hem na en wenste dat ze de moed had gehad hem te vragen of hij soms niet liever bij haar wilde intrekken.

Voor Carl Bodanski was het een bijzonder produktieve dag geweest. Heel wat vervelende klusjes die hij al een tijd had laten liggen, waren nu uitgevoerd, waaronder het vinden van iemand die bereid was in de nachtdienst van de huishoudelijke ploeg mee te draaien. Hij hing het kaartje van de man op het prikbord. FRANK AMENDOLA.

114

Even later werd er op zijn deur geklopt en kwam zijn secretaresse, Martha Reton, binnen. Ze deed de deur meteen achter zich dicht en leek van streek te zijn.

'Sorry dat ik u stoor, meneer Bodanski,' zei ze met een licht trillende stem.

'Hindert niet. Wat is er aan de hand?'

'Er is iemand die u wil spreken.'

'Wie dan?' Haar opmerking verbaasde Bodanski. Hij kreeg als personeelsfunctionaris veel mensen te spreken, dus dat was op zich niets bijzonders.

'Hij heet Horace Mannly en hij is van de FBI.'

De FBI? dacht Bodanski geschrokken en herinnerde zich de parkeerbon die hij nog niet had betaald. En verder had hij ook nog FAX-apparatuur van de belastingen afgeschreven, die hij zogenaamd voor de zaak, maar in feite voor privé-gebruik had gekocht.

Bodanski ging achter zijn bureau zitten, omdat hij zich daar wat zekerder voelde. 'Laat meneer Mannly maar binnenkomen,' zei hij zenuwachtig.

Martha verdween en even later kwam er een nogal gezette man Bodanski's kantoor in.

'Meneer Bodanski?' zei de man. 'Ik ben agent Mannly.' Hij stak zijn hand uit. Bodanski schudde die. Hij voelde klam aan. Met moeite hield Bodanski zijn gezicht in de plooi. De man leek een opmerkelijk kleine neus en mond te hebben en de ogen stonden fel in een mager, bleek gezicht.

'Gaat u zitten,' zei Bodanski. 'Wat kan ik voor u doen?'

'Computers worden geacht ons te helpen, maar soms zorgen ze alleen maar voor extra werk,' zei Mannly met een zucht. 'Begrijpt u wat ik bedoel?'

'Inderdaad,' zei Bodanski, die niet wist of hij het met die stelling eens was, maar iemand van de FBI beslist niet wilde tegenspreken.

De een of andere grote computer heeft net de naam Frank Amendola uitgespuugd,' zei Mannly. 'Is het waar dat die man voor u werkt? Zou u het vervelend vinden als ik een sigaret opstak?'

'Ja. Nee, bedoel ik. En ja, ik heb net een zekere Frank Amendola in dienst genomen.' Hoewel het hem opluchtte dat dit bezoekje kennelijk niet hemzelf betrof, stelde het hem teleur die naam te horen. Hij had moeten weten dat het te mooi was om waar te zijn, een man die dienst wilde nemen in de nachtploeg.

Horace Mannly stak een sigaret op. 'Ons Bureau heeft ons kantoor

de tip gegeven dat die man hier was aangenomen,' zei hij.
'Ik heb hem vandaag in dienst genomen. Wordt hij gezocht?'
'Ja, maar hij is geen misdadiger. Zijn vrouw is naar hem op zoek, niet de FBI. Een of andere huishoudelijke aangelegenheid. Soms worden wij daar wel eens bij betrokken. Zijn vrouw heeft kennelijk veel heisa gemaakt en een brief geschreven naar een of ander Congreslid - en naar het Bureau. Dus wordt er naar hem uitgekeken, met gebruikmaking van zijn nummer van de sociale dienst. Hoe was die man? Deed hij normaal?'
'Hij leek een beetje zenuwachtig,' zei Bodanski opgelucht. In ieder geval was die vent niet gevaarlijk. 'Verder deed hij heel gewoon. Hij leek intelligent en vertelde me dat hij van plan was rechten te gaan studeren. Ik achtte hem een geschikte kandidaat. Wat moeten wij nu doen?'
'Dat weet ik niet. Ik heb alleen opdracht gekregen even met u te gaan praten, om er zeker van te zijn dat die man inderdaad weer is opgedoken. Ik zou u willen voorstellen niets te ondernemen tot u weer van ons hoort.'
'Prima. Natuurlijk zijn we altijd tot medewerking bereid.'
'Geweldig. Dank voor uw tijd en ik zal u opbellen zodra ik meer weet,' zei Mannly en kwam moeizaam overeind uit zijn stoel.
Toen de man van de FBI weer was vertrokken, trommelde Bodanski met zijn vingers op het bureaublad, en hoopte dat de huiselijke problemen van Amendola niet van invloed zouden zijn op diens werk in het ziekenhuis.

Jeffrey was nog altijd opgewekt toen hij de trap naar de ingang van het sjofele Essex Hotel op liep. Misschien had Kelly gelijk en was hij inderdaad een beetje manisch, maar in ieder geval had hij het idee dat het geluk nu eindelijk eens een keer met hem was en dat hij de gebeurtenissen in de hand had, in plaats van omgekeerd.
In de taxi had hij alles in gedachten nog eens de revue laten passeren. Die verlammingsverschijnselen overtuigden hem er meer dan wat dan ook van dat er iets mis moest zijn met de gesloten ampullen Marcaine.
Jeffrey liep aanvankelijk snel door de lobby. Toen vertraagde hij opeens zijn pas. De receptionist zat niet naar de televisie te kijken. In plaats daarvan was hij een voorraadkamertje ingelopen, achter de balie. Tot nu toe was die deur altijd dicht geweest. De man knikte hem toe zodra hun blikken elkaar kruisten, nogal zenuwach-

tig, meende Jeffrey, alsof hij bang van hem was.

Jeffrey liep door naar de trap. Gek. Hij kon geen verklaring bedenken voor het gedrag van die man. Hij had hem wel een beetje eigenaardig gevonden, maar meer ook niet. Jeffrey vroeg zich af wat dat kon betekenen. Niets, hoopte hij.

Toen hij de vijfde verdieping had bereikt, keek Jeffrey over de balustrade heen naar beneden. De receptionist stond daar omhoog te kijken, naar hem. Zodra hij Jeffrey zag, verdween hij weer.

Dus hij had het zich niet verbeeld, constateerde Jeffrey. De man hield hem met opzet in de gaten. Maar waarom?

Jeffrey liep de gang op en zocht nog altijd naar een verklaring voor het gedrag van de receptionist. Toen herinnerde hij zich zijn vermomming. Natuurlijk! Dat moest het zijn! Misschien had de man hem niet herkend en dacht hij dat Jeffrey een vreemde was. Stel dat de man zou besluiten de politie te bellen?

Toen Jeffrey voor de deur van zijn kamer stond, zocht hij in zijn zak naar zijn sleutels. Toen herinnerde hij zich dat hij die in de schoudertas had gestopt. Zou hij naar een ander hotel moeten gaan? Hij had al genoeg zorgen aan zijn hoofd zonder zich ook nog eens druk te moeten maken over een achterdochtige receptionist.

Jeffrey stopte de sleutel in het slot en maakte de deur open. Toen verdween de sleutel weer in de tas, zodat hij die makkelijk zou kunnen vinden als hij weer weg wilde. Toen hij de kamer in liep, was hij in gedachten al weer met de ampullen Marcaine bezig, tot hij stokstijf bleef staan.

'Welkom thuis, dokter!' zei Devlin, die op het bed lag en zijn wapen nonchalant in zijn hand hield. 'Je hebt er geen idee van hoe ik me erop heb verheugd je weer te zien nadat je me tijdens onze laatste ontmoeting zo onbeleefd hebt bejegend.'

Devlin kwam, steunend op een elleboog, overeind. 'Je ziet er wel anders uit. Ik weet niet zeker of ik je op straat zou hebben herkend.' Hij lachte en produceerde toen een rokershoestje. 'Kom binnen en neem plaats. Doe alsof je thuis bent.'

Jeffrey dook de kamer weer uit, even instinctief als hij Devlin op het vliegveld een dreun met zijn aktentas had verkocht. Toen hij de deur dicht trok, verloor hij zijn evenwicht en viel op zijn knieën. Op datzelfde moment hoorde hij een knal en vlogen de houtsplinters om zijn oren.

Snel krabbelde hij overeind en rende de gang door, naar de trap. Eigenlijk kon hij nog niet geloven dat er op hem was geschoten. Hij wist dat hij werd gezocht, maar hij viel toch zeker niet in de categorie misdadigers die levend of dood gevangen genomen moesten worden? Die Devlin moest gek geworden zijn.

Net toen hij de deur naar de trap wilde openmaken, hoorde hij Devlin achter hem de gang op komen. Met zijn schouder duwde hij de deur open en hoorde opnieuw een schot. De kogel versplinterde een raam aan het einde van de gang. Jeffrey hoorde de man lachen. Hij genoot hier kennelijk van.

Toen Jeffrey bijna de begane grond had bereikt, hoorde hij de deur boven opengaan, gevolgd door luide voetstappen op de trap. Jeffrey rende op de deur af die naar de lobby leidde, maar merkte tot zijn schrik dat die op slot was. Door het raampje kon hij de receptionist aan de andere kant van de deur zien staan. Hij probeerde de man door gebarentaal duidelijk te maken dat de deur op slot was. De receptionist haalde zijn schouders op en deed net alsof hij Jeffrey niet begreep.

Opeens hield het geluid van de voetstappen op. Jeffrey draaide zich om en zag Devlin bovenaan de laatste trap naar hem staan kijken, met zijn wapen op hem gericht. Zou hier zijn leven eindigen? Devlin haalde de trekker echter niet over.

'Je wilt me toch zeker niet gaan vertellen dat die deur op slot zit?' zei Devlin met gespeeld medeleven. 'Wat zielig voor je, dokter!'

Devlin liep langzaam de laatste treden af en hield het wapen op Jeffrey's gezicht gericht. 'Gek,' zei hij. 'Ik zou het leuker hebben gevonden als die deur open was geweest. Dat zou het allemaal sportiever hebben gemaakt in mijn ogen.'

Toen hij naast Jeffrey stond, zei hij, glimlachend van voldoening: 'En nu omdraaien.'

Jeffrey draaide zich om en stak zijn armen omhoog, hoewel Devlin hem dat niet had bevolen. Devlin drukte hem met zijn volle gewicht tegen de muur aan, pakte de tas van zijn schouder en smeet die op de grond. Toen draaide hij Jeffrey's armen op zijn rug en deed hem de handboeien om, om verdere problemen te voorkomen. Vervolgens fouilleerde hij de arts, draaide hem weer om en pakte de tas op.

'Als daarin zit wat ik denk dat erin zit, heb je me zojuist een heel gelukkig man gemaakt.'

Devlin maakte de rits van de tas los en ging op zoek naar het geld. Binnen de kortste keren begon zijn gezicht te stralen. 'Kijk eens aan! Daar is de poen.' Hij stopte de bankbiljetten weer terug in de tas, want hij wilde de receptionist niet op een idee brengen.

Toen Devlin zijn hoofd voor het ruitje van de deur liet zien, kwam de receptionist meteen aangesneld om die open te maken. Devlin greep Jeffrey in zijn nekvel en duwde hem de lobby in. 'Weet je niet dat het tegen de regels is om in een hotel deuren naar een trappenhuis af te sluiten?' zei hij tegen de ietwat verbouwereerde man.

Die stamelde dat hij daar inderdaad niet van op de hoogte was.

'Zorg ervoor dat die sloten worden verwijderd, want anders stuur ik de bouwinspectie op je dak!'

De man knikte. Hij had eigenlijk wel een bedankje verwacht omdat hij zo behulpzaam was geweest. Devlin negeerde hem verder echter, liep met Jeffrey naar buiten, maakte het linkervoorportier open en duwde Jeffrey op de voorbank. Toen gooide hij het portier weer dicht, sloot het af en liep om de auto heen.

Met een tegenwoordigheid van geest die je gegeven de omstandigheden eigenlijk niet zou hebben verwacht, lukte het Jeffrey heel voorzichtig zijn rechterhand in de zak van zijn jas te stoppen en de spuit te pakken die hij daarin had gestopt. Met zijn nagel duwde hij het beschermkapje van de naald af. Toen haalde hij het apparaatje voorzichtig uit zijn zak en ging iets achterover op de voorbank van de auto zitten.

Devlin trok het portier aan de bestuurderskant open, smeet Jeffrey's schoudertas op de achterbank, ging zitten en stopte het contactsleuteltje in het slot. Zodra hij dat wilde omdraaien, dook Jeffrey op hem af. Devlin had daar niet op gerekend en voordat hij iets had kunnen doen, had Jeffrey de naald in zijn rechterbil gestoken en duwde hij het zuigertje omlaag.

'Verdomme!' brulde Devlin en gaf Jeffrey een keiharde klap tegen de zijkant van zijn hoofd.

Toen keek de man naar zijn bil en zag de injectiespuit. 'Jezus. Jullie artsen zijn nog vervelender dan seriemoordenaars!' Hij trok de naald eruit en smeet de spuit op de achterbank.

Jeffrey was inmiddels weer voldoende bij zijn positieven gekomen om te proberen zijn portier open te maken, maar kon er door de handboeien niet bij.

'Wat heb je in mijn lijf gespoten?' vroeg Devlin, die Jeffrey's keel met beide handen zo stevig omklemde dat hij in ademnood kwam. 'Geef me antwoord op mijn vraag!'

Jeffrey's ogen begonnen uit te puilen. Devlin liet hem los en hief zijn arm op, om nogmaals uit te halen.

'Je zult er niet aan dood gaan,' bracht Jeffrey er met moeite uit. Hij trok een schouder op, om de dreun op te vangen, maar de klap kwam niet.

Devlins ogen leken opeens niet meer te kunnen focussen en hij begon heen en weer te zwaaien. Snel greep hij het stuur vast, maar moest dat even later loslaten, omdat de spieren van zijn handen verslapten. Toen viel hij opzij, Jeffrey's kant op.

Devlin probeerde te praten, maar dat lukte niet al te best meer.

'Je zult er echt geen schade van ondervinden,' zei Jeffrey. 'Het is slechts een kleine dosis succinylcholine. Niet in paniek raken. Over een paar minuten zul je alleen tijdelijk volledig verlamd raken.'

Jeffrey duwde Devlin weer in een zittende positie en stopte zijn hand in diens rechter jaszak. Geen sleuteltje van de handboeien. Jeffrey schoof naar voren en liet Devlin op de bank vallen. Moeizaam onderzocht hij de andere zakken, maar kon het sleuteltje nog altijd niet vinden.

Net toen hij het wilde opgeven, zag hij het naast het contactsleuteltje bengelen. Door half te gaan staan, met zijn rug naar het stuur gedraaid, lukte het hem het slot van zijn handboeien open te krijgen.

Toen pakte hij snel zijn tas van de achterbank. Voordat hij de auto uit stapte, keek hij nog even naar Devlin, die inmiddels vrijwel volledig verlamd was. Zijn ademhaling was langzaam maar regelmatig. Als Jeffrey hem een grotere dosis had toegediend, zou hij binnen een paar minuten zijn gestikt, omdat zijn middenrif dan verder ook dienst had geweigerd.

Jeffrey legde de man zodanig neer dat zijn bloedsomloop geen gevaar kon lopen en stapte daarna de auto uit. Zou hij teruggaan, het hotel in, om zijn spullen op te halen? Nee, dat was beslist te riskant, al was de receptionist dan ook in geen velden of wegen te zien. De man kon op dit moment al het alarmnummer van de politie aan het draaien zijn. Bovendien: wat had hij te verliezen? Wel vond hij het jammer de aantekeningen van Chris te moeten achterlaten. Kelly had echter zelf gezegd dat ze al die spullen toch had willen opruimen...

Jeffrey draaide zich om en vluchtte in de richting van het centrum van de stad, omdat hij in de mensenmenigte wilde kunnen opgaan. Als hij zich eenmaal weer wat veiliger voelde, zou hij de kans krijgen om na te denken. Hoe verder hij nu van Devlin vandaan kwam, hoe beter dat was. Jeffrey kon eigenlijk nog steeds niet echt geloven dat hij die man met de succinylcholine had geïnjecteerd. Wat zou die kerel woedend zijn als hij weer bij was gekomen! Hij hoopte dat ze elkaar niet meer tegen het lijf zou lopen voordat hij deze zaak tot een oplossing had gebracht.

Trent kreeg pas in de avond de kans terug te gaan naar de ruimte waarin de medicijnvoorraden werden bewaard. Eén operatie had langer geduurd dan was voorzien, en er was niemand geweest om hem in de OK te vervangen. Hij had het vervelend gevonden, maar besefte ook dat er niets aan te doen was.

De hele dag was hij gespannen geweest en hij had voortdurend gehoopt op de mededeling dat zich een afschuwelijke complicatie tijdens het toedienen van een anesthesie had voorgedaan. Die was echter niet gekomen. De dag was gladjes verlopen.

Bij de voorraadkamer bleef hij even staan. Hij was al naar de garderobe geweest om de goede ampul Marcaine weer in zijn onderbroek te stoppen. Er liepen af en toe mensen de operatiekamers in en uit, maar echt druk was het niet meer.

De situatie stond hem niet aan. Het was riskant om nu de voorraadkamer in te gaan, omdat hij officieel geen dienst meer had. Als iemand hem vroeg wat hij daar deed, zou hij nauwelijks een fatsoenlijke smoes kunnen bedenken. Hij had echter geen keuze, want hij kon het buisje waarmee hij had geknoeid niet onbeheerd achterlaten. Hij had er een gewoonte van gemaakt erbij te zijn als een van zijn buisjes werd gebruikt, zodat hij in de verwarring die dan ontstond, het lege buisje kon verwijderen, of in ieder geval de rest van de inhoud kon weggieten. Hij kon het risico niet lopen dat iemand de Marcaine ging controleren op een eventueel verkeerde samenstelling.

Trent liep even om de voorraadkamer heen, ging toen naar binnen en tilde snel het deksel van de doos met Marcaine op. Er zaten nog twee ampullen in. Al snel had hij de zijne geïdentificeerd. Die verruilde hij voor de ampul die hij uit zijn kastje had meegenomen, deed het deksel dicht en zette de doos weer keurig netjes op zijn plaats. Toen hij terug wilde lopen naar de garderobe, moest hij opeens pas op de plaats maken, omdat er een lange, blonde verpleegster in de deuropening stond. Ze had haar handen op haar heupen gezet en haar voeten stonden iets uit elkaar stevig op de grond geplant.

Trent voelde zijn gezicht rood worden en probeerde snel een aan-

nemelijke verklaring voor zijn aanwezigheid te bedenken.
'Kan ik je ergens mee van dienst zijn?' vroeg de vrouw op een toon die duidelijk maakte dat ze daar juist helemaal niets voor voelde. 'Nee, bedankt. Ik stond net op het punt om weg te gaan. Ik heb even wat spullen teruggebracht die we voor de operatie in kamer vijf uiteindelijk toch niet nodig bleken te hebben.'
De verpleegster knikte, maar scheen niet overtuigd te zijn. Ze rekte haar hals, om over Trents schouder te kunnen kijken.
Trent keek op haar naamkaartje. De vrouw bleek Gail Shaffer te heten. 'Die operatie heeft zeven uur geduurd,' zei Trent, alsof hij om een praatje verlegen zat.
'Dat heb ik gehoord. Zit jouw dienst er niet al op?'
'Gelukkig wel, eindelijk,' zei Trent met een diepe zucht. 'Het is een lange dag geweest en ik verheug me op een biertje. Ik hoop dat jullie het vanavond rustig zullen hebben. Houd je taai.'
Trent liep langs de verpleegster heen de gang op, naar de lounge van de operatieafdeling. Na een stap of twintig keek hij om. De verpleegster stond nog altijd in de deuropening naar hem te kijken. Verdorie, ze koesterde duidelijk achterdocht. Trent zwaaide naar haar. Ze zwaaide terug.
Waar was dat mens zo snel vandaan gekomen? Waarom was hij zelf niet voorzichtiger geweest? Hij was nog nooit eerder betrapt bij de voorraadkast. Trent bleef even bij het prikbord in de lounge staan. Daarop hing een lijst met de namen van het softballteam van het ziekenhuis. De naam van Gail Shaffer stond erbij, met een telefoonnummer erachter. Snel pakte hij een papiertje en schreef dat op. Ze woonde in Black Bay; dat zag hij aan de eerste drie cijfers.
Wat een ellende, dacht Trent, terwijl hij in de garderobe stond en zich omkleedde. Het buisje Marcaine verdween weer in de zak van zijn witte jas. Onderweg naar buiten kwam hij tot de conclusie dat hij iets aan die Gail Shaffer zou moeten doen.

7

Devlin had altijd al een hekel aan ziekenhuizen gehad. Vanaf de tijd dat hij als klein jochie in Dorchester, Massachusetts woonde, was hij er bang van geweest. Zijn moeder had met dreigementen op die angst ingespeeld. Als je dit of dat niet doet, neem ik je mee naar het ziekenhuis en krijg je een prik van de dokter. Devlin haatte prikken. Dat was een van de redenen waarom hij Jeffrey Rhodes hoe dan ook te pakken wilde krijgen, of Michael Mosconi hem daar nu voor betaalde of niet.

Devlin rilde toen hij dacht aan wat hij net had doorgemaakt. Hij was aldoor bij zijn positieven gebleven, zich bewust geweest van alles wat er gebeurde. Het was alsof de zwaartekracht opeens duizend maal sterker was geworden. Hij was totaal verlamd geweest, had zelfs niet eens kunnen praten. Het ademhalen had hem veel inspanning en concentratie gekost. Iedere seconde was hij doodsbang geweest dat hij zou stikken.

Die idiote receptionist van het Essex Hotel was pas naar buiten gekomen toen Jeffrey al lang verdwenen was. Hij had herhaalde malen op de ruit getikt en Devlin luid gevraagd of alles in orde was. Toen had het nog eens tien minuten geduurd voordat die idioot het portier open had gekregen. Daarna had hij Devlin nog eens minstens tien keer gevraagd of alles met hem in orde was voordat hij zo slim was het hotel weer in te lopen om een ambulance te bellen.

Toen Devlin het ziekenhuis werd ingedragen, waren er veertig minuten verstreken. Tot zijn grote opluchting waren de verlammingsverschijnselen tijdens de rit erheen verdwenen. Toch had hij zich op de polikliniek laten onderzoeken, omdat hij bang was dat de symptomen weer terug zouden komen.

In de polikliniek besteedde niemand veel aandacht aan hem, behalve een agent die even een praatje met hem kwam maken - een zekere Hank Stanley, die Devlin vaag kende. Een van de ambulancebroeders had kennelijk Devlins wapen gezien, maar dat stond geregistreerd en hij had er een vergunning voor, dus waren daar geen problemen over gemaakt.

Toen kwam er eindelijk een arts naar Devlin toe, een zekere Tardoff, die eruitzag als een jonkie. Devlin vroeg zich af of de knaap zich al eens had geschoren. Hij vertelde de arts wat er was gebeurd. Toen onderzocht die hem, en verdween zonder een woord te zeggen. Devlin bleef alleen achter.

Devlin zwaaide zijn benen van de brancard af en ging staan. Zijn kleren lagen in een hoopje op een stoel. Snel trok hij alles weer aan, inclusief zijn laarzen. Toen liep hij naar de balie en vroeg om zijn pistool.

'U moet nog even wachten, want dokter Tardoff is nog niet met u klaar,' zei de steviggebouwde verpleegster, die even gehard leek te zijn als hijzelf.

Op dat moment kwam Tardoff net aangelopen. 'Sorry dat ik u heb laten wachten, maar ik moest snel een wond hechten. Ik heb even met een anesthesist over uw geval gesproken en hij zei dat u een spierverlammend middel moet zijn toegediend.'

Devlin wreef in zijn ogen en haalde eens diep adem. Zijn geduld was op. 'Ik hoefde niet helemaal naar het ziekenhuis te worden gebracht om iets te horen te krijgen wat ik al lang wist. Heeft u me hierop zo lang laten wachten?'

'We vermoeden dat het succinylcholine is geweest,' zei de arts, Devlins opmerking negerend.

'Dat heb ik u zelf verteld.' Devlin had zich de mededeling van Jeffrey herinnerd. Misschien dat hij de naam niet helemaal juist had uitgesproken, maar het moest er toch wel dicht bij in de buurt zijn geweest.

'Het is een middel dat door anesthesisten regelmatig wordt gebruikt,' ging de arts rustig verder. 'De Amazone-Indianen gebruikten het voor hun giftige pijlen, hoewel dat spul wel een iets andere samenstelling had.'

'Dat is een brokje informatie waar ik echt iets aan heb,' zei Devlin sarcastisch. 'Zou u me nu misschien wat meer praktische dingen kunnen vertellen? Zoals me een antwoord geven op de vraag of ik bang moet zijn dat de verschijnselen terugkomen op een ongelegen moment, wanneer ik achter het stuur zit, bijvoorbeeld, en honderdveertig kilometer per uur rijd.'

'Beslist niet. Uw lichaam is weer volkomen in orde en om zoiets nog eens te kunnen laten passeren, zou u een nieuwe dosis moeten worden toegediend.'

'Daar pas ik in alle rangen en standen voor. Kan ik nu mijn pistool terugkrijgen?' vroeg hij aan de verpleegster.

Hij moest enige formulieren ondertekenen en toen werd hem zijn wapen weer overhandigd. Hij borg het in zijn schouderholster op, salueerde spottend en liep naar buiten. Mijn hemel, wat was hij blij weer gewoon op straat te staan!

Hij nam een taxi naar het Essex Hotel, waar zijn wagen nog geparkeerd stond. Voordat hij wegreed, stormde hij echter eerst nog het hotel in.

De receptionist vroeg hem zenuwachtig hoe het nu met hem ging.

'Prima, maar dat is niet aan jou te danken. Waarom heb je zo lang gewacht met bellen om een ambulance? Ik had verdomme wel dood kunnen gaan.'

'Ik dacht dat u misschien lag te slapen,' protesteerde de man zwakjes.

Devlin ging daar niet verder op in, want hij besefte dat hij de neiging zou krijgen die vent te wurgen. Alsof hij een dutje had kunnen doen nadat hij iemand de handboeien had omgedaan en hem onder bedreiging van een vuurwapen uit het hotel had meegenomen! Het was krankzinnig!

'Is meneer Bard nog binnen geweest nadat ik in slaap gevallen leek te zijn?' vroeg hij.

De man schudde zijn hoofd.

'Geef me dan de sleutel van 5F. Je bent er toch zeker zelf niet meer naar toegegaan?'

'Nee meneer.'

Devlin liep langzaam de trap op naar Jeffrey's kamer. Haast had hij nu niet meer. Hij keek naar het kogelgat in de muur tegenover de deur en vroeg zich af hoe hij Rhodes in vredesnaam had kunnen missen.

Toen Devlin de deur had geopend, vertelde zijn ervaren blik hem dat de receptionist had gelogen. De man was op zoek geweest naar waardevolle spulletjes. Zo te zien aan de plank in de badkamer, had hij in ieder geval alle toiletartikelen meegenomen. Devlin pakte de stapel aantekeningen op die op het nachtkastje lagen en waar de naam Christopher Everson boven stond. Hij vroeg zich af wie die Christopher Everson was.

Jeffrey liep al een tijdje rond door het centrum van Boston en ontweek iedere agent die hij zag aankomen. Hij had het gevoel dat iedereen hem in de gaten hield. Hij liep Filene's in en wandelde rond in de koopjeskelder, waar het druk was en hij zich veiliger voelde. Ongeveer een uur lang bleef hij in de winkel, tot het tot hem doordrong dat de mensen van de bewakingsdienst begonnen te denken dat hij iets wilde stelen.

Hij liep weer naar buiten, Winter Street op, naar het station, waar het al behoorlijk druk was door de forenzen. Jeffrey was jaloers op die mensen, die na hun werk gewoon naar huis konden gaan, en wenste dat hij hetzelfde kon doen. Hij hing daar een tijdje rond, tot hij twee leden van de bereden politie door Tremont Street aan zag komen en besloot Boston Commons in te lopen.

Het allerliefste zou hij meteen naar Kelly gaan. Het idee om naar haar gezellige huis te gaan was heel aanlokkelijk en de gedachte aan een kopje thee drinken, samen met haar, verleidelijk. Was de situatie maar anders! Op dit moment was hij echter een veroordeelde, die voor de justitie op de vlucht was. Hij had geen huis meer en kon alleen maar doelloos door de stad zwerven. Het enige dat hem van een echte dakloze zwerver onderscheidde, was al het geld dat hij in zijn tas bij zich had.

Hoe graag hij ook naar Kelly toe wilde, toch aarzelde hij om haar bij deze ellende te betrekken, zeker nu Devlin beslist alles op alles zou zetten om hem op te sporen. Hij wilde Kelly niet in gevaar brengen.

Maar waar kon hij naar toe? Zou Devlin niet alle hotels in deze stad uitkammen? Bovendien zou zijn vermomming hem nu niet meer helpen tegen Devlin. Misschien zou er zelfs al een nieuwe persoonsbeschrijving aan de politie zijn doorgegeven.

Jeffrey had inmiddels het kruispunt bereikt tussen Beacon Street en Charles Street. Hij liep Charles Street op, waar een drukke kruidenierszaak was, Deluca's geheten. Jeffrey liep naar binnen en kocht wat fruit. Hij had die dag nog niet veel gegeten.

Al etend liep hij verder, Charles Street op. Er reden verscheidene taxi's langs en hij bleef staan. Opeens wist hij hoe Devlin hem had kunnen vinden. Via de taxichauffeur die hem van het vliegveld naar het Essex Hotel had gebracht! Jeffrey besefte dat hij zich tijdens die rit beslist opvallend moest hebben gedragen.

Maar als die taxichauffeur naar de politie was gegaan, waarom was hij dan opgewacht door Devlin en niet door een paar agenten? Jeffrey liep weer verder. Devlin was waarschijnlijk op zijn eigen houtje de taxibedrijven langs gegaan en dat betekende dat die man niet alleen kon intimideren, maar ook vindingrijk was. Dus zou hij, Jeffrey, nog veel meer op zijn hoede moeten zijn.

Jeffrey liep verder, naar de rivier en over de boulevard, die vroeger een goede naam had gehad, maar nu nauwelijks meer werd onderhouden. Ook de rivier zelf was vervuild en stonk. Een eindje verderop ging hij op een bankje zitten, onder een rij eiken. Het zou nog enige uren licht blijven, maar de zon had al veel van zijn kracht verloren. Hoog in de lucht zag hij bewolking, die erop wees dat het weer zou omslaan. Het begon te waaien en Jeffrey sloeg rillend zijn armen over elkaar.

Om elf uur zou hij zich in het Memorial Hospital moeten melden, om te gaan werken. Tot die tijd kon hij nergens heen. Weer dacht hij aan Kelly. Hij kon zich nog herinneren hoe comfortabel hij zich bij haar thuis had gevoeld. Het was zo lang geleden dat hij iemand echt in vertrouwen had kunnen nemen; zo lang geleden dat iemand echt bereid was geweest naar hem te luisteren.

Weer dacht hij erover naar haar toe te gaan. Had ze hem zelf niet aangemoedigd contact met haar te blijven houden? Had ze niet gezegd dat ze tot alles bereid was om Chris' naam van alle blaam te zuiveren? Inderdaad. Ook voor haar stond er nu wel degelijk iets op het spel.

Die gedachte was voor Jeffrey voldoende om een besluit te nemen. Hij had hulp nodig en Kelly leek bereid te zijn die te geven. Natuurlijk had ze dat gezegd vóór het laatste incident met Devlin had plaatsgevonden. Hij zou volkomen open kaart met haar spelen en haar alles vertellen, ook over de pistoolschoten. Als ze zich alsnog terug wilde trekken, zou hij dat accepteren. Maar in ieder geval kon hij het proberen. Ze was een volwassen vrouw, die zelf kon besluiten welke risico's ze wel of niet wilde nemen.

Hij jogde naar het Charles Street Station en hoorde in gedachten al haar stem.

Carol Rhodes was net terug van kantoor. Het was een vermoeiend, maar produktief dagje geweest. Het merendeel van haar cliënten had ze aan anderen overgedragen, vooruitlopend op haar overplaatsing naar Los Angeles. Het zou nu beslist niet lang meer duren voor ze naar het zonnige, zuidelijke deel van Californië zou vertrekken.

Ze deed de ijskast open om te zien wat ze voor zichzelf te eten klaar zou kunnen maken. Er was nog wat kalfsvlees over van de maaltijd die ze voor Jeffrey had bereid, en ze had alles in huis om er een salade bij te maken.

Ze luisterde even naar het antwoordapparaat. Geen boodschappen. De hele dag lang had ze niets van Jeffrey gehoord. Ze vroeg zich af waar hij verdomme was en wat hij van plan was. Die dag had ze gehoord dat Jeffrey het geld van de hypotheek contant had opgenomen. Wat was hij van plan? Vijfenveertigduizend! Cash. Als ze had geweten dat hij zich zo onverantwoordelijk zou gedragen, had ze haar handtekening nooit gezet en hem gewoon de gevangenis in laten gaan. Ze wenste dat hun echtscheiding al definitief was. Nu vroeg ze zich zelfs af waarom ze zich ooit tot de man aangetrokken had gevoeld.

Carol had Jeffrey leren kennen toen ze naar Boston was gegaan om aan de Harvard Business School te gaan studeren. Ze kwam van de westkust, waar ze aan Stanford had gestudeerd. Misschien had ze zich tot Jeffrey aangetrokken gevoeld omdat ze zo eenzaam was geweest. Tot zij elkaar ontmoetten, kende ze in feite geen hond. Ze was echter nooit van plan geweest in Boston te blijven. Die stad was zo provinciaals vergeleken bij L.A., en ze had het idee dat de mensen er even koud waren als het klimaat.

Nu, over een weekje zou ze dit alles achter de rug hebben. Ze zou haar advocaat haar echtscheiding laten afhandelen en zich op haar nieuwe werk storten.

Op dat moment ging de bel. Carol keek op haar horloge. Het was bijna zeven uur. Ze vroeg zich af wie het kon zijn. Gewoontegetrouw keek ze eerst even door het kijkgaatje en schrok.

'Mijn echtgenoot is niet thuis, meneer O'Shae,' riep ze door de deur heen. 'Ik heb er geen idee van waar hij is en ik verwacht hem ook niet meer.'

'Ik zou u graag even willen spreken, mevrouw Rhodes.'

'Waarover?' Ze was niet van zins iets te bespreken met die griezel van een man.

'Praten door een dichte deur gaat een beetje moeilijk,' zei Devlin. 'Ik zal echt maar een paar minuutjes beslag leggen op uw tijd.'

Carol dacht erover de politie te bellen. Maar wat zou ze kunnen zeggen? En hoe zou ze Jeffrey's afwezigheid kunnen verklaren? Die O'Shae zou nog wel eens volledig in zijn recht kunnen staan. Jeffrey had het geld dat hij Mosconi schuldig was, uiteindelijk niet overgedragen. Ze hoopte dat Jeffrey zich niet nog verder in de nesten aan het werken was.

'Ik wil u alleen een paar vragen stellen over de huidige verblijfplaats van uw man,' zei Devlin toen het hem duidelijk werd dat ze niet van plan was de deur open te doen. 'Als ik hem niet kan vinden, zal Mosconi er een paar stoere jongens bij halen en dan zou er wel eens iets met uw man kunnen gebeuren. Als ik hem als eerste vind, kunnen we misschien nog een oplossing bedenken voordat de borgsom verbeurd wordt verklaard.'

Aan die mogelijkheid had Carol nog niet gedacht. Misschien moest ze toch maar even met die O'Shae praten.

Carol deed de veiligheidsketting op de deur en maakte hem toen open.

Net toen ze nogmaals wilde zeggen dat ze er geen idee van had waar Jeffrey was, forceerde Devlin de deur en bleef een stukje van de deurpost aan de ketting bengelen.

Carol wilde wegrennen, maar Devlin pakte meteen haar arm vast. Toen glimlachte hij haar toe, lachte zelfs.

'U kunt hier niet zomaar binnenkomen!' riep Carol uit. Ze hoopte dat haar stem gezaghebbend klonk, al was ze dan ook doodsbang. Tevergeefs probeerde ze haar arm los te trekken.

'Werkelijk?' zei Devlin en wendde verbazing voor. 'Ik ben echter al binnen. Bovendien is dit het huis van de dokter en ik wil weten of die rotzak terug is gekomen nadat hij me in mijn kont een of ander vergif had toegediend. Ik moet zeggen dat ik een beetje moe begin te worden van uw echtgenoot.'

Dan bent u niet de enige, wilde Carol zeggen, maar ze hield zich in. 'Hij is niet hier,' zei ze in plaats daarvan.

'O nee? Toch zou ik dat graag met eigen ogen willen vaststellen.'

'Ik eis dat u weggaat!' gilde Carol. Devlin hield haar pols stevig vast en sleepte haar mee van de ene naar de andere kamer.

Carol bleef proberen los te komen en even voordat ze de trap op gingen, schudde Devlin haar eens goed door elkaar. 'Kom tot bedaren. Het helpen of verborgen houden van iemand die zich niet aan de regels rond invrijheidstelling op borgtocht houdt, is een strafbaar feit. Als hij hier is, is het beter dat ik hem vind dan de politie.'

'Hij is hier niet. Ik weet niet waar hij is en om u de waarheid te zeggen, kan me dat ook niets schelen.'

'Mijn hemel! Is er sprake van enige echtelijke onenigheid?' zei Devlin, en van verbazing verslapte zijn greep op Carol.

Meteen trok ze haar arm helemaal los en gaf hem een keiharde klap midden in zijn gezicht.

Even was Devlin van zijn stuk. Toen bulderde hij van de lach en pakte haar pols weer vast. 'Gemeen kreng! U bent net zoals die echtgenoot van u! Ik wou dat ik u kon geloven. En zou u dan nu zo vriendelijk willen zijn me boven een rondleiding te geven?'

Carol zag in dat ze het beste maar kon meewerken, omdat hij dan des te sneller weer zou zijn vertrokken.

Toen Devlin de grote slaapkamer in liep, keek hij afkeurend om zich heen. 'Geen al te beste huisvrouw, zo te zien,' zei hij met een knikje naar een berg vuil wasgoed, dat zomaar op de grond lag, en naar de vloer van de klerenkast, waar laarzen en schoenen dwars door elkaar heen stonden.

Carol was weer doodsbang, omdat ze niet wist wat nu precies Devlins bedoelingen waren. Hij bleek echter geen enkele belangstelling voor haar als vrouw te hebben. Hij nam haar mee, de zolder op en toen twee trappen naar beneden, om de kelder te inspecteren. Daarna trok hij haar mee naar de keuken en keek naar de ijskast.

'U heeft dus kennelijk de waarheid gesproken. Ik zal u nu loslaten, maar ik verwacht wel van u dat u zich netjes gedraagt. Begrepen?'

Carol keek hem nijdig aan.

'Begrepen, mevrouw Rhodes?'

Carol knikte.

Devlin liet haar pols los. 'Ik denk dat ik hier nog maar een tijdje blijf, voor het geval de dokter naar huis komt om een schone onderbroek op te halen.'

'Ik wil dat u weggaat,' zei Carol boos. 'Zo niet, dan bel ik de politie.'

'Dat kunt u niet doen.'

'Waarom niet?' vroeg Carol verontwaardigd.

'Omdat ik dat niet zal toestaan.' Devlin lachte zijn schorre lach en begon toen te hoesten. Zodra die aanval voorbij was, zei hij: 'Ik vind het naar het tegen u te moeten zeggen, maar de politie zal zich niet zo druk maken over Jeffrey Rhodes. Bovendien vertegenwoordig ik de wet. Jeffrey heeft zijn rechten verloren zodra hij door de jury schuldig was bevonden.'

'Dat is Jeffrey overkomen, niet mij.'

'Een technisch detail, niet meer dan dat. Laten we het nu maar eens over iets belangrijkers hebben. Wat gaan we eten?'

Jeffrey nam de bus naar Cleveland Circle en draaide toen Chestnut Hill Avenue op, waarna hij via rustige zijstraten verder liep naar Kelly's huis. In de keukens werden lichten aan gedaan, honden blaften en kinderen speelden buiten. Het leek wel een ansichtkaart, compleet met Ford Taunus-stationcars die voor pas geverfde garagedeuren stonden. De zon stond al laag aan de hemel, het was bijna donker. Toen Jeffrey eenmaal had besloten naar Kelly toe te gaan, had hij haast gemaakt. Nu weifelde hij echter toch weer. Het nemen van een besluit was tot voor kort voor hem nooit een probleem geweest. Al op jonge leeftijd had het voor hem vastgestaan dat hij medicijnen zou gaan studeren. Toen er een huis moest worden gekocht, was hij gewoon dat huis in Marblehead in gelopen en had gezegd: 'Dit koop ik.' Hij was er niet aan gewend zo heen en weer te worden geslingerd. Toen hij uiteindelijk voor Kelly's voordeur stond en had aangebeld, wenste hij bijna dat hij dat niet had gedaan.

'Jeffrey!' riep Kelly uit. 'Dit is een dag vol verrassingen. Kom binnen.'

Jeffrey liep naar binnen en besefte meteen hoe opgelucht hij zich voelde omdat ze thuis bleek te zijn.

'Laat me je jas even aanpakken.' Ze hielp hem zijn jas uit en vroeg toen wat er met zijn bril was gebeurd.

Jeffrey bracht een hand naar zijn gezicht en besefte toen pas dat hij de bril moest hebben verloren. Dat moest zijn gebeurd toen hij de hotelkamer was uitgerend.

'Ik ben blij je te zien, maar waarom ben je gekomen?' vroeg ze, terwijl ze hem meenam naar de huiskamer.

'In mijn hotelkamer zat iemand op me te wachten,' zei hij.

'Mijn hemel! Vertel verder.'

Hij vertelde haar alles over het treffen met Devlin in het Essex Hotel, de schoten en de injectie met succinylcholine.

Kelly moest er even om grinniken. 'Alleen een anesthesist zou erover denken een injectie te geven aan een premiejager.'

'Zo grappig is het niet,' zei Jeffrey ernstig. 'De risico's zijn nu groter, zeker als Devlin me opnieuw zou weten te vinden. Ik vind dat je nog eens ernstig in overweging moet nemen of je echt bereid bent me te helpen.'

'Onzin. Toen je vandaag uit het ziekenhuis was vertrokken, kon ik mezelf wel voor mijn hoofd slaan omdat ik je niet had gevraagd hier te komen logeren.'

Jeffrey bekeek Kelly's gezicht aandachtig. Haar oprechtheid was ontwapenend. 'Die Devlin heeft op me geschoten,' zei hij nogmaals. 'Twee keer, en met echte kogels, en hij lachte erbij alsof hij zich prima amuseerde. Ik wil dat je er goed van doordrongen bent dat je in een heel benarde situatie zou kunnen komen.'

Kelly keek Jeffrey recht aan. 'Daar ben ik volkomen van doordrongen. Verder weet ik ook dat ik een logeerkamer heb en jij een dak boven je hoofd moet hebben. Ik zou me zelfs beledigd voelen wanneer je mijn aanbod niet aannam. Begrepen?'

'Begrepen,' zei Jeffrey, die bijna begon te glimlachen.

'Goed. Nu dat is geregeld, zal ik iets te eten voor je maken. Je hebt vandaag vast nog niets gehad.'

'Een appel en een banaan.'

'Heb je trek in spaghetti? Dat kan ik in een half uurtje op tafel hebben staan.'

'Het klinkt zalig.'

Kelly liep de keuken in en een paar minuten later was ze al uien en knoflook aan het fruiten in een oude, gietijzeren pan.

'Ik ben na afloop niet meer naar die hotelkamer teruggegaan,' zei Jeffrey tegen haar.

'Heel verstandig,' reageerde Kelly nuchter en pakte rundvlees uit de ijskast.

'Ik zeg dat alleen omdat ik daar de aantekeningen van Chris heb moeten achterlaten die jij me had geleend.'

'Geen probleem. Ik had ze toch al willen opruimen, zoals ik je al eerder heb verteld, en nu heb jij mij die moeite bespaard.'

'Toch spijt het me.'

Kelly maakte een blik gepelde Italiaanse tomaten open. 'Ik heb vandaag met Charlotte Henning gesproken. Die vrouw die in het Valley Hospital werkt, weet je nog wel? Zij betrekken hun Marcaine van Ridgeway Pharmaceuticals.'

'Ridgeway?' herhaalde Jeffrey.

'Ja.'

Jeffrey stond bij het raam en staarde naar de al snel donker wordende tuin. Hij was stomverbaasd. Het idee dat Memorial en Valley alle twee hun Marcaine bij hetzelfde farmaceutische bedrijf bestelden, was het fundament waarop zijn theorie berustte. Als er tijdens de operaties van Noble en Owen Marcaine van verschillende herkomst was gebruikt, zou hij op geen enkele manier kunnen bewijzen dat zijn stelling klopte.

Kelly was druk in de weer met het vlees en had niet in de gaten hoe Jeffrey op haar mededeling reageerde.

Hij ging naast haar staan.

'Is er iets mis?' vroeg Kelly, die toen merkte dat hij zich ergens zorgen over maakte.

Jeffrey zuchtte. 'Die theorie van Marcaine die besmet zou zijn, is onhoudbaar als de ziekenhuizen hun voorraden niet van dezelfde leverancier betrekken. Marcaine wordt geleverd in afgesloten glazen ampullen en als het op de een of andere manier is besmet, moet dat tijdens de fabricage zijn gebeurd.'

Kelly veegde haar handen af aan een handdoek. 'Kan er later niet mee zijn geknoeid?'

'Dat betwijfel ik sterk.'

'En als zo'n buisje eenmaal is geopend?'

'Nee. Ik doe dat altijd zelf en ik ben er zeker van dat Chris dat eveneens deed.'

'Je moet het niet te gemakkelijk opgeven. Ik denk dat Chris dat wel heeft gedaan, maar jij moet blijven nadenken over een andere mogelijkheid.'

'In dat geval zou het glas doorboord moeten zijn en dat is onmogelijk. Zoiets kan bij capsules, maar niet bij ampullen.' Terwijl hij dat zei, begon hij zich af te vragen of dat wel waar was. Hij herinnerde zich zijn eigen scheikundepracticum, toen hij van glasstaven met behulp van een Bunsenbrander glazen pipetjes had moeten maken. 'Heb je hier ampullen en naalden?'

'Misschien in de dokterstas van Chris. Zal ik even gaan kijken?'

Jeffrey knikte en stak een van de voorste gaspitten aan. Kelly kwam terug met de tas. Jeffrey haalde er een ampul en een naald uit en stak de punt van die laatste in de vlammen, tot hij roodgloeiend was. Hij probeerde er het glas mee te doorboren, maar dat lukte niet echt. Toen verhitte hij het glas en gebruikte een koude naald. Ook dat had geen succes. Toen verhitte hij zowel het glas als de naald en ging het opeens moeiteloos.

Jeffrey trok de naald weer uit de ampul en bekeek het glas. Het eens gladde oppervlak was nu gehavend. Het gaatje trok niet dicht. Hij stak de ampul weer in de vlam, waardoor het glas smolt, maar toen hij probeerde haar rond te draaien, verbrandde hij zich en bleef er van het uiteinde van de ampul nauwelijks meer iets over.

'En?' vroeg Kelly, die over zijn schouder meekeek.

'Ik denk dat je nog wel eens gelijk zou kunnen hebben,' zei Jeffrey, die weer hoop kreeg. 'Makkelijk is het niet, maar het moet mogelijk zijn. Mij is het niet gelukt, maar dit experiment heeft wel duidelijk gemaakt dat het moet kunnen. Met een hetere, of beter gerichte vlam misschien.'

Kelly pakte wat ijs, deed er een theedoek omheen en zei hem dat

hij die tegen zijn verbrande vinger aan moest houden. 'Heb je er enig idee van waarmee die Marcaine zou kunnen zijn besmet?'
'Nee, maar ik denk aan een toxine. In ieder geval iets wat ook in een heel kleine concentratie al werkzaam is. Uit wat Chris heeft opgeschreven, kun je verder opmaken dat het schade toebrengt aan de zenuwcellen, maar geen nadelige gevolgen heeft voor lever en nieren. Daardoor zijn veel normale vergiften al uitgesloten. Misschien dat ik wat meer zal weten als ik het autopsieverslag van Patty Owen in handen heb. Ik interesseer me vooral voor eventuele opmerkingen over toxinen. Ik heb dat verslag even ingekeken vóór die twee processen die tegen mij zijn gevoerd, en ik meen me te herinneren dat er alleen melding werd gemaakt van sporen van Marcaine. Ik zal alles nu echter heel zorgvuldig moeten lezen, want het zou nog wel eens een belangrijk punt kunnen zijn.'
Zodra het water kookte, deed Kelly de pasta erbij. Toen draaide ze zich weer om naar Jeffrey. 'Als jouw theorie klopt en het is op die manier gedaan,' zei ze, wijzend op de ampul en de naalden, 'betekent dat dat iemand het met opzet heeft gedaan.'
'Ja, in dat geval is er sprake van moord,' bevestigde Jeffrey.
'Mijn god!' zei Kellly, tot wie het nu eigenlijk pas goed begon door te dringen. 'Waarom zou iemand zoiets willen doen?' Ze rilde.
Jeffrey haalde zijn schouders op. 'Dat is een vraag die ik niet kan beantwoorden. Het zou echter niet de eerste keer zijn dat iemand met medicijnen knoeit of die niet gebruikt om iemand beter te maken. Wie zal zeggen wat de beweegreden is? We hebben de Tylenol-moordenaar gehad. En die dokter X uit New Jersey, die patiënten doodde door een overdosis succinylcholine.'
'En nu dit,' zei Kelly, die zichtbaar was aangeslagen. Het idee dat er een krankzinnige rondwaarde in de ziekenhuizen van Boston was afschuwelijk! 'Zouden we de politie niet moeten waarschuwen?'
'Ik wou dat we dat konden doen,' zei Jeffrey. 'Maar dat kunnen we niet, en wel om twee redenen. In de eerste plaats ben ik veroordeeld en op de vlucht. Maar zelfs als ik dat niet was, is het nog altijd zo dat ik mijn theorie op geen enkele manier kan bewijzen. Als iemand met dit verhaal naar de politie ging, zou hij of zij naar alle waarschijnlijkheid niet worden geloofd.'
'Maar we moeten het die persoon beletten ermee door te gaan!'
'Dat ben ik met je eens. Voordat er nog meer mensen overlijden en er nog meer artsen ten onrechte worden veroordeeld.'
'En voordat er nog meer zelfmoorden komen,' zei Kelly heel zacht.

Er blonken tranen in haar ogen en snel draaide ze zich om, om te kijken of de pasta al klaar was. Toen veegde ze haar ogen droog en zei: 'Kom, laten we maar een hapje gaan eten.'

'Ik zal je opbellen zodra de procedure achter de rug is,' zei Karen Hodges tegen haar moeder. Ze zat al een uur met haar te praten en raakte een beetje geïrriteerd. Ze vond dat haar moeder háár moest troosten, en niet omgekeerd.

'Weet je zeker dat het een goede arts is?' vroeg mevrouw Hodges. Karen hief haar ogen ten hemel en daar moest haar kamergenootje, Marcia Ginsburg, om lachen. Marcia wist precies wat Karen te verduren kreeg. De telefoontjes van haar moeder konden even vervelend zijn. Zij werd voortdurend gewaarschuwd voor mannen, AIDS, drugs en haar gewicht.

'Ja, mam, het is een prima arts.'

'Vertel me nog eens hoe je aan hem bent gekomen?'

'Mam, dat heb ik je al duizend keer verteld.'

'Oké. Bel me in ieder geval zo snel mogelijk.' Ze wist dat het haar dochter irriteerde, maar ze kon er ook niets aan doen dat ze zich zorgen maakte. Ze had haar echtgenoot voorgesteld naar Boston te vliegen om bij Karen te zijn tijdens de laparoscopie. Maar meneer Hodges had gezegd dat hij niet weg kon van kantoor en bovendien, zo had hij gezegd, was een laparoscopie een diagnostische procedure, en geen echte operatie.

Mevrouw Hodges had nog even protest aangetekend, maar uiteindelijk waren zij en haar man in Chicago gebleven.

'Ik bel je zo snel mogelijk,' beloofde Karen.

'Hoe word je verdoofd?' vroeg mevrouw Hodges, omdat ze nog geen einde wilde maken aan het gesprek.

'Ik krijg een epidurale injectie.'

'Spel dat eens.'

Dat deed Karen.

'Gebruiken ze die niet bij bevallingen?'

'Ja, en bij procedures als een laparoscopie, wanneer ze niet weten hoe lang het onderzoek precies zal gaan duren. De dokter weet niet wat hij te zien zal krijgen. Het kan enige tijd duren, maar hij wilde wel dat ik bij bewustzijn zou blijven.

Kom nu, mam, je hebt dit alles al eens eerder meegemaakt met Cheryl.' Cheryl was Karens oudere zusje, dat ook problemen had met endometriosis.

'Je laat je toch niet aborteren?' vroeg mevrouw Hodges.

'Mam, ik moet ophangen.' Die vraag was voor Karen de druppel die de emmer deed overlopen. Nu was ze kwaad. Een uur praten en dan te horen krijgen dat de ander denkt dat je liegt. Het was regelrecht belachelijk.

Karen draaide zich om naar Marcia. De twee vrouwen keken elkaar even aan en schoten toen in de lach.

'Moeders!' zei Karen.

'Een uniek ras,' bevestigde Marcia.

'Ze lijkt maar niet te willen geloven dat ik drieëntwintig ben en over drie jaar mijn rechtenstudie af zal hebben. Ik vraag me af of ze me dan ook nog steeds als een onmondig kind zal behandelen.'

'Daar twijfel ik niet aan,' zei Marcia.

Karen werkte op dat moment nog als secretaresse voor een agressieve en succesvolle advocaat die zich in echtscheidingszaken had gespecialiseerd, een zekere Gerald McLellan. Het was de man opgevallen dat ze heel intelligent was en hij had haar aangemoedigd rechten te gaan studeren, waar ze in de herfst mee zou beginnen aan het Boston College.

Hoewel Karen zo op het eerste gezicht kerngezond leek, had ze sinds haar puberteit al last gehad van endometriosis. Het laatste jaar was dat erger geworden. Dus had de arts besloten tot een laparoscopie, om te bepalen hoe ze verder het beste zou kunnen worden behandeld.

'Je kunt er geen idee van hebben hoe blij ik ben dat jij morgen met me meegaat en niet mijn moeder. Ik zou binnen de kortste keren gek worden van dat mens,' zei Karen.

'Blij dat te horen.' Marcia had een dagje vrij genomen bij de Bank of Boston, waar ze werkte, om met Karen mee te gaan en haar weer naar huis te brengen als ze die nacht niet in het ziekenhuis hoefde te blijven.

'Ik maak me er toch wel een beetje zorgen over,' zei Karen. Ze was nooit meer in een ziekenhuis geweest sinds ze als tienjarig kind een keer van haar fiets was gevallen.

'Het is een fluitje van een cent,' stelde Marcia haar gerust. 'Ik heb me ook zorgen gemaakt over die operatie aan mijn blinde darm, maar dat had echt niets om het lijf.'

'Stel dat die verdoving niet werkt en ik toch alles voel?'

'Ben je nooit eens bij de tandarts verdoofd?'

Karen schudde haar hoofd. 'Nee. Ik heb nog nooit een gaatje gehad.'

Trent Harding haalde het glaswerk van de plank en verwijderde de valse achterkant van het kastje dat zich naast de ijskast bevond. Toen pakte hij het pistool en hield het even in zijn hand. Hij was verzot op het wapen. Hij zag een veegje olie op de loop, pakte een papieren handdoek en poetste het vol liefde weer glanzend op. Toen pakte hij de patroonhouder en zette die met een klik op zijn plaats. Die handeling gaf hem een bijna sensueel genot.

Nu het wapen geladen was, voelde het anders aan in zijn hand. Hij hield het vast zoals hij dat Crocket in *Miami Vice* had zien doen en richtte via de keukendeur op een Harley-Davidsonposter aan de muur van de huiskamer. Even vroeg hij zich af of er iets zou gebeuren wanneer hij een kogel in zijn eigen appartement afschoot, maar kwam tot de conclusie dat hij geen risico's moest nemen. Een .45 die werd afgeschoten, veroorzaakte een keiharde knal. Hij wilde niet dat de buren de smerissen zouden gaan bellen.

Hij legde het pistool op tafel neer en liep weer naar zijn geheime nisje. Hij pakte het kleine buisje met de gele vloeistof. Hij schudde het en hield het tegen het licht. Hij had er geen flauw idee van hoe ze die vloeistof uit de huid van kikkers haalden. Hij had het gekocht van een Columbiaanse drugshandelaar in Miami. Het spul was geweldig. Bleek echt even goed te zijn als die vent had beloofd.

Trent zoog een kleine hoeveelheid van de vloeistof op en verdunde dat toen met gesteriliseerd water. Hij wist niet hoeveel hij moest gebruiken. Voor het plan dat hij nu ten uitvoer ging brengen, kon hij niet uit ervaring putten.

Trent borg het buisje weer veilig op en zette de valse achterkant en de glazen terug. Toen sloot hij de injectiespuit met de verdunde toxine af en stopte het in zijn zak. Daarna stak hij het pistool tussen zijn broeksriem, zodat de loop koud aanvoelde tegen zijn onderrug. Hij liep naar de kast bij de voordeur, pakte zijn denim jack en trok dat aan. Toen keek hij even in de badkamerspiegel om er zeker van te zijn dat het wapen niet te zien was. Prima, niet eens een bobbeltje.

Hij vond het vervelend van zijn parkeerplaats bij Beacon Hill weg te rijden, omdat het verdomd lastig zou zijn om een vrij plekje te vinden als hij terugkwam, maar hij had geen keuze. Binnen een kwart van de tijd die hij met het openbaar vervoer nodig had, was hij bij het St. Joe's. Dat was ook iets wat hem aan artsen ergerde. Zij mochten overdag bij het ziekenhuis parkeren. Het verplegend personeel was dat alleen voor de avond- en de nachtdiensten toegestaan.

Trent zette zijn auto neer op een openbaar parkeerterrein, in de buurt van het privé-parkeerterrein van het ziekenhuis. Hij sloot zijn auto af en liep op zijn gemakje naar het ziekenhuis. Een van de vrouwelijke vrijwilligers vroeg of ze hem kon helpen. 'Nee,' zei hij. Hij kocht een *Globe* en ging in een hoek van de centrale hal staan. Hij was aan de vroege kant, maar wilde geen enkel risico nemen, want hij moest er zijn als Gail Shaffer naar huis ging.

Devlin boerde. Dat gebeurde wel vaker als hij bier had gedronken. Hij zag Carol vol walging naar hem kijken. Ze zat tegenover hem in de huiskamer nijdig tijdschriften door te bladeren.

Devlin keek weer naar de wedstrijd van de Red Sox, wat hem deed ontspannen. In ieder geval had hij goed gegeten. Het koude kalfsvlees en de salade, met vier koude biertjes erbij.

De dokter was niet naar huis gekomen. Nu hij een avondje met Carol had doorgebracht, kon hij zich wel voorstellen waarom die man er de voorkeur aan had gegeven weg te blijven!

Devlin ging nog wat makkelijker zitten op de bank voor de televisie. Hij had zijn cowboylaarzen uitgetrokken en zijn voeten op een van de rechte keukenstoelen neergelegd. Hij zuchtte. Dit was heel wat beter dan de wacht houden in de auto, ook al waren de Red Sox dan aan het verliezen. Devlin knipperde met zijn ogen en dreigde even weg te doezelen.

Carol kon niet geloven dat ze een van haar laatste avonden in Boston op deze manier moest doorbrengen, in het gezelschap van de een of andere schurk die wilde weten waar Jeffrey uithing. Ze hoopte haar aanstaande ex nooit meer te zien. Of misschien toch nog één keer, om hem eens precies te vertellen hoe ze over hem dacht.

Carol had Devlin vanuit haar ooghoeken in de gaten zitten houden. Even leek hij in slaap te vallen. Toen stond hij op om nog een biertje te pakken. Even later lag hij echter al weer vrijwel horizontaal op de bank en leken zijn ogen weer dicht te vallen.

Carol bleef rustig zitten, met het tijdschrift in haar handen, maar zonder erin te durven bladeren, omdat ze bang was dat Devlin dan weer wakker zou worden. Er werd gejuicht in het stadion. Carol was bang dat Devlin meteen wakker zou schrikken, maar het enige dat er gebeurde, was dat hij nog luider begon te snurken.

Voorzichtig ging Carol staan en legde het tijdschrift bovenop de televisie.

Toen liep ze, langzaam ademhalend, op haar tenen langs Devlin, de keuken door en de trap op. Zodra ze in haar slaapkamer was, deed ze de deur op slot en pakte de telefoon. Zonder te aarzelen draaide ze 911, deelde mee dat ze een binnendringer in huis had en meteen politieassistentie nodig had. Rustig gaf ze haar adres door. Jeffrey handelde zijn problemen op zijn manier af, zij deed hetzelfde met de hare. De telefonist verzekerde haar dat er al mensen onderweg waren.

Carol liep naar de badkamer en sloot ook die deur af. Toen ging ze op de deksel van de W.C.-bril zitten wachten. Nog geen tien minuten later werd er aangebeld. Toen liep Carol de badkamer weer uit en luisterde bij de deur van haar slaapkamer. Ze hoorde de voordeur opengaan, gevolgd door stemmen.

Carol maakte de slaapkamerdeur open en liep naar de trap. Ze kon de stemmen nu duidelijk horen, even later tot haar grote verbazing gevolgd door gelach.

Ze rende de trap af. In de hal stonden twee geüniformeerde agenten Devlin schouderklopjes te geven, alsof ze de beste vrienden waren.

'Wat heeft dit te betekenen?' vroeg Carol onderaan de trap.

De drie mannen keken op.

'Carol, schatje, er schijnt sprake te zijn van een misverstand. Iemand heeft de politie gebeld met de mededeling dat hier een binnendringer was.'

'Ik heb de politie gebeld,' zei Carol en wees op Devlin. 'Hij is de binnendringer.'

'Ik?' zei Devlin vol overdreven verwondering. 'Ik lag te slapen, op de bank voor de televisie. Carol had even daarvoor een heerlijk maaltje voor me klaargemaakt. Ze had me uitgenodigd...'

'Ik had je helemaal niet uitgenodigd.'

'Als jullie zo vriendelijk zouden willen zijn om even naar de keuken te gaan, zul je de vuile vaat nog kunnen zien staan. Ik denk dat ze zich een beetje teleurgesteld voelt omdat ik zomaar in slaap ben gevallen.'

De twee agenten glimlachten.

'Hij heeft me gedwongen eten voor hem klaar te maken!' zei Carol nijdig.

Devlin leek door die mededeling echt te worden gekwetst.

Carol marcheerde de gang door en wees op de ketting en de kapotte deurpost. 'Wijst dat erop dat ik hem heb uitgenodigd binnen te komen?'

'Ik heb er geen idee van hoe dat is gebeurd. Ik heb het in ieder geval niet gedaan' zei Devlin meteen. 'Maar Harold, Willy, ik zal weggaan als die dame dat wil. Ik bedoel... ze had me dat toch ook gewoon kunnen vragen? Ik vind het helemaal niet prettig om ergens te blijven waar ik niet welkom ben.'

'Willy, neem jij meneer O'Shae mee naar buiten?' vroeg de oudere agent. 'Dan kan ik even met mevrouw Rhodes praten.'

Devlin liep de huiskamer in om zijn laarzen te pakken. Toen liepen Stanley en hij naar buiten en gingen bij de patrouillewagen staan.

'Vrouwen maken altijd wel problemen over het een of ander!' zei Devlin hoofdschuddend.

'Ze trok behoorlijk fel van leer. Wat heb je in vredesnaam gedaan?'

Devlin haalde zijn schouders op. 'Misschien heb ik haar gevoelens gekwetst. Ik kon toch ook niet weten dat ze het me kwalijk zou nemen dat ik even een dutje deed? Het enige dat ik wil, is haar echtgenoot vinden voordat de borgtocht verbeurd wordt verklaard...'

'Ik heb haar tot bedaren kunnen brengen,' zei Harold, die op hen af liep. 'Maar zou je in het vervolg wat discreter willen zijn en geen dingen meer kapot willen maken?'

'Goed hoor. Sorry voor het ongemak.'

Harold vroeg Devlin naar een van de andere Bostonse agenten die te zamen met hem door een omkoopschandaal oneervol waren ontslagen. Devlin zei dat het laatste dat hij had gehoord, was dat de man naar Florida was verhuisd en daar ergens in de buurt van Miami als privé-detective werkte.

Ze gaven elkaar een hand en reden weg. Bij de West Shore Drive ging de patrouillewagen naar links, Devlin naar rechts. Even later draaide Devlin om en zette zijn auto neer op een plekje waarvandaan hij het huis van de Rhodes in de gaten kon houden. Hij zou de kerel die hij had ingehuurd om Carol te volgen, opnieuw in de arm moeten nemen.

Maar na deze avond was hij er niet meer zo zeker van dat Carol hem bij Jeffrey zou brengen. Tortelduifjes leken ze inderdaad niet meer te zijn en gezien de opmerkingen die Carol zo af en toe had gemaakt, zag het ernaar uit dat hij een ander plan zou moeten bedenken. Gelukkig had hij een afluisterapparaatje kunnen aanbrengen op Carols telefoon, terwijl zij het eten klaar maakte. Als Jeffrey haar opbelde, zou hij dat meteen weten.

Jeffrey keek in Kelly's logeerkamer om zich heen en besloot zijn

140

duffelse tas onder het bed te laten liggen. Daar was hij redelijk veilig. Hij besloot ook Kelly niets over het geld te vertellen, want ze had nu al zorgen genoeg aan haar hoofd.

Hij liep de logeerkamer weer uit en zag Kelly in haar slaapkamer in bed een boek zitten lezen. De deur stond op een kiertje, alsof ze erop had gerekend dat hij haar nog even gedag zou komen zeggen voordat hij naar het ziekenhuis ging. Ze had een roze katoenen pyjama aan, met donkergroene manchetten, en naast haar lagen twee katten opgekruld - een Siamees en een cyperse kat.

'Wat een huiselijk tafereeltje!' zei Jeffrey, die Kelly's kamer in liep en om zich heen keek. De kamer was heel vrouwelijk ingericht, met Frans behang en bijpassende gordijnen. Het was duidelijk dat aan de kleinste details aandacht was besteed.

'Ik was net van plan even te kijken of je wakker was,' zei Kelly. 'Morgenochtend zullen we elkaar wel niet zien, want ik moet al om kwart voor zeven weg. Ik zal de sleutel van de voordeur in de buitenlamp leggen.'

'Je wilt nog steeds dat ik hier blijf logeren?'

'Ik dacht dat we dat definitief hadden afgehandeld. We zullen hier samen onze schouders onder zetten.'

Jeffrey liep op haar af. De Siamees werd wakker en begon te blazen.

'Samson, niet zo jaloers zijn,' berispte Kelly hem. Toen zei ze tegen Jeffrey: 'Hij is niet aan een man in huis gewend.'

'Zou je me niet eens voorstellen?'

'Dat is dus Samson,' zei ze, wijzend op de Siamees. 'Hij terroriseert de hele buurt. En dit is Delilah. Ze is zwanger, zoals je ziet, en slaapt de hele dag in de bijkeuken.'

'Zijn ze getrouwd?' vroeg Jeffrey.

Kelly lachte parelend en Jeffrey glimlachte. Hij vond het zelf niet zo'n leuke grap, maar haar opgewektheid werkte aanstekelijk.

Jeffrey schraapte zijn keel. 'Kelly, ik kan je niet zeggen hoe blij ik ben met je begrip en je gastvrijheid. Ik zal je daar nooit genoeg voor kunnen bedanken.'

Kelly keek naar Delilah, die haar uitgebreid kopjes begon te geven. Jeffrey meende haar te zien blozen, maar in het vrij vage licht kon hij daar niet helemaal zeker van zijn.

'Ik wilde je dat even vertellen,' zei Jeffrey. 'Morgen zien we elkaar wel weer.'

'Wees voorzichtig, en veel geluk. Als je in de problemen mocht

komen, bel je me maar. Hoe laat het ook is.'
'Ik zal niet in de problemen komen,' zei Jeffrey vol zelfvertrouwen. Maar toen hij een halfuurtje later de trap op liep van het Boston Memorial, was hij daar niet meer zo zeker van. Weer was hij bang door iemand te worden herkend. Hij wenste dat hij zijn donkere bril niet had verloren en kon alleen maar hopen dat die niet van cruciaal belang voor zijn vermomming zou blijken te zijn.

Toen hij het uniform van de huishoudelijke dienst had aangetrokken, voelde hij zich weer iets zekerder. Er was zelfs een envelop op zijn kastje geplakt, met een naamkaartje en identiteitsbewijs met foto erin.

Hij schrok toen iemand op zijn schouder tikte.

'Hé, rustig man! Ben je zo zenuwachtig?'

'Een beetje wel. Dit is de eerste keer dat ik hier kom werken,' zei Jeffrey tegen een nogal kleine man met een smal, vrij donker gezicht.

'Dat is nergens voor nodig. Ik heet David Arnold en heb de leiding over de nachtploeg. De eerste paar nachten zullen wij samenwerken, dus maak je geen zorgen. Ik zal je wel wegwijs maken.'

'Prettig kennis met je te maken,' zei Jeffrey. 'Ik heb echter wel behoorlijk wat ziekenhuiservaring, dus als je het druk hebt, zal ik me best alleen kunnen redden.'

'De eerste paar dagen begeleid ik een nieuweling altijd. Niets persoonlijks, begrijp me goed. Ik wil je alleen duidelijk maken wat er hier van ons wordt verwacht.'

Jeffrey achtte het beter daar verder maar niet tegen in te gaan. David nam hem mee naar een kleine, raamloze lounge met een formica tafel, een koffiezetapparaat en een apparaat waaruit je frisdranken kon halen. David stelde Jeffrey aan de andere ploegleden voor. Twee van hen spraken alleen Spaans, een van de anderen wiegde op de muziek van een Walkman.

Om één minuut voor elf zei David: 'Kom op, mensen, we gaan aan de slag.' Ze liepen de lounge uit en namen ieder een karretje mee met allerlei schoonmaakartikelen.

Die karretjes waren ongeveer tweemaal zo groot als een gewoon boodschappenwagentje. Aan de ene kant konden lange bezems en dergelijke worden opgeborgen, aan de andere kant was een grote plastic vuilniszak opgehangen. Het middelste deel bestond uit drie planken. Daarop stonden zeep, spiritus, papieren handdoeken, rollen W.C.-papier, boenwas en wat al niet meer.

Jeffrey liep achter David aan naar de liften in de westelijke toren. Die keuze gaf hem moed, maar maakte hem ook zenuwachtig. In die toren waren onder andere de operatiekamers en de laboratoria ondergebracht. Jeffrey wilde daar rondneuzen, maar was ook nog altijd bang door iemand te worden herkend.

'Jij en ik beginnen op de operatieafdeling,' zei David. 'Eerst de lounge en de kleedruimte, dan de operatiekamers zelf. Misschien zou jij de lounge voor je rekening willen nemen?'

Jeffrey knikte. Hij keek de lounge in en trok zijn hoofd toen snel weer terug. Twee operatiezusters zaten op de bank koffie te drinken en Jeffrey kende hen beiden.

'Is er iets mis?' vroeg David.

'Nee, absoluut niet,' reageerde Jeffrey snel.

'Maak je geen zorgen, het zal best goed gaan. Eerst stoffen, en vergeet de hoeken bij de plafonds niet. Tafels met zeep schoonmaken en dan dweilen. Begrepen?'

Jeffrey knikte.

David duwde zijn karretje de kleedruimte in en deed de deur achter zich dicht.

Jeffrey slikte. Hij moest beginnen. Hij pakte een lange stoffer van zijn kar en liep de longe in. In eerste instantie probeerde hij zijn gezicht van de twee vrouwen afgewend te houden. Ze bleken echter geen enkele aandacht aan hem te besteden. Zijn uniform leek hem als het ware onzichtbaar te maken.

8

Met haar tas over haar schouder stapte Gail Shaffer met Regina Puksar de lift uit en samen liepen ze door de lange gang naar de hoofdingang. Ze kenden elkaar nu bijna vijf jaar en vaak hadden ze persoonlijke problemen besproken, al zagen ze elkaar buiten het ziekenhuis dan ook niet zo vaak. Gail was Regina aan het vertellen over de ruzie die ze met haar vriend had gehad.
'Ik ben het met je eens,' zei Regina. 'Als Robert opeens tegen mij zou zeggen dat hij met andere vrouwen op stap wilde gaan, zou ik zeggen dat dat prima was, maar dat het dan wel het einde van onze relatie betekende. Een relatie groeit of sterft af, en teruggaan in de tijd kan niet. Die ervaring heb ik tenminste.'
'Ik ook,' zuchtte Gail.
Ze zagen geen van beiden dat Trent zijn krant opvouwde en achter hen aan kwam, de draaideur door. Hij kon hun gesprek woordelijk volgen. Omdat hij er zeker van was dat ze naar het parkeerterrein van het ziekenhuis gingen, liet hij de afstand tussen hen weer wat groter worden. Ze bleven naast een rode Pontiac Fiero nog een paar minuten staan praten. Toen namen ze afscheid. Gail stapte in haar auto en Regina liep door naar de hare.

Trent staarde Beacon Street af, in de richting van Boston Garden. Hij zag dat hij dicht in de buurt was van een bar die populair was geworden door de televisieserie *Cheers* en dat bracht hem opeens op een idee. Misschien zou hij Gail of haar huisgenootje het appartement uit kunnen lokken.
Hij liep naar een telefoon en draaide het nummer dat hij in het ziekenhuis had opgeschreven. Wat hij verder zou doen, was afhankelijk van wie er zou opnemen.
'Hallo?' zei de stem aan de andere kant van de lijn. Het was Gail.
'Mevrouw Winthrop graag.'
'Die is niet thuis.'
Trent werd meteen vrolijker. Het zou makkelijker worden dan hij

had gedacht. 'Kunt u me misschien vertellen wanneer ze weer thuiskomt?'

'Met wie spreek ik?'

'Een familievriend. Ik ben hier voor zaken en had haar telefoonnummer mee gekregen om haar even gedag te kunnen zeggen.'

'Ze werkt op dit moment in het St. Joseph's Hospital. Ik kan u dat nummer wel geven, als u dat wilt. Morgenochtend rond een uur of half acht verwacht ik haar weer thuis en dan kunt u natuurlijk ook altijd nog eens bellen.'

Trent deed net alsof hij het telefoonnummer van het ziekenhuis noteerde, bedankte Gail en hing op. Hij kon een glimlach niet onderdrukken.

Snel liep hij weer terug naar het flatgebouw waar Gail woonde. Nu moest hij daar alleen zien binnen te komen. Hij stapte de grote hal in, trok een paar dunne zwartleren handschoenen aan en drukte op de bel.

Even later hoorde hij Gails stem door de intercom.

'Gail, ben jij dat?'

'Ja, en met wie spreek ik?'

'Duncan Wagner.' Dat was de eerste naam die hem te binnen schoot. De Wagners hadden op de legerbasis van San Antonio naast de Hardings gewoond. Duncan was een paar jaar ouder dan Trent geweest en ze hadden samen gespeeld, tot Duncans vader dat had verboden omdat hij vond dat Trent een slechte invloed op zijn zoon had.

'Moet ik u kennen?' vroeg Gail.

'Van gezicht in ieder geval. Ik werk 's avonds op de afdeling kindergeneeskunde.' Die afdeling achtte Trent de meest onschuldige.

'Op de derde verdieping?'

'Ja. Ik hoop niet dat ik je stoor, maar we zijn met een groepje van het ziekenhuis in de Bull Finch Pub beland. Iemand zei dat je hier in de buurt woonde en toen hebben we strootjes getrokken om te bepalen wie hierheen zou moeten gaan om je te vragen een borreltje mee te drinken.'

'Aardig aangeboden, maar ik ben net thuis uit mijn werk.'

'Onze dienst zit er ook net op. Kom toch mee. Ik ben er zeker van dat je iedereen zult kennen.'

'Wie is er verder nog?'

'Regina, onder andere.'

'Ik heb haar net nog gezien en ze zei dat ze naar haar vriend toe ging.'

'Dan zal ze op het laatste moment wel van gedachten zijn veranderd. Ze zei dat je een verzetje best zou kunnen gebruiken.'

Er werd gezwegen. Trent glimlachte. Hij wist dat hij haar had weten te overtuigen.

'Ik heb mijn uniform nog aan,' zei Gail.

'Dat geldt ook voor een paar van ons.'

'Tsja, ik moet in ieder geval een douche nemen.'

'Geen probleem, dan wacht ik wel even op je.'

'Ik kom daar wel heen.'

'Nee, ik wacht wel. Wil je me wel even binnenlaten?'

'Ik heb een minuut of tien nodig.'

'Geen bezwaar.'

'Oké. Ik woon in appartement 3C.'

Trent hoorde gezoem en de binnendeur ging open. Glimlachend liep hij verder. Dit zou niet alleen makkelijk worden, maar ook leuk. Hij controleerde even of zijn pistool nog goed zat. Toen voelde hij in zijn zak. De injectiespuit zat erin.

Snel liep Trent de trap op naar de derde verdieping. Hij moest Gails appartement in zien te komen zonder dat iemand hem zag. Als hij op de gang een van de andere huurders tegenkwam, zou hij net doen alsof hij naar een andere flat onderweg was. Maar er was niemand op de gang van de derde verdieping en Gail had haar deur al op een kiertje gezet. Hij liep naar binnen, deed de deur dicht en vergrendelde die toen. Het laatste dat hij nu wilde, was worden gestoord.

'Doe alsof je thuis bent!' hoorde hij Gail roepen. 'Ik ben zo klaar.'

Trent liep naar de keuken. Niemand te zien. Toen controleerde hij de tweede slaapkamer. Ook leeg. Gail was inderdaad alleen thuis. Perfect.

Hij pakte zijn pistool, liep naar de slaapkamerdeur en duwde die zacht open. Het bed was niet opgemaakt en Gails uniform lag erop. Op de grond lagen een slipje, witte kousen en een jarretelgordeltje. De deur naar de badkamer was dicht, maar Trent kon de kranen horen lopen.

Trent tilde het jarretelgordeltje even met de neus van zijn schoen op. Zijn moeder had alijd zo'n gevalletje gedragen. Ze had hem wel duizenden keren gezegd dat een panty niet lekker zat. Omdat zijn moeder erop had gestaan dat hij bij haar sliep als zijn vader er niet was, had hij heel wat meer jarretelgordeltjes gezien dan hij prettig vond.

Trent liep geruisloos naar de badkamerdeur en duwde die een heel klein stukje open. Meteen kwam er stoom de slaapkamer in. Trent richtte het pistool op het plafond, net als Don Johnson dat in *Miami Vice* zo vaak deed. Hij hield het wapen met beide handen vast en duwde de deur met zijn voet verder open. Het bad was ouderwets, van porselein. Het witte douchegordijn met irissen erop was dichtgeschoven. Achter dat gordijn zag Trent Gails silhouet, terwijl ze haar haren aan het wassen was. Hij liep op de badkuip af en trok het gordijn zo woest open dat het met roede en al op de grond kletterde.

'Wat... wie... Ga de badkamer uit!' schreeuwde Gail.

Het water stroomde over haar grondig ingezeepte lichaam. Ze had beslist een veel beter figuur dan zijn moeder, meende Trent, en het duurde even voordat hij zijn evenwicht had hervonden.

'Kom onder die douche vandaan!' beval hij en zorgde ervoor dat ze het wapen kon zien.

Gail gilde. Trent gaf haar een klap tegen haar hoofd met zijn pistool, bij de haargrens.

Zodra hij dat had gedaan, wist hij dat hij te hard had geslagen. Gail viel bewusteloos in het bad. De wond was zo diep dat Trent het bot kon zien, en binnen een minuut was het water roze gekleurd.

Trent boog zich naar voren en draaide de kranen dicht. Toen rende hij de slaapkamer in, om na te gaan of iemand haar had horen schreeuwen en te hulp was gesneld. Ergens stond een televisie aan, maar verder hoorde hij geen enkel geluid. Hij legde zijn oor tegen de voordeur. Op de gang was alles rustig, constateerde hij en liep terug naar de badkamer.

Gail zat halfrechtop, met haar benen onder haar en haar hoofd tegen de muur. Haar ogen waren dicht. Er stroomde nog bloed uit de wond, maar wel minder, nu er geen water meer overheen stroomde.

Hij schoof zijn pistool weer tussen zijn broeksriem, pakte Gails benen vast en begon haar het bad uit te trekken. Toen hield hij daar opeens weer mee op en werd boos. Het zien van Gails naakte lichaam had hem seksueel moeten opwinden, maar hij voelde niets, met uitzondering misschien van een lichte walging. En enige paniek.

Woedend pakte hij zijn pistool weer, hield het bij de loop vast en hief het hoog boven zijn hoofd. Hij wilde het rustige gezicht van Gail tot moes slaan. Net op tijd riep hij zichzelf tot de orde. Zoiets zou fout zijn. De indruk moest worden gewekt dat Gail een natuur-

147

lijke dood was gestorven. Niet dat ze was vermoord.

Trent pakte de injectiespuit, haalde het kapje van de naald, boog zich voorover en injecteerde het spul rechtstreeks in de wond, zodat niemand de naaldeprik zou kunnen zien.

Toen ging hij weer rechtop staan en deed de injectiespuit terug in zijn zak. Daarna wachtte hij en keek. Binnen een minuut begonnen Gails gezichtsspieren zich spastisch te vertrekken, waardoor haar stille lippen zich vervormden tot een grimas. Toen volgde er een hevige aanval van spierkrampen. Gails hoofd sloeg hulpeloos tegen de betegelde muur, een misselijk makend geluid.

Trent deed een stap achteruit, van ontzag vervuld door het effect van het middel. Het was echt angstaanjagend, zeker toen Gail ook nog eens incontinent bleek te worden. Trent draaide zich om en vluchtte de huiskamer in.

Hij maakte de deur naar de gang open en keek de gang af. God zij dank was er niemand te zien. Hij stapte de gang op en trok de deur achter zich dicht. Toen liep hij op zijn tenen naar de trap en ging naar beneden. Nonchalant liep hij het flatgebouw weer uit, om te voorkomen dat hij op de een of andere manier de aandacht zou trekken.

Hij was zenuwachtig en van streek en ging naar de Bull Finch Club. Hij begreep niet waarom hij zo van streek was. Hij had verwacht opgewonden te raken van het gebruik van geweld, net zoals wanneer hij naar een aflevering van *Miami Vice* keek.

Onder het lopen hield hij zichzelf voor dat Gail niet zo erg aantrekkelijk was. Ze moest zelfs behoorlijk lelijk zijn geweest. Dat moest de verklaring zijn voor het feit dat haar naaktheid hem niet had opgewonden. Ze was te mager, had nauwelijks borsten, verdomme. Het enige waar Trent zeker van was, was dat hij geen homoseksueel was. De marine had dat alleen als een excuus gebruikt, omdat hij niet met de artsen kon opschieten.

Om voor zichzelf te bewijzen hoe normaal hij was, knoopte Trent aan de bar met opzet een praatje aan met een bruinharige secretaresse. Die was ook niet bijzonder aantrekkelijk, maar dat deed er niet toe. Terwijl ze praatten, merkte hij dat ze onder de indruk raakte van zijn lichaamsvormen. Ze vroeg hem zelfs of hij trainde. Wat een stomme vraag! Iedere man die iets om zijn eigen lijf gaf, trainde. De enige mannen die dat niet deden, waren die slappe mietjes die Trent wel eens tegenkwam in Cambridge Street, wanneer hij op zoek was naar een fikse ruzie.

Het duurde niet lang voordat Jeffrey de lounge schoner had gemaakt dan hij in jaren was geweest. In een kast op de gang vond hij een stofzuiger, die hij niet alleen voor de lounge gebruikte, maar ook voor de gang naar de liften. Daarna maakte hij het keukentje schoon. Dat had hij altijd al smerig gevonden en hij was blij daar nu eens iets aan te kunnen doen. Zelfs de ijskast, het gasfornuis en het aanrecht kregen een beurt.

David was nog altijd niet komen opdagen. Toen Jeffrey de kleedruimte in liep, ontdekte hij waarom. David werkte vijf tot tien minuten en nam dan een even lange pauze om een sigaret te roken, soms met een kopje koffie erbij.

David leek niet blij te zijn met het feit dat Jeffrey in zo'n korte tijd zoveel had gedaan. Jeffrey moest het rustiger aan doen, zei hij, want anders zou hij te moe worden. Jeffrey vond niets doen echter vermoeiender dan wat om handen hebben.

David gaf Jeffrey zijn set lopers. 'Ga jij alvast maar naar de operatiekamers. Als ik hier klaar ben, kom ik je wel helpen. Begin bij de gang en vergeet het grote schoolbord niet. Doe dat maar als eerste, want de hoofdverpleegster krijgt een beroerte als we dat vergeten. Daarna de operatiekamers die vanavond zijn gebruikt. De andere moeten al eerder zijn schoongemaakt.'

Jeffrey zou het liefste rechtstreeks naar de afdeling pathologie zijn gegaan om het autopsieverslag van Patty Owen op te zoeken, maar hij was blij dat hij nu in ieder geval de operatieafdeling kon betreden. Snel deed hij het speciale pak aan, en een masker voor, zoals hij zich al half had voorgenomen, omdat hij anders te gemakkelijk zou worden herkend. Als iemand hem naar een verklaring daarvoor vroeg, zou hij altijd kunnen zeggen dat hij verkouden was.

'Je hebt geen masker nodig,' zei David inderdaad zodra hij Jeffrey zag.

'Ik ben verkouden aan het worden.'

'O? Nu, dan is het wel verstandig.'

Jeffrey liep de afdeling op. Alles zag er nog hetzelfde uit. Hij begon met het grote zwarte bord, zoals David hem had opgedragen. Er liepen enige stafleden rond, die Jeffrey allemaal kende, maar geen van hen besteedde ook maar enige aandacht aan hem. Ergens in de verte hoorde hij een radio en hij werkte stug door, tot hij de grote balie had bereikt. Daaronder bevonden zich enige dossierladen, waarvan er één voor de algemene planning was gereserveerd. Jeffrey keek om zich heen om er zeker van te zijn dat er echt nie-

mand in de buurt was. Toen trok hij de lade open. Alle operatie-
schema's waren chronologisch opgeborgen en al snel had hij het
schema van 9 december gevonden. Geen operaties waarvoor .75%
Marcaine nodig kon zijn geweest.

Hij pakte het schema van 8 december, omdat de kans bestond dat
de container die dag om de een of andere reden niet was schoongemaakt. Op die dag was al evenmin .75% Marcaine gebruikt. Jeffrey moest zich nu wel afvragen of hij het etiket van de ampul die
hij voor Patty Owen had gebruikt, toch niet grondig genoeg had
bekeken. Hoe zou de lege ampul met .75% Marcaine die was
gevonden, anders kunnen worden verklaard?

Op dat moment gingen de deuren naar de gang open. Jeffrey pakte
snel zijn bezem en zag dat er met vliegende vaart een patiënt werd
binnengebracht. Het zou wel een verkeersslachtoffer zijn, meende hij.

Zodra de rust op de gang was weergekeerd, liep Jeffrey weer naar
de lade en trok die nogmaals open. Dat spoedgeval dat net was binnengebracht, had hem aan het denken gezet. Dergelijke operaties
konden uit de aard der zaak niet in een schema worden opgenomen. Een geval als dat van Patty Owen trouwens ook niet. Niemand had kunnen voorspellen dat zij een keizersnede nodig had.
Jeffrey pakte een ander dossier, waarin alle operaties stonden vermeld.

Bij spoedgevallen werd er zelden van epidurale anesthesie gebruik
gemaakt, behalve voor een keizersnede. Dat wist Jeffrey, maar toch
besloot hij alles grondig te controleren, om volkomen zeker van zijn
zaak te kunnen zijn. Eerst keek hij de achtste na. Niets te zien dat
ook maar in de verste verte zijn achterdocht gaande kon maken.
Toen begon hij aan de lijst van de negende. Al snel zag hij dat er in
operatiekamer nummer 15, dezelfde waarin Patty Owen was
behandeld, om vijf uur 's morgens een operatie was uitgevoerd
vanwege een gescheurd hoornvlies. Meteen begon zijn hart sneller
te kloppen. Dit zou een belangrijke vondst kunnen zijn!

Jeffrey noteerde de naam van de patiënt, zette het dossier weer op
zijn plaats en liep de gang door, naar het kantoor van de anesthesisten. Hij deed de deur open en het licht aan. Toen liep hij naar een
grote kast en haalde het dossier van de desbetreffende patiënt te
voorschijn.

'Bingo!' fluisterde hij. De patiënt bleek retrobulbair te zijn verdoofd
met .75% Marcaine. Jeffrey borg het dossier weer op en deed de
kast dicht. Kelly had gelijk gehad. Hij kon het zelf nog nauwelijks

geloven. Meteen voelde hij zich beter en kreeg weer vertrouwen in zijn eigen beoordelingsvermogen. Hij wist dat deze vondst bij een rechtbank niet veel te betekenen zou hebben, maar voor hem zelf was het ontzettend belangrijk. Hij had het etiket niet verkeerd gelezen! Tegen de eetpauze kwam David Jeffrey zoeken. Jeffrey had de gang inmiddels schoongemaakt, plus de twee operatiekamers die voor spoedgevallen waren gebruikt. Toen David hem vond, was hij net bezig bij de ruimte waarin de medische voorraden werden bewaard. 'Ik ga liever door met werken,' zei Jeffrey, 'want ik heb geen honger. Ik begin alvast wel met de laboratoria.'

'Je moet het wat langzamer aan doen,' zei David, iets minder vriendelijk, 'anders zet je ons straks allemaal nog voor aap.'

Jeffrey glimlachte schaapachtig. 'Het zal wel komen omdat dit mijn eerste dag is. Maak je geen zorgen. Ik zal het wat kalmer aan doen.'

'Dat hoop ik maar,' mompelde David en liep weg.

Jeffrey trok een kwartiertje later zijn gewone uniform weer aan en duwde zijn karretje toen naar de afdeling pathologie. Hij wilde zijn voordeel doen met het feit dat de anderen van de ploeg allemaal aan het eten waren. Met de bos lopers kreeg hij de deur van het kantoor open. Er was niemand. Snel ging Jeffrey op zoek naar het dossier van Patty Owen en had dat binnen de kortste keren gevonden.

Hij legde het op een bureau neer en sloeg het open bij het onderdeel toxicologie. De patholoog-anatoom bleek alleen sporen te hebben gevonden van bupivacaïne, dat onder de merknaam Marcaine in de handel was. Geen andere chemicaliën.

Jeffrey bekeek het gehele dossier wat uitgebreider, bladzijde voor bladzijde. Tot zijn verbazing zag hij er een paar foto's bij zitten, die met een elektronenmicroscoop gemaakt bleken te zijn. Dat was eigenaardig, want dat werd lang niet bij iedere autopsie gedaan. Hij vond het jammer dat hij die foto's nauwelijks kon interpreteren, omdat hij daar de deskundigheid niet voor in huis had. Toch staarde hij er lange tijd naar en kwam erachter dat hij naar vergrote beelden keek van cellen van zenuwknopen en neurieten.

Jeffrey las de tekst achterop de foto's en kwam daardoor te weten dat er een opmerkelijke degeneratie van de intracellulaire architectuur was geconstateerd. Dat intrigeerde hem. Deze foto's waren niet getoond tijdens het gerechtelijk vooronderzoek. Dus had de afdeling pathologie van dit ziekenhuis waaraan Jeffrey toen nog was verbonden en dat net als hij was aangeklaagd, niet in zijn belang gehandeld. Jeffrey was niet eens op de hoogte gesteld van het bestaan van deze foto's. Als hij en Randolph dat wel hadden geweten, zouden ze het ziekenhuis hebben kunnen dwingen die foto's te tonen, al was het natuurlijk wel zo dat Jeffrey zich op dat moment nog nauwelijks voor een mogelijke degeneratie van neurieten zou hebben geïnteresseerd.

Jeffrey moest weer denken aan de opmerkingen die Chris Everson in dat verband over het autopsierapport van zijn patiënt had gemaakt. Het opvallende was dat de degeneratie in beide casussen niet kon zijn veroorzaakt door een locale anesthesie. Er moest een andere verklaring voor zijn.

Jeffrey nam het dossier mee naar het fotokopieerapparaat en kopieerde die delen die hij nodig had: de verslagen van de bevindingen met de elektronenmicroscoop, maar zonder de foto's, en het onderdeel toxicologie, waartoe enige grafieken behoorden die hij pas goed zou kunnen interpreteren wanneer hij nog minstens enige uren in de medische bibliotheek had doorgebracht.

Toen hij klaar was met kopiëren, pakte hij een grote bruine envelop en stopte de kopieën daarin. Toen borg hij het originele dossier weer op en legde de envelop op de onderste plank van zijn karretje, onder rollen W.C.-papier.

Daarna ging hij verder met schoonmaken. Hij was opgewonden door wat hij had ontdekt. Het idee van een besmetting van de Marcaine was nog steeds houdbaar, ja zelfs heel waarschijnlijk geworden!

Tegen de tijd dat het licht begon te worden in de lucht, was Jeffrey de uitputting nabij. Om kwart over zes belde hij Kelly. Als ze om kwart voor zeven weg moest, zou ze nu beslist wel op zijn.

Zodra ze had opgenomen, vertelde hij haar opgewonden over de oogoperatie op de ochtend van dezelfde dag dat Patty Owen naar de OK was gebracht, en de .75% Marcaine die was gebruikt. 'Kelly, je had volkomen gelijk. Ik begrijp niet waarom niemand die mogelijkheid eens nader heeft onderzocht. Randolph heeft het niet gedaan, en ik ook niet.' Toen vertelde hij haar over de resultaten van het onderzoek met de elektronenmicroscoop.

'Betekent dit dat er geknoeid is?' vroeg Kelly.

'Ik denk het wel. Nu zal ik moeten zien te achterhalen welke stof die besmetting heeft veroorzaakt en waarom er bij het toxicologisch onderzoek niets is gevonden.'

'Dit alles maakt me doodsbang,' zei Kelly.

'Mij ook.' Toen vroeg Jeffrey haar of ze iemand kende op de afde-

ling pathologie van het Valley Hospital.
'Niet iemand die daar werkt,' antwoordde Kelly. 'Maar ik ken nog wel een aantal anesthesisten. Hart Ruddock was Chris' beste vriend en die zal vast wel iemand op die afdeling kennen.'
'Zou je hem eens willen opbellen om hem te vragen of hij bereid zou zijn kopieën te maken van alle stukken die er over Henry Noble te vinden zijn? Ik ben vooral geïnteresseerd in alles wat men eventueel heeft ontdekt met een elektronenmicroscoop, en in de histologie van zenuwvezels.'
'Wat moet ik zeggen als hij vraagt waarom ik die kopieën wil hebben?'
'Dat weet ik niet. Zeg hem maar dat je Chris' aantekeningen hebt bekeken en erachter bent gekomen dat er sprake was van degeneratie van neurieten. Dat zal hem wel nieuwsgierig maken.'
'Oké. Verder zou jij er verstandig aan doen naar huis te komen en een paar uur te slapen. Volgens mij zul je inmiddels wel lopen te slaapwandelen.'
'Ik ben uitgeput,' gaf Jeffrey toe. 'Schoonmaken is heel wat vermoeiender dan het toedienen van een anesthesie.'

Vroeg die morgen liep Trent door de gang van de operatieafdeling van het St. Joseph's Hospital, met de ampul Marcaine waarmee hij had geknoeid weer in zijn onderbroek. Hij deed hetzelfde als de vorige morgen en keek nu extra voorzichtig om zich heen om er zeker van te zijn dat niemand hem zag. Omdat er nog maar twee ampullen .5% Marcaine in de geopende doos klaar stonden, was de kans groot dat de zijne vandaag zou worden gebruikt, want hij had gezien dat er tweemaal een epidurale anesthesie zou worden toegepast. Natuurlijk hoefde daar niet per se Marcaine voor te worden gebruikt, en al zeker niet de .5%, maar toch kon het vandaag nog wel eens raak zijn. De casussen die stonden aangekondigd, waren een laparoscopie en een herniorafie. Trent hoopte dat zijn ampul voor de laparoscopie zou worden gebruikt. Dat zou perfect zijn, want die klier van een Doherty stond vermeld als de behandelende anesthesist.
Trent liep op zijn dooie gemak terug naar de kleedruimte en verborg de goede ampul in zijn kastje. Dat sloot hij weer af en dacht aan Gail Shaffer. Het afrekenen met haar was minder leuk geweest dan hij had verwacht, maar in zekere zin was hij toch dankbaar voor de ervaring die hij ermee had opgedaan. Het feit dat Gail hem had

gezien, had hem nog weer eens duidelijk gemaakt hoe voorzichtig hij moest zijn. Hij kon het zich niet veroorloven zorgeloos te worden, want er stond te veel op het spel. Als hij het verknalde, zou hem dat duur komen te staan. Trent kon zich niet aan de indruk onttrekken dat hij in dat geval bepaald niet alleen problemen zou krijgen met de bevoegde autoriteiten.

De wekkerradio stond zacht, en Karen werd langzaam wakker. Na enige tijd deed ze haar ogen open en ging ze op de rand van haar bed zitten. Ze voelde zich nog duf door het slaapmiddel dat dokter Silvan haar had voorgeschreven. Het had beter gewerkt dan ze had verwacht.

'Ben je wakker?' riep Marcia vanaf de gang.

'Ja.' Karen ging op haar wankele benen staan en liep toen naar de badkamer.

Ze dronk niets, al voelde haar mond dan ook kurkdroog aan en leek haar tong wel een lap leer. Ook bij het tandenpoetsen zorgde ze ervoor geen water binnen te krijgen, omdat dokter Silvan haar daar nadrukkelijk voor had gewaarschuwd.

Karen wenste dat de dag ten einde liep, in plaats van dat hij net begon. Dan zou ze alles achter de rug hebben. Ze wist dat het onzin was, maar toch was ze bang. Dus probeerde ze aan andere dingen te denken terwijl ze een douche nam en zich aankleedde.

Toen het tijd was om naar het ziekenhuis te vertrekken, ging Marcia achter het stuur zitten en probeerde het gesprek gaande te houden. Karen was echter te veel afgeleid om te kunnen reageren.

'Je bent bang, hè?' zei Marcia toen ze haar auto op het parkeerterrein van het ziekenhuis neerzette.

'Ja. Ik weet dat het onzin is, maar ik kan er echt niets aan doen.'

'Je zult heus niets voelen. Later zul je er misschien wel wat last van hebben, maar vast minder dan je nu denkt. Het ergste is de angst voordat ze echt zijn begonnen.'

'Dat hoop ik maar,' zei Karen. Het regende weer en de lucht zag er even somber uit als zij zich voelde.

Karen en Marcia moesten een kwartiertje wachten, samen met een fiks aantal andere patiënten. Karen had drie tijdschriften doorgebladerd toen ze naar de balie werd geroepen en werd begroet door een verpleegster. Die vrouw bekeek alle papieren, om er zeker van te zijn dat alles in orde was. De dag daarvoor had Karen een ECG laten maken en was er wat bloed afgetapt. De toestemming voor de anesthesie had ze al ondertekend en er was al een armbandje voor haar gemaakt waarop stond wie ze was.

Toen kon ze zich omkleden en werd ze op een brancard naar een wachtkamer gebracht. Marcia kreeg toestemming nog even bij haar te komen en een paar minuten later werd Karen door een ziekenbroeder opgehaald.

'Ik wacht op je!' riep Marcia haar na.

Karen zwaaide en wilde eigenlijk het liefste meteen terug naar huis. Die endometriosis was zo erg niet. Ze leefde er al zo lang mee...

Toch bleef ze liggen. Het was alsof ze al was opgenomen in de onvermijdelijke reeks gebeurtenissen die zich zouden voltrekken, wat zij ook wilde doen. Ze was een gevangene van het systeem geworden toen ze had besloten toestemming te geven voor de laparoscopie. De liftdeuren gingen dicht en de lift zoefde naar boven. De laatste kans op ontsnapping was definitief afgesneden.

De ziekenbroeder liet Karen achter in een andere wachtkamer, waar nog zo'n twaalf andere patiënten op brancards lagen te wachten. Karen keek naar die mensen. De meesten hadden hun ogen dicht en leken er ontspannen bij te liggen. Sommigen keken net als zij om zich heen, maar leken niet zo bang te zijn.

'Karen Hodges?' hoorde ze zeggen.

Ze draaide haar hoofd en zag een arts naast haar staan. Hij was zo snel binnengekomen dat ze niet eens had gezien waar vandaan.

'Ik ben dokter Bill Doherty,' zei hij. Hij was ongeveer even oud als haar vader, had een snor en vriendelijke bruine ogen. 'Uw anesthesist.'

Karen knikte. De arts nam de medische gegevens nog eens met haar door en dat was snel gebeurd, omdat er niet veel te melden viel. Hij stelde de gebruikelijke vragen over allergieën en eerdere ziekten en zei toen dat haar arts om een epidurale anesthesie had verzocht.

'Weet u wat dat inhoudt?'

Karen vertelde hem dat haar arts haar dat had uitgelegd. Dokter Doherty knikte, maar vertelde het nog eens. 'Door deze vorm van anesthesie zullen uw spieren zich goed ontspannen, waardoor dokter Silvan u makkelijker kan onderzoeken, en bovendien is dit een van de veiligste methoden.'

Karen knikte. 'Zal ik echt niets voelen?'

'Nee, beslist niet,' stelde de arts haar gerust. 'Maakt u zich wat dat betreft alstublieft geen zorgen.'

'Mag ik u nog een vraag stellen?'
'Ga uw gang.'
'Heeft u ooit wel eens het boek *Coma* gelezen?'
'Ja, en ik heb zelfs de film gezien,' reageerde de anesthesist lachend.
'Zoiets gebeurt toch nooit in het echt, nietwaar?'
'Natuurlijk niet! Had u verder nog vragen?'
Karen schudde haar hoofd.
'Prima, dan krijgt u een prikje van de verpleegster, om u te kalmeren. Zodra uw arts er is, zullen we u overbrengen naar de operatiekamer. Maakt u zich nu verder alstublieft geen zorgen. Ik heb dit al duizenden keren gedaan en u zult echt niets van het onderzoek voelen.'
'Ik vertrouw u,' zei Karen en slaagde er zelfs in te glimlachen.

Dokter Doherty schreef voor een verpleegster op wat Karen toegediend moest krijgen en liep toen door, om alles te gaan halen wat hij nodig had, inclusief een ampul met .5% Marcaine. Wat hem niet opviel toen hij die ampul pakte, was dat de bovenkant niet helemaal gaaf was.

Annie Winthrop was vermoeider dan normaal toen ze naar de ingang van haar flatgebouw liep. Ze had een paraplu opgestoken, omdat het goot van de regen. Het was koud en het leek wel alsof de winter terugkwam in plaats van dat het zomer werd.
Wat een nacht had ze achter de rug! Drie hartstilstanden op de Intensive Care. Dat was voor de afgelopen vier maanden een record. Iedereen was er doodmoe van geworden, en kribbig, omdat er natuurlijk ook nog andere patiënten waren geweest die hun aandacht hadden opgeëist. Nu wilde ze een lekkere, warme douche nemen en dan haar bed in duiken.
Voor de deur van haar eigen flat pakte ze haar sleutels, liet die van vermoeidheid vallen, raapte ze weer op en merkte toen dat de deur niet op slot was. Raar. Gail en zij deden de deur altijd op slot, ook als ze thuis waren. Dat was een van de afspraken die ze hadden gemaakt.
Annie maakte de deur open. De lichten in de huiskamer brandden. Zou Gail thuis zijn? Intuïtief aarzelde ze op de drempel even. Iets waarschuwde haar. Ze hoorde echter geen enkel geluid en duwde de deur wat verder open. Alles leek in orde te zijn. Ze liep naar binnen en rook meteen een afschuwelijke stank. Als verpleegster

herkende ze die lucht onmiddellijk.

'Gail?' riep ze. Normaal gesproken sliep Gail als zij thuis kwam. Annie liep naar de slaapkamer van haar huisgenote en keek naar binnen. Ook daar brandde licht. De stank werd erger. Ze riep opnieuw Gails naam, liep verder en zag de deur van de badkamer open staan. Annie liep daarheen, keek naar binnen en begon te gillen.

Trent moest die dag werken in OK nummer vier, waar een aantal borstonderzoeken zouden worden uitgevoerd. Dat zou een makkie zijn, tenzij er een kwaadaardig gezwel werd gevonden, maar dat werd niet verwacht.

Op een gegeven moment kreeg hij het verzoek even iets uit de voorraadkamer te gaan halen. Hij deed dat maar al te graag: nu zou hij, heel onopvallend, wel even kunnen kijken of zijn buisje met Marcaine er nog stond. Opgewonden constateerde hij dat dat niet het geval was! En hij raakte nog meer opgewonden toen hij zich herinnerde dat er voor half acht slechts één epidurale anesthesie stond aangekondigd: die voor de laparoscopie, waarbij Doherty aanwezig was!

Trent keek waar die werd uitgevoerd. OK twaalf. Snel liep hij even die kant op en zag daar inderdaad Doherty, met een patiënte die op een brancard lag en een jonge, gezonde vrouw leek te zijn. Het had niet beter gekund!

Omdat Trent geen enkele aandacht op zichzelf wilde vestigen, liep hij snel weer terug naar de OK waar hij dienst had. Hij was daar echter zo onrustig dat hij niet stil kon zitten. De chirurg vroeg hem een stoel te pakken of weg te gaan.

Normaal gesproken zou zo'n bevel van een arts hem mateloos hebben geïrriteerd, maar vandaag gebeurde dat niet. Hij was te zeer in beslag genomen door wat er zou gaan gebeuren en wat hij dan moest doen. Zodra de hel losbrak in OK twaalf zou hij erheen moeten gaan om de geopende ampul weg te halen. Daar maakte hij zich altijd wat bezorgd over, maar de vorige keren was ieders aandacht altijd voldoende afgeleid geweest. Toch was het de zwakste schakel van het hele plan, want hij wilde niet dat iemand hem de ampul zou zien pakken.

Trent keek naar de klok. Binnen een paar minuten zou het zijn gebeurd. Hij genoot van de spanning.

9

Donderdag 18 mei 1989, acht minuten voor acht 's morgens

Met loeiende sirenes reed de ambulance met Gail Shaffer op de ingang van het St. Joseph's Hospital af. Om assistentie van cardiologen en neurologen was al verzocht over de mobilofoon.

Toen de ambulancebroeders Gails appartement hadden bereikt na een telefoontje van haar huisgenote Annie Winthrop, hadden ze al snel geconcludeerd wat er was gebeurd. Gail Shaffer had onder de douche een aanval van grand mal gekregen. Ze meenden dat Gail moest hebben vermoed dat zoiets zou gaan gebeuren, omdat haar huisgenootje had volgehouden dat de kranen waren dichtgedraaid. Helaas had Gail niet snel genoeg het bad uit kunnen komen, waardoor ze haar hoofd verscheidene keren tegen de kranen en de rand van het bad had gestoten. Ze had meerdere wonden op haar schedel en in haar gezicht en een diepe wond vlak bij de haargrens, op haar voorhoofd.

Het eerste dat de ambulancebroeders hadden gedaan, was Gail het bad uit halen. Toen hadden ze gemerkt dat er geen sprake was van spiertonus; het was alsof ze volkomen verlamd was. Ze hadden ook een opmerkelijk onregelmatige hartslag geconstateerd en hadden geprobeerd die te stabiliseren door haar zuivere zuurstof toe te dienen en aan een infuus te leggen.

Nu stonden er inderdaad al een cardioloog en een neuroloog op haar te wachten. Iedereen werkte keihard, want het was duidelijk dat Gails leven aan een zijden draadje hing. Het vreemde was, zo bleek tijdens het onderzoek, dat bepaalde spiergroepen enige reflexen vertoonden, maar wel willekeurig. Een bepaald patroon liet zich niet ontdekken.

Men was het er al snel over eens dat Gail een aanval van grand mal had gekregen na een intracraniale bloeding en/of een hersentumor. Dat was in ieder geval de voorlopige diagnose, al bleek de cerebrospinale vloeistof dan ook helder te zijn. Een van de internisten was het met die conclusie niet eens. Zij meende dat alles moest zijn veroorzaakt door een acute drugsvergiftiging en stond erop een bloedmonster te nemen dat zou moeten worden gecontroleerd op drugs, vooral de nieuwere, synthetische typen.

Een van de neurologen die erbij was gekomen, had ook zo zijn twij-
fels, omdat hij van mening was dat een centrale laesie de verlammingsverschijnselen niet kon verklaren. Ook hij vermoedde de een
of andere acute vergiftiging, maar hij was pas bereid verder te denken als de resultaten van de eerste proeven bekend waren.

Ondanks het feit dat Gails hart het dreigde te begeven, werd er een
NMR geregeld. Dus werd Gail zo snel mogelijk overgebracht naar
de röntgenafdeling en in het grote, doughnut-vormige apparaat
geschoven. Iedereen was bang dat het magnetische veld van nadelige invloed op het functioneren van haar hart zou zijn, maar het
gevaar woog niet op tegen het belang van een eventuele constate-
ring van een intracraniale bloeding. Een ieders ogen zaten aan het
scherm vastgeplakt toen de eerste beelden verschenen.

Bill Doherty hield de 5 cc glazen injectiespuit tegen het licht en tikte zacht tegen de rand. Een paar luchtbelletjes kwamen naar boven.
In de spuit had hij 2 cc Marcaine met epinephrinum gedaan. Alles
ging soepel en volgens plan bij Karen Hodges. De eerste punctie
had haar absoluut geen pijn gedaan. De testdosis was al toegediend
zonder dat het problemen had opgeleverd. De kleine catheter was
ook met bedrieglijk gemak op zijn plaats gebracht. Nu moest
Doherty nog met absolute zekerheid vaststellen dat de catheter echt
helemaal goed zat in de epidurale ruimte en dan zou hij de therapeutische dosis kunnen toedienen.

'Hoe voelt u zich?' vroeg Doherty aan Karen. Ze lag op haar rechterzij, met haar rug naar hem toe.

'Goed, denk ik. Bent u klaar? Ik voel nog niets.'

'U wordt ook niet geacht al iets te voelen.'

Hij injecteerde de testdosis en controleerde bloeddruk en hartslag.
Alles in orde. Een paar minuten later deed hij dat nogmaals, met
hetzelfde resultaat. Daarna controleerde hij de gevoeligheid van
haar onderbenen. Die was normaal.

'Mijn benen voelen heel gewoon aan,' klaagde Karen, die nog altijd
bang was dat de plaatselijke verdoving bij haar niet zou werken.

'Op dit moment hoort dat ook,' verzekerde Doherty haar. 'Weet u
nog wat ik u daarover heb verteld?' Hij had Karen precies verteld
wat ze kon verwachten, maar het verbaasde hem niet dat ze het
weer was vergeten. Hij had geduld met haar, omdat hij wist dat ze
zich zorgen maakte.

'Hoe gaat het hier?'

Dokter Doherty keek op en zag dokter Silvan binnenkomen.

'Over tien minuten zijn we klaar,' zei hij, terwijl hij de 30 cc ampul Marcaine pakte en nogmaals het etiket controleerde. 'Ik sta net op het punt de epidurale anesthesie toe te dienen.'

'Prima,' zei Silvan en wendde zich toen tot Karen. 'Ontspant u zich nu maar.'

Doherty brak de top van de ampul af en zoog de Marcaine op. Hij tikte tegen de spuit, gewoontegetrouw, om eventuele luchtbelletjes te verwijderen, zelfs al zou lucht in de epidurale ruimte geen problemen kunnen veroorzaken.

Doherty boog zich iets, verbond de spuit met de catheter en begon rustig de injectie toe te dienen. Net toen hij daarmee klaar was, bewoog Karen zich.

'U mag zich nog niet bewegen,' zei hij.

'Ik heb verschrikkelijke kramp!' riep Karen.

'Waar? In uw benen?'

'Nee, in mijn buik.' Ze kreunde en strekte haar benen.

Dokter Doherty legde een hand op haar heup en een verpleegster pakte Karens enkels vast.

Desondanks rolde Karen op haar rug. Ze kwam, steunend op een elleboog, overeind en keek met grote ogen van doodsangst naar dokter Doherty. 'Help me!' riep ze wanhopig.

Doherty begreep er niets van. Hij had er geen idee van wat er mis ging. In eerste instantie dacht hij dat Karen gewoon even in paniek was geraakt. Met beide handen pakte hij haar bij haar schouders en probeerde haar weer te laten liggen. De verpleegster pakte Karens enkels nog wat steviger vast.

Doherty wilde haar intraveneus Diazepam toedienen, maar voordat hij dat had kunnen doen, vertrokken de spieren van Karens gezicht zich. Tegelijkertijd liep er speeksel uit haar mond en begonnen haar ogen hevig te tranen. Haar huid was meteen nat van het transpireren en haar ademhaling werd moeizaam.

Dokter Doherty pakte de atropine. Terwijl hij die intraveneus toediende, kromde Karens rug zich. Haar lichaam verstijfde even volledig, gevolgd door hevige spasmen. De verpleegster deed haar uiterste best om te voorkomen dat Karen op de grond zou vallen, en dokter Silvan kwam naar binnen gerend om te helpen.

Doherty gaf zijn patiënte succinylcholine, toen Diazepam. Via een masker diende hij zuurstof toe. Het ECG begon onregelmatigheden te vertonen.

Meteen kwam er hulp opdagen. Karen werd overgebracht naar de operatiekamer, omdat ze daar meer ruimte hadden. De succinylcholine maakte een einde aan de spasmen. Doherty ging over tot intubatie, controleerde haar bloeddruk en merkte dat die daalde. Haar pols was onregelmatig. Hij gaf haar nog meer atropine. Zo'n speeksel- en tranenvloed had hij nog nooit gezien. Toen bleef Karens hart stilstaan.
Er kwam nog meer personeel naar operatiekamer nummer twaalf om assistentie te verlenen. Toen er meer dan twintig mensen waren, zag niemand de hand die het halfvolle buisje Marcaine oppakte, de rest in de gootsteen goot en het lege buisje snel meenam.

Kelly legde de telefoon van de Intensive Care neer. Ze had net te horen gekregen dat er een patiënt zou worden binnengebracht. Op zich was dat natuurlijk niets bijzonders, maar het zat haar niet lekker dat het Gail Shaffer was, een van de operatiezusters. Een vriendin.
Kelly kende Gail al vrij lang. Gail was een tijdje omgegaan met een jonge arts die zich in de anesthesie had gespecialiseerd en een student van Chris was geweest. Ze was zelfs bij de Eversons thuis geweest, voor het diner dat Kelly eens per jaar voor de anesthesisten in opleiding gaf. Toen Kelly in het St. Joe's was gaan werken, was Gail zo vriendelijk geweest haar daar aan een aantal mensen voor te stellen.
Kelly probeerde haar persoonlijke gevoelens van zich af te zetten, want ze moest haar beroep goed kunnen uitoefenen. Ze riep een van de andere verpleegsters erbij en gaf haar opdracht een bed in gereedheid te brengen voor een nieuwe opname.
Gail werd binnengebracht en meteen aan de monitor en de beademing gelegd. In die tussentijd kreeg Kelly te horen wat er aan de hand was. Een duidelijke diagnose was er nog niet gesteld, waardoor behandeling moeilijk was. Het röntgenonderzoek had niets opgeleverd, behalve dan een fractuur van de voorhoofdsholte. Er was dus geen sprake van een tumor en/of een intracraniale bloeding. Gail was nog altijd niet bij bewustzijn en de verlammingsverschijnselen leken eerder erger dan minder te worden. Het ergste was nog wel de conditie van haar hart. Ook die was slechter geworden. Op de radiologische afdeling had Gail iedereen de schrik op het lijf gejaagd door een ventriculaire tachycardie, waardoor rekening moest worden gehouden met een hartstilstand. Het was vrijwel een wonder dat die niet was gekomen.
Toen Gail eenmaal op de Intensive Care was geïnstalleerd, kwamen

de resultaten van de cocaïnetest binnen. Negatief. Naar andere drugs werd nog gezocht, maar Kelly was er zeker van dat Gail die niet gebruikte.

Het team dat Gail had binnengebracht, was er nog toen ze een hartstilstand kreeg. Een elektrische schok maakte een einde aan het fibrilleren, maar had een asystolie tot gevolg. Hartcontracties bleven geheel uit. Er werd een pacemaker ingebracht, waardoor het hart weer begon te werken, maar de prognose was niet erg gunstig.

'Ik ben in mijn werk met heel wat geconfronteerd,' zei Devlin boos. 'Geweren, messen, een loden pijp. Maar ik had nooit verwacht een of ander vergif uit het Amazonegebied in mijn kont te krijgen. En dan nog wel door toedoen van een vent die handboeien om had!'

Michael Mosconi kon alleen zijn hoofd schudden. Devlin was de meest ervaren premiejager die hij kende. Hij had drugshandelaren opgespoord, Mafia-dons en kruimeldieven. Hoe kon hij dan zoveel moeite hebben met dat loeder van een arts? Misschien begon Devlin een dagje ouder te worden?

'Wil je echt zeggen dat je hem in je auto had zitten, met handboeien om? Ik begrijp hier werkelijk niets van!'

'Hij heeft me een injectie toegediend waardoor ik totaal verlamd werd. Het ene moment was er nog niets met me aan de hand, en het volgende kon ik opeens geen vin meer verroeren. Die man maakt gebruik van de allermodernste medicijnen!'

'Zou je er niet eens over denken van baan te veranderen?' vroeg Mosconi.

'Dat is niet grappig!' reageerde Devlin fel.

'Hoe denk je een echte schurk aan te kunnen als een magere anesthesist je nog te slim af kan zijn? Ik bedoel... Dit is een beroerde situatie. Iedere keer als die telefoon gaat, denk ik dat het de rechtbank is. Ik hoop dat je bent doordrongen van de ernst hiervan. We moeten die man vinden!'

'Dat zal ook gebeuren,' zei Devlin. 'Ik laat zijn vrouw volgen en ik tap haar telefoon af. Op een gegeven moment zal hij haar heus wel bellen.'

'Je zult meer moeten doen dat dat,' zei Michael. 'Ik ben bang dat de politie geen belangstelling meer voor hem zal hebben. Dan zou hij de stad uit kunnen vluchten, en dat kan ik me niet veroorloven, Devlin!'

'Ik denk niet dat hij de stad uit zal gaan.'

'O? Is de wens de vader der gedachte, of beschik je over telepathische gaven?'

Michaels sarcasme begon Devlin te ergeren, maar hij zei niets. In plaats daarvan boog hij zich naar voren, om bij zijn achterzak te kunnen. Daar haalde hij een stapel papieren uit, die hij op het bureau legde en glad streek.

'Dit had hij in zijn hotelkamer laten liggen,' zei hij. 'Vanwege deze papieren denk ik dat hij de stad niet uit wil gaan, maar een of ander plan heeft. Wat denk jij ervan?'

Michael pakte een velletje met aantekeningen van Chris Everson op. 'Wetenschappelijk abacadabra. Ik begrijp er niets van.'

'Ik neem aan dat het merendeel van de tekst door die Everson is geschreven, met af en toe een aantekening van onze dokter. Zegt die naam je iets?'

'Nee.'

'Geef de telefoongids eens.'

Michael pakte die en Devlin zag nergens een Chris Everson staan. De naam die er nog het dichtst bij in de buurt kwam, was een zekere K.C. Everson in Brookline.

'De man staat niet in de gids,' zei Devlin. 'Dat zou ook te makkelijk zijn geweest.'

'Misschien is het ook een arts en dan kan hij een geheim nummer hebben,' merkte Michael op.

Devlin knikte. Dat was inderdaad mogelijk. Toch pakte hij de Gouden Gids en keek bij de specialisten. Geen Eversons. Hij deed de gids weer dicht.

'Het punt is dat onze dokter zich hiermee bezighield terwijl hij op de vlucht was en in dat louche hotel bivakkeerde. Ik begrijp het niet. Hij is iets van plan, maar ik heb er geen flauw idee van wat. Ik denk dat ik maar eens naar die Chris Everson toe ga.'

'Prima. Ik wil resultaten zien, dus raad ik je aan er snel werk van te maken. Als je dit niet aankunt, moet je me dat laten weten. Dan neem ik iemand anders in de arm.'

Devlin stond op. Hij legde de telefoongids op het bureau en pakte de aantekeningen van Chris en Jeffrey weer. 'Maak je geen zorgen. Ik vind hem wel. Het is een zaak geworden die mij ook persoonlijk aangaat.'

Devlin liep naar buiten. Het regende nu harder dan toen hij hierheen was gekomen. Gelukkig had hij zijn auto dicht in de buurt neergezet, op een plaats waar dat eigenlijk verboden was. Dat was een van de voordelen van het feit dat hij ooit bij de politie had gewerkt. De parkeerwachters lieten hem altijd ongemoeid.

Devlin stapte zijn auto in en draaide om het State House heen naar Beacon Street. Het was druk op de weg, tot hij de openbare bibliotheek van Boston had bereikt. Daar zette hij zijn auto weer neer en rende naar de ingang. Nadat hij een volledige lijst had verzameld van alle Eversons die in Boston en directe omgeving woonden, liep hij naar een openbare telefoon en draaide in eerste instantie het nummer van K. C. Everson in Brookline. Een slaperige mannenstem nam op.
'Spreek ik met Christopher Everson?' vroeg Devlin.
Een stilte. 'Nee,' zei de stem toen. 'Wilt u Kelly spreken? Ze is...'
Devlin legde de hoorn op de haak. Zijn vermoeden was juist geweest. K. C. Everson was een vrouw.
Hij bekeek de lijst en vroeg zich af wie hij nu zou proberen. Moeilijk. Er waren niet eens Eversons met een C. Dat betekende dat hij de adressen langs zou moeten gaan. Een tijdverslindende bezigheid, maar er zat niets anders op. Een van de Eversons zou die Chris moeten kennen. Devlin had nog altijd het vermoeden dat dit de beste werkwijze was.

Nadat Jeffrey was gewekt door het rinkelen van de telefoon, kon hij niet meer in slaap komen, hoe moe hij ook was. Als hij helemaal wakker was geweest, zou hij waarschijnlijk niet hebben opgenomen. Hij had nog niet met Kelly besproken wat ze met telefoontjes zouden doen, maar het zou waarschijnlijk beter zijn als hij niet opnam. Jeffrey maakte zich enigszins ongerust over dit telefoontje. Wie had er naar Chris kunnen vragen? Was het een wrede grap geweest? Had iemand iets willen verkopen? Ze konden de naam van Chris van de een of andere lijst hebben gehaald. Misschien moest hij Kelly hier maar niets over vertellen. Hij vond het vervelend het verleden naar boven te halen, nu ze dat net een beetje begon te vergeten.
Jeffrey dacht weer aan de mogelijke besmetting van de Marcaine. Hij ging op zijn rug liggen en liet de details nog eens de revue passeren. Toen besloot hij op te staan, een douche te nemen en zich te scheren.
Terwijl hij koffie zette, begon hij zich af te vragen of die complicaties waarmee Chris en hij waren geconfronteerd, geïsoleerde gevallen waren, of dat in Boston iets dergelijks vaker was voorgekomen. Stel dat iemand nog vaker met die Marcaine had geknoeid? Dat zou hem dan toch op de een of andere manier wel ter ore moeten zijn gekomen? Maar misschien ook niet. Kijk maar eens wat er met Chris en hem was gebeurd. Ze waren beiden meteen voor de rechtbank gedaagd en op dat moment was hun eigen verdediging

natuurlijk het allerbelangrijkste geworden!

Jeffrey belde de Board of Registration of Medicine van Massachusetts op, omdat hij wist dat 'belangrijke incidenten' binnen de gezondheidszorg aan die instantie moesten worden doorgegeven. Hij werd doorverbonden en deelde mee voor welke incidenten hij met name belangstelling had. De vrouw liet hem even wachten.

'U zei dat u geïnteresseerd was in sterfgevallen na het toedienen van een epidurale anesthesie?' vroeg ze, toen ze weer terug was.

'Inderdaad.'

'Ik heb er vier. Alle binnen de laatste vier jaar.'

Jeffrey was verbaasd. Vier sterfgevallen leek veel. Fatale ongelukken kwamen tijdens een epidurale anesthesie maar heel zelden voor, en iemand had toch achterdocht moeten krijgen nu er sprake was van vier gevallen binnen zo'n relatief korte periode.

'Wilt u weten waar die gevallen zich hebben voorgedaan?' vroeg de vrouw.

'Graag.'

'Vorig jaar één in het Boston Memorial.'

'Memorial, 1988,' schreef Jeffrey op. Dat moest zijn casus zijn.

'Eén in het Valley Hospital in 1987,' zei ze.

Dat moest die van Chris zijn geweest.

'Eén in het Commonwealth Hospital in 1986 en één in het Suffolk General in 1985. Dat is alles.'

Dat is meer dan voldoende, dacht Jeffrey. Het verbaasde hem ook hogelijk dat alle gevallen in Boston waren geconstateerd. 'Is er iets aan gedaan?' vroeg hij.

'Nee. Dat zou wel zijn gebeurd als ze zich alle in één en hetzelfde ziekenhuis hadden voorgedaan. Nu ging het echter om vier verschillende instellingen en vier verschillende artsen. Bovendien hebben de patiënten schadevergoeding toegewezen gekregen.'

'Kunt u me de namen geven van de artsen van Commonwealth en Suffolk?'

'Het spijt me, maar dat mogen wij niet doen.'

Jeffrey dacht even na en zei toen: 'En de namen van de patiënten in kwestie?'

'Ik weet niet of ik u die mag geven. Dat zal ik even navragen.'

Terwijl Jeffrey wachtte, verbaasde hij zich er opnieuw over dat hij niet had geweten dat er in Boston vier patiënten na toediening van een epidurale anesthesie waren overleden. Hij begreep niet waarom niemand zich daarover zorgen was gaan maken. Misschien zouden de processen die naar aanleiding van deze gevallen tegen de artsen waren aangespannen, er wel de verklaring voor kunnen vormen. Juristen drongen in dergelijke gevallen altijd aan op zoveel mogelijk geheimhouding. Randolph had hem zelf ook geadviseerd zijn zaak met niemand anders te bespreken.

'Niemand heeft me wijzer kunnen maken,' hoorde hij de vrouw aan de andere kant van de lijn zeggen. 'Ik zal u die namen maar geven. Het ging om Clark de Vries en Lucy Havalin.'

Jeffrey schreef de namen op, bedankte de vrouw en legde de hoorn op de haak. Toen haalde hij in de logeerkamer de duffelse tas onder het bed vandaan en viste er een paar biljetten van honderd dollar uit. Hij zou binnenkort wat tijd vrij moeten maken om kleren te kopen. Even vroeg hij zich af wat Pan Am met zijn koffertje zou hebben gedaan.

Hij bestelde een taxi. Dat kon geen kwaad, meende hij, zolang hij maar niets ondernam dat de achterdocht van de chauffeur zou wekken. Het weer was nog slecht, dus ging Jeffrey in de halkast op zoek naar een paraplu. Toen de taxi voorreed, stond hij al buiten, met een paraplu in zijn hand.

Jeffrey besloot eerst een nieuwe donkere bril te kopen. Hij liet de taxi wachten terwijl hij even snel bij een opticien binnenstapte. Daarna liet hij zich naar het gerechtsgebouw brengen. Het was griezelig het gebouw te betreden waar een jury hem nog maar een paar dagen geleden schuldig had bevonden.

Hij liep naar het kantoor op de eerste verdieping en wachtte bij de balie op zijn beurt. De meeste andere wachtenden leken juristen te zijn, die gekleed gingen in donkere pakken waarvan de broekspijpen om de een of andere merkwaardige reden allemaal te kort waren. Toen hij eindelijk aan de beurt was, vroeg hij de vrouw achter de balie hoe hij het verslag van een bepaald proces zou kunnen opzoeken.

'Afgerond of nog niet afgerond?'

'Afgerond.'

De vrouw wees naar een punt achter Jeffrey's schouder. 'Dan moet u daar op de planken eerst het nummer opzoeken, in die losbladige banden. Als u het nummer heeft gevonden, moet u weer terugkomen en dan kunnen wij het dossier gaan halen.'

Jeffrey knikte en liep naar de planken. De casussen stonden per jaar in alfabetische volgorde gerangschikt. Jeffrey begon met het jaar 1986 en zocht Clark de Vries op. Toen hij de desbetreffende kaart in handen had, was het hem al meteen duidelijk dat hij het dossier niet zou hoeven opvragen, omdat hij hier al de door hem gewenste informatie onder ogen had.

De anesthesist in kwestie was een zekere dokter Lawrence Mann geweest. Jeffrey maakte een fotokopie van de kaart, voor het geval hij het dossiernummer later toch nodig zou blijken te hebben.

Hetzelfde deed hij met de kaart van Lucy Havalin, wier anesthesist een zekere dokter Madaline Bowman geweest bleek te zijn. Jeffrey had beroepshalve ooit wel eens met Bowman te maken gehad, maar de laatste jaren had hij haar niet meer gezien.

Net toen hij de tweede kaart weer op zijn plaats wilde leggen, zag hij de naam van de advocaat: Matthew Davidson.

Dezelfde man die hem de das om had gedaan door te beginnen over dat onbelangrijke kleine drugsprobleem dat hij ooit had gehad. Nu had hij echter de tijd niet om daar lang bij stil te staan, want hij was er meer dan ooit van overtuigd dat er met de Marcaine moest zijn geknoeid.

Impulsief besloot hij toch de dossiers op te vragen, want soms wist je niet waar je naar op zoek was voordat je het onder ogen had.

'U moet eerst die formulieren invullen,' deelde de vrouw achter de balie hem mee.

Wat een bureaucratie, dacht Jeffrey ietwat nijdig, maar deed het wel. Weer moest hij in een rij gaan staan, waar een andere beambte zijn aanvraag in behandeling nam. 'Het zal ongeveer een uurtje duren,' zei ze.

Onder het wachten at Jeffrey een broodje en nam er een glas sinaasappelsap bij. Ruim een uur later liep hij terug naar de balie en nam de grote bruine dossiers die hem werden overhandigd, mee naar een tafel.

Jeffrey ging meteen op zoek naar de locale anesthesie die in beide gevallen moest zijn toegepast. In Suffolk General had de anesthesist Marcaine gebruikt, zoals hij al had vermoed. Hij pakte het dossier van het Commonwealth Hospital. Eveneens Marcaine. Als Jeffrey's theorie klopte, liep er in Boston dus een moordenaar rond die al viermaal had toegeslagen. Kon hij maar met sluitend bewijsmateriaal komen voordat het volgende slachtoffer zou vallen!

Jeffrey leverde de dossiers weer in en liep het gerechtsgebouw uit. Het was droog, maar de lucht was nog wel bewolkt en het kon ieder moment opnieuw gaan stortregenen.

Hij nam een taxi en liet zich naar de medische bibliotheek Countway brengen. Hij verheugde zich er eigenlijk best op deze regenachtige middag te midden van boeken door te brengen. Ditmaal zou hij

zich concentreren op de toxicologie. Hij wilde zijn kennis wat bij-
spijkeren ten aanzien van de twee belangrijkste diagnostische apparaten op dat terrein: de gaschromatograaf en de massaspectrograaf.

10

Donderdag 18 mei 1989, zeven over vier 's middags

Kelly deed de voordeur open en liep naar binnen met een paraplu, een kleine tas boodschappen en een grote envelop.
'Jeffrey!' riep ze, terwijl ze de tas en de envelop op de haltafel zette, haar paraplu opborg en terugliep om de voordeur dicht te doen. 'Jeffrey!' riep ze nogmaals. Ze liep de kamer in en slaakte even een kreetje van verbazing toen ze hem tussen de huiskamer en de eetkamer in zag staan. 'Je hebt me aan het schrikken gemaakt!'
'Heb je me dan niet gehoord? Ik heb wel geroepen dat ik er was,' zei hij.
'Nee, maar ik ben blij dat je er bent. Ik heb iets voor je.' Ze pakte de envelop en gaf hem die. 'Ik heb je bovendien ook heel wat te vertellen,' zei ze, terwijl ze de boodschappen naar de keuken bracht.
'Wat is dit?' vroeg Jeffrey, terwijl hij met de envelop in zijn hand achter haar aan liep.
'Een kopie van het autopsieverslag uit het Valley Hospital.'
'Hoe heb je dat in vredesnaam zo snel te pakken kunnen krijgen?'
'Hart Ruddock heeft het bij me laten afgeven. Hij heeft me zelfs niet eens gevraagd waarom ik het wilde hebben.'
Onder het lopen haalde Jeffrey het dossier uit de envelop. Geen resultaten van onderzoek met een elektronenmicrograaf, maar die had hij ook niet verwacht, omdat zoiets niet gebruikelijk was bij een normale autopsie. Toch was het dossier wel heel erg dun en toen Jeffrey een aantekening zag dat er meer materiaal voor handen was op het kantoor van de gerechtelijke patholoog-anatoom, begreep hij waarom.
Kelly pakte de boodschappen uit en Jeffrey ging op de bank zitten lezen. Hij zag dat er een toxicologisch onderzoek was verricht, maar dat er daarbij niets verdachts aan het licht was gekomen. Wel bleek er bij weefselonderzoek schade te zijn geconstateerd aan de zenuwcellen van de dorsale ganglia en aan de hartspier.
Kelly kwam naast hem zitten en hij voelde aan dat ze hem iets belangrijks te vertellen had.
'We hebben vandaag in het ziekenhuis een ernstige complicatie gehad bij een plaatselijke anesthesie,' begon ze. 'Niemand heeft het

hardop willen zeggen, maar volgens mij ging het om een epidurale anesthesie. De patiënte was een jonge vrouw, Karen Hodges.'

'Wat is er gebeurd?'

'Ze is overleden.'

'Marcaine?' vroeg Jeffrey.

'Ik ben er niet zeker van, maar naar alle waarschijnlijkheid zal ik dat morgen wel kunnen achterhalen. Het middel is in ieder geval al wel door iemand genoemd.'

'Slachtoffer nummer vijf,' zei Jeffrey.

'Waar heb je het over?'

Jeffrey vertelde haar wat hij die dag had ontdekt. 'Het feit dat de ongevallen zich in vier verschillende ziekenhuizen hebben voorgedaan, versterkt mijn vermoeden dat er opzet in het spel is. We hebben te maken met iemand die slim genoeg is om te weten dat meerdere ongevallen door een epidurale anesthesie in één ziekenhuis tot een officieel onderzoek zouden kunnen leiden.'

'Dus je denkt nu echt dat er iemand achter zit?'

'Ik ben er vrijwel zeker van. Ik ben vanmiddag ook naar de medische bibliotheek gegaan en een van de dingen die ik daar heb gedaan, was controleren of middelen voor een plaatselijke anesthesie in het algemeen en Marcaine in het bijzonder inderdaad geen schade kunnen toebrengen aan cellen. Ik had gelijk. Wanneer er uitsluitend Marcaine wordt toegediend, is zoiets volstrekt onmogelijk.'

'Waar is die schade dan wel door veroorzaakt?'

'Dat weet ik nog steeds niet. Ik heb in die bibliotheek ook veel gelezen over vergiften en dat heeft me ervan overtuigd dat het geen traditioneel vergif kan zijn, omdat zoiets bij een toxicologisch onderzoek direct zou zijn opgespoord. Dus ben ik geneigd aan een toxine te denken.'

'Is dat dan iets anders dan een vergif?'

'Nee, maar vergif is wel een algemenere term. Dat kun je gebruiken voor alles wat schade veroorzaakt aan cellen of de cellulaire functies verstoort. Bij een vergif denkt men gewoonlijk aan kwik, nicotine of strychnine.'

'Of arsenicum,' vulde Kelly aan.

'Inderdaad. Dat zijn allemaal anorganische chemicaliën of elementen. Een toxine is echter een soort giftstof dat het produkt is van een levende cel. Zoals de toxine die het toxische shocksyndroom veroorzaakt. Dat komt van bacteriën.'

'Zijn alle toxinen afkomstig van bacteriën?'
'Niet alle. Sommige heel sterke komen uit groenten, zoals ricine. Maar men is het meest vertrouwd met toxinen die afkomstig zijn van slangen, schorpioenen en bepaalde spinnen. Wat er ook in die Marcaine is gedaan, het moet ontzettend krachtig zijn. Iets wat bij een zeer kleine dosering al fatale gevolgen heeft en tegelijkertijd veel overeenkomsten vertoont met een middel waarmee een locale anesthesie kan worden gegeven. Anders zou er wel eerder iemand zijn geweest die achterdocht koesterde. Het verschil is natuurlijk dat door dat middel de zenuwcellen worden vernietigd, in plaats van dat hun werking tijdelijk wordt geblokkeerd.'
'Maar waarom is het dan bij een toxicologisch onderzoek niet waar te nemen?'
'Om twee redenen. In de eerste plaats is de dosering waarschijnlijk zo minimaal dat het spul bij een weefselonderzoek nauwelijks te traceren is. In de tweede plaats is het organisch. Om op een toxicologisch laboratorium alle organische componenten in een stukje weefsel van elkaar te kunnen scheiden, maakt men gebruik van een instrument dat een gaschromatograaf wordt genoemd. Dat instrument is echter niet in staat alle componenten perfect van elkaar te scheiden. Overlappingen zullen zich altijd voordoen. Je krijgt een grafiek die een reeks pieken en dalen te zien geeft. Die pieken kunnen op de aanwezigheid van een aantal substanties duiden. Je hebt dan een massaspectograaf nodig om er precies achter te komen welke componenten een bepaald monster bevat. Maar een toxine kan onopgemerkt blijven binnen een van de pieken van de gaschromatograaf. Tenzij je de aanwezigheid van een bepaald component vermoedt en daar speciaal naar op zoek gaat, zul je het niet kunnen vinden.'
'Mijn hemel! Dus als dit echt met opzet wordt gedaan, zou de persoon in kwestie goed moeten weten wat hij doet. Ik bedoel... dan zou die bekend moeten zijn met de grondbeginselen van de toxicologie, nietwaar?' zei Kelly.
Jeffrey knikte. 'Onderweg van de bibliotheek hierheen heb ik daar ook nog eens uitgebreid over nagedacht. Ik denk dat de moordenaar een arts moet zijn, iemand die behoorlijk goed op de hoogte is van de fysiologie en de farmacologie. Een arts zou ook toegang hebben tot een reeks verschillende toxinen, en tot de ampullen Marcaine. Om je de waarheid te zeggen, denk ik dat een mede-anesthesist nog de meest waarschijnlijke verdachte is.'

171

'Heb je er enig idee van waarom een arts iets dergelijks zou willen doen?' vroeg Kelly.

'Dat is misschien wel nooit te achterhalen. Waarom vermoordde dokter X al die mensen? Waarom had iemand vergif gedaan in de capsules Tylenol? Ik denk niet dat iemand dat ooit met absolute zekerheid zal kunnen zeggen. Het ging duidelijk om personen die niet stabiel waren. Maar met die mededeling roep je meer vragen op dan dat je antwoorden geeft. Misschien zou je de reden moeten zoeken in de irrationele psyche van een psychotisch individu dat woedend is op de wereld, of op de medische professie, of op ziekenhuizen, en op zijn verwrongen manier denkt dat dit een juiste manier is om wraak te nemen.'

Kelly rilde. 'Het idee dat zo'n arts vrij rond kan lopen, maakt me doodsbang.'

'Mij ook,' zei Jeffrey. 'De persoon in kwestie kan zich meestal normaal gedragen, maar last hebben van psychotische perioden. Hij of zij zou de allerlaatste figuur kunnen zijn die je zou verdenken. En wie het ook is, vast staat dat hij of zij toegang moet hebben tot de operatiekamers van veel ziekenhuizen.'

'Zijn er veel artsen voor wie dat opgaat?' vroeg Kelly.

Jeffrey haalde zijn schouders op. 'Daar heb ik geen flauw idee van, maar ik denk dat ik dat nu als eerste moet nagaan. Zou jij me aan een lijst kunnen helpen van het personeel van het St. Joe's?'

'Dat denk ik wel. Ik ben heel goed bevriend met Polly Arnsdorf, de verpleegkundig directrice. Wil je een volledige lijst hebben, dus ook de namen van het niet-medisch personeel?'

'Waarom niet?' zei Jeffrey. Haar vraag deed hem denken aan het feit dat hij overal in het Boston Memorial vrij kon rondlopen dank zij zijn baan bij de huishoudelijke dienst. Hij rilde opeens, omdat hij daardoor besefte hoe kwetsbaar een ziekenhuis in feite was.

'Vind je nog altijd dat we niet naar de politie moeten gaan?' vroeg Kelly.

'Ja. Dat kunnen we nu beslist nog niet doen,' zei Jeffrey. 'Ons mag dit alles nu heel overtuigend in de oren klinken, maar we moeten niet vergeten dat we geen enkel bewijs hebben voor onze theorie. Het enige dat we op dit moment in feite doen, is speculeren. Zodra we echte bewijzen in handen hebben, kunnen we naar het bevoegd gezag gaan, maar ik ben er nog niet zeker van of dat per se de politie moet zijn.'

'Hoe langer we wachten, hoe groter de kans wordt dat de moordenaar nog eens toeslaat!'

'Dat weet ik, maar we zullen hem gegeven de huidige omstandigheden op geen enkele manier kunnen tegenhouden.'
'Of haar,' zei Kelly grimmig.
Jeffrey knikte. 'Of haar.'
'Wat zouden we kunnen doen om vaart te zetten in ons onderzoek?'
'Hoe groot is de kans dat je een volledige lijst van het personeel van het Valley Hospital in handen krijgt, liefst uit de tijd dat Chris zijn patiënt heeft verloren?'
Kelly floot. 'Dat zal niet meevallen! Hoe dan ook... ik zal het morgen meteen proberen, via Hart Ruddock of een van de hoofden van de verpleging die ik nog wel ken uit de tijd dat ik daar ook heb gewerkt.'
'Ik zal in het Memorial hetzelfde proberen,' zei Jeffrey en vroeg zich af hoe hij dat voor elkaar zou kunnen krijgen. 'Hoe eerder we die informatie in handen hebben, hoe beter het is.'
'Misschien zou ik Polly nu meteen kunnen bellen. Ze werkt gewoonlijk tot een uur of vijf,' zei Kelly.
Terwijl zij opbelde, dacht Jeffrey na over de ramp die zich die dag in het St. Joe's had voltrokken. Het bevestigde zijn theorie. Hij was er zekerder van dan ooit dat er in Boston en omgeving een dokter X rondwaarde.
Hoewel Jeffrey meende dat een arts de meest waarschijnlijke verdachte was, wist hij ook dat iedereen die over fatsoenlijke farmaceutische kennis beschikte, met de Marcaine zou kunnen hebben geknoeid. Het enige dat vereist was, was dat je bij dat middel kon komen...
Kelly legde de hoorn op de haak en liep weer naar Jeffrey toe.
'Polly heeft me een lijst toegezegd. Ze zei zelfs dat ik hem meteen zou kunnen komen halen als ik dat wil. Dus heb ik afgesproken dat ik dat zou doen.'
'Geweldig,' zei Jeffrey. 'Ik hoop dat we evenveel medewerking van de andere ziekenhuizen zullen krijgen.' Hij ging staan.
'Waar ga je heen?' vroeg Kelly.
'Ik ga met je mee.'
'Geen sprake van. Je blijft hier en ontspant je. Je ziet er beroerd uit. In plaats van wat te slapen ben je vandaag naar de medische bibliotheek gegaan, dus blijf je nu hier. Ik kom zo snel mogelijk weer terug.'
Jeffrey ging op de bank liggen en deed zijn ogen dicht. Kelly had gelijk. Hij was uitgeput. Hij hoorde haar de auto starten en wegrijden. Daarna werd het weer rustig in huis, met uitzondering van het tikken van de klok binnen en het getsjirp van een roodborstje buiten.

Jeffrey deed zijn ogen open. Hij was te rusteloos om te slapen en liep naar de telefoon in de keuken. Daar belde hij het kantoor van de gemeentelijke patholoog-anatoom en vroeg naar de autopsie van Karen Hodges.

Een secretaresse deelde hem mee dat die voor de volgende morgen op het rooster stond.

Toen belde Jeffrey Inlichtingen, om het telefoonnummer op te vragen van het Commonwealth Hospital en het Suffolk General. Hij belde het Commonwealth het eerst en vroeg naar de afdeling anesthesie. Zodra hij daarmee was doorverbonden, informeerde hij of dokter Mann nog aanwezig was.

'Dokter Lawrence Mann?'

'Ja.'

'Die werkt hier al ruim twee jaar niet meer.'

'Kunt u me zeggen waar ik hem dan zou kunnen bereiken?'

'Dat weet ik niet precies. Hij woont ergens in Londen, maar is niet meer werkzaam als arts. Ik geloof dat hij nu een antiekzaak heeft of zoiets dergelijks.'

Ongetwijfeld een gevolg van het proces dat tegen hem was gevoerd, meende Jeffrey. Hij had wel eens meer gehoord van artsen die er de brui aan gaven na een incident. Wat een verspilling van studie en talent!

Toen belde hij het Suffolk Hospital. Op de afdeling anesthesie nam een vrouw op.

'Werkt dokter Madaline Bowman nog in uw ziekenhuis?'

'Met wie spreek ik?' De stem klonk opeens een stuk onvriendelijker.

'Dokter Webber,' zei Jeffrey, snel een naam verzinnend.

'Het spijt me, dokter Webber. U spreekt met dokter Asher. Ik wilde niet onbeleefd klinken, maar uw vraag verraste me. Er zijn de laatste tijd niet zoveel mensen meer die naar dokter Bowman vragen. Ze heeft een aantal jaren geleden helaas zelfmoord gepleegd.'

Jeffrey legde de hoorn op de haak. De patiënten die op de operatietafel waren gestorven, waren niet de enige slachtoffers van de moordenaar. Wat een spoor van vernietiging! Maar wie kon daar verantwoordelijk voor zijn, en waarom? Jeffrey was vastberadener dan ooit dit tot op de bodem uit te zoeken.

Hij liep naar de studeerkamer van Chris. Daar pakte hij het handboek toxicologie dat hij de eerste keer dat hij daar was, al even had gezien en nam het mee naar de huiskamer. Nadat hij zijn schoenen had uitgetrokken, ging hij op de bank liggen.

Devlin trapte op de rem en zette zijn auto langs de stoeprand neer. Toen keek hij naar de voorgevel van het huis. Het was een onopvallend bakstenen huis, zoals zovele in de directe omgeving van Boston. Hij raadpleegde zijn lijst. Hier moest een zekere Jack Everson wonen.

Devlin was al op zeven Everson-adressen geweest. Tot dusverre had hij nog totaal geen succes geboekt en inmiddels begon hij zich af te vragen of deze zoektocht wel zinvol was. Zelfs als hij die Chris Everson vond, was het nog niet zeker dat die man hem naar Rhodes zou kunnen leiden.

Devlin had ook ontdekt dat Eversons niet al te zeer tot medewerking bereid waren. Je zou bijna denken dat hij die mensen naar hun seksleven vroeg, in plaats van naar het bestaan van een zekere Chris Everson! Devlin vroeg zich af waarom iedereen in Boston zo paranoïde leek.

Hij verliet de auto en rekte zich uit. Toen liep hij het kleine trapje naar de voordeur op en belde aan. Hij hoopte dat er iemand thuis zou zijn, want anders zou hij later nog een keer terug moeten komen.

Hij belde nogmaals. Net toen hij zich wilde omdraaien, zag hij iemand naar hem kijken door de ruit naast de voordeur. Een lelijke man met een fikse bierbuik en een stoppelbaard van minstens een dag of vijf.

Devlin riep dat hij hem iets wilde vragen. De man deed de deur een heel klein stukje open.

'Goedenavond,' zei Devlin. 'Het spijt me dat ik u stoor, maar...'

'Heb je me niet gehoord?' snauwde de man. 'Maak dat je wegkomt, anders komen er problemen.'

'Problemen?' herhaalde Devlin.

De man wilde de deur dicht doen, maar Devlin verloor zijn geduld en zette snel zijn voet ertussen. Een seconde later had hij de man in zijn nekvel gegrepen.

'Ik wil je een vraag stellen, en wel of je een zekere Chris Everson kent.' Hij liet de man los, die meteen begon te hoesten.

'Laat me niet te lang wachten!' zei Devlin waarschuwend.

'Ik heet Jack. Jack Everson.'

'Dat weet ik. Maar ken je een zekere Chris Everson? Heb je ooit wel eens van die man gehoord? Het zou een arts kunnen zijn.'

'Nooit van hem gehoord.'

Devlin liep terug naar zijn auto, streepte Jack Everson door en keek naar het volgende adres op zijn lijstje. K.C. Everson in

175

Brookline. Hij startte de wagen. Door dat telefoongesprek wist hij al dat de K voor Kelly stond. Waar zou de C een afkorting van zijn? Hij draaide Washington Street op en ging toen via Chestnut Hill Avenue door naar Brookline.

'Mevrouw Arnsdorf kan u nu ontvangen,' zei de secretaris, die een jaar of twee jonger moest zijn dan Trent. Hij zag er stevig uit en Trent vroeg zich af wat een verpleegkundig directrice met een mannelijke secretaris deed. Het zou wel een soort machtsvertoon van die vrouw zijn. Trent vond Polly Arnsdorf niet aardig. Hij stond op uit zijn stoel en rekte zich eens uit. De vrouw had hem een half uur laten wachten en nu had hij geen haast. Hij smeet het oude exemplaar van *Time* op het lage tafeltje neer, keek naar de secretaris en zag die man naar hem staren.

'Is er iets mis?'

'Ik zou u willen voorstellen een beetje haast te maken, want mevrouw Arnsdorf heeft al een overvolle agenda.'

Barst! dacht Trent. Hij vroeg zich af waarom bestuurders altijd dachten dat ze minder tijd hadden dan normale mensen. Toen rekte hij zich nog eens uit en liep naar het kantoor.

Trent moest glimlachen toen hij de vrouw zag. Al die types zagen er hetzelfde uit: echte kenaus. Hij haatte het type. Omdat hij nooit langer in een ziekenhuis bleef dan een maand of acht, had hij in de afgelopen twee jaar meer van die dames gezien dan hem lief was. Maar vandaag zou hij van het onderhoud genieten. Hij vond het heerlijk moeilijkheden te creëren voor de leiding van een ziekenhuis en gezien het ernstige tekort aan verplegend personeel wist hij hoe hij dat moest doen.

'Meneer Harding?' zei mevrouw Arnsdorf. 'Wat kan ik voor u doen? Het spijt me dat ik u moest laten wachten, maar u zult dat wel kunnen begrijpen gezien het probleem dat we vandaag op de operatieafdeling hebben gehad.'

Trent glimlachte in zichzelf. Dat begreep hij inderdaad. Ze moest eens weten hoe goed!

'Ik kan u vertellen dat ik met ingang van heden mijn ontslag neem,' zei hij.

'Het spijt me dat te horen. Is er iets wat u dwars zit?'

'Ik heb het gevoel dat er hier geen volledig gebruik wordt gemaakt van mijn capaciteiten. Zoals u weet, heb ik bij de marine gewerkt en daar kon ik aanzienlijk autonomer optreden.'

'Misschien kunnen we u overplaatsen naar een andere afdeling?'
'Ik ben bang dat dat geen oplossing zou zijn. Ik werk namelijk graag op een operatieafdeling en ik heb besloten bij het Boston City Hospital te solliciteren. Ik denk dat ik in een academisch ziekenhuis beter tot mijn recht zal kunnen komen.'
'Bent u er zeker van dat u hier niet nog eens over wilt nadenken?'
'Ja. Er komt namelijk nog iets anders bij. Ik heb het hier nooit goed kunnen vinden met de hoofdzuster, mevrouw Raleigh. Zij is niet in staat haar zaken fatsoenlijk op orde te houden, als u begrijpt wat ik bedoel.'
'Daar ben ik niet zeker van,' antwoordde mevrouw Arnsdorf.
Trent overhandigde haar een lijst waarop hij had genoteerd wat zijns inziens de problemen op de operatieafdeling waren. Hij had altijd al een grote minachting voor mevrouw Raleigh gehad, en hoopte dat dit onderhoud enige zeer onplezierige gevolgen voor haar zou krijgen.
Toen Trent het kantoor van de directrice weer uitliep, voelde hij zich geweldig. Nog geen half uurtje later drentelde hij op zijn dooie gemak het ziekenhuis uit, met een sloop waarin hij al zijn spulletjes had opgeborgen. Alles was stukken beter gegaan dan hij had gehoopt. Zou hij nu meteen naar het Boston City gaan om te solliciteren? Hij keek op zijn horloge en zag dat het daar al te laat voor was. Morgen was er weer een dag. Toen begon hij zich af te vragen waar hij na Boston City naar toe zou gaan. Misschien naar San Francisco. Hij had gehoord dat het een stad was waar een kerel zich prima kon amuseren.

Toen de bel voor de eerste keer overging, verwerkte Jeffrey's geest dat gegeven keurig netjes in de droom die hij net had. Hij was weer aan het studeren aan de universiteit en moest een tentamen doen in een vak waarvoor hij vergeten was college te volgen. Het was een afschuwelijke droom, omdat hij zijn studie altijd heel serieus had opgevat.
Jeffrey was in slaap gevallen met het dikke handboek op zijn borst. Toen de bel een tweede keer overging, deed hij zijn ogen open en viel het boek met een klap op de grond. Hij schoot overeind en het duurde even voordat hij besefte waar hij was.
Een seconde later realiseerde hij zich dat Kelly niet open kon doen omdat ze naar het St. Joe's was vertrokken. Hij stond op, maar te snel, waardoor hij duizelig werd en zich aan de bank moest vast-

houden om niet te vallen. Toen liep hij naar de voordeur.

Net toen hij de deur open wilde doen, ontdekte hij het kijkgaatje. Hij keek erdoorheen en zijn hart klopte meteen in zijn keel toen hij de dikke neus en rode, waterige ogen van Devlin zag.

De bel ging nogmaals. Jeffrey dook weg en deed snel een stap naar achteren. Waar kon hij naar toe? Wat kon hij doen? Hoe had die man hem weten te vinden? Hij was doodsbang opgepakt of neergeschoten te worden, zeker nu hij en Kelly duidelijke voortgang hadden geboekt. Als ze nu niet de volledige waarheid ontdekten, zouden er nog meer moorden worden gepleegd. Daar twijfelde hij inmiddels nauwelijks meer aan.

Tot zijn afschuw zag Jeffrey dat de deurkruk werd omgedraaid. Hij was er vrij zeker van dat Kelly de deur op slot had gedaan, maar uit ervaring wist hij dat Devlin zich daar niet door zou laten weerhouden. Jeffrey zag hoe de deurknop de andere kant op werd gedraaid. Hij deed nog een stap naar achteren en botste tegen het haltafeltje op.

Daarop stond een zilveren theestel, dat met veel gekletter op de grond viel. De bel rinkelde weer, meerdere malen achter elkaar. Het was gebeurd. Devlin moest de klap hebben gehoord.

Even later zag hij Devlins kop voor het raam van de eetkamer verschijnen. De man drukte zijn handen langs zijn gezicht tegen het glas en keek naar binnen. Jeffrey liet zich op de grond vallen en kroop op handen en voeten weg achter de eettafel. Vandaar kroop hij verder naar de keuken.

Toen ging hij weer staan. Hij wist dat hij zich ergens zou moeten verbergen en zag opeens de deur naar de bijkeuken half open staan. Hij rende naar binnen en daardoor viel er een bezem op de keukenvloer.

Dat gaf zo'n klap dat het Jeffrey verbaasde dat Devlin zich niet meteen schietend een weg naar binnen baande. Snel duwde hij de deur dicht. Er streek iets langs zijn been. Jeffrey schrok zich vrijwel dood. Toen zag hij dat het Delilah was, de zwangere kat. Wat zou er verder nog meer mis kunnen gaan? vroeg hij zich af.

Nadat er even hard op de voordeur werd gebonsd, werd het opeens doodstil. Jeffrey transpireerde hevig en spitste zijn oren, in de hoop dat een of ander geluid hem duidelijk zou kunnen maken wat Devlin verder van plan was.

Achter het huis hoorde hij voetstappen en weer werd er aan een deur getrokken, zo woest dat Jeffrey de indruk had dat die ieder moment van zijn scharnieren kon worden gescheurd. De deur bij het terras was van glas en hij verwachtte ieder moment gerinkel te horen. In plaats daarvan werd het opnieuw stil. Er gingen twee minuten voorbij, drie. Daarna raakte Jeffrey het tijdbesef een beetje kwijt. Waarschijnlijk na een minuut of tien durfde hij de kruk van de deur van de bijkeuken los te laten en haalde eens diep adem. Het had een eeuwigheid geleken!

Delilah leek graag wat aandacht te willen hebben. Ze bleef maar kopjes geven. Hij boog zich en gaf het dier een paar aaien over haar kop. Na een tijdje had Jeffrey er geen idee meer van hoe lang hij al in de bijkeuken stond. Hij kon niets zien in het pikdonker en zijn hart leek in zijn oren te bonken. Het zweet druppelde van zijn voorhoofd af, want de bijkeuken was in feite niet veel meer dan een vrij ruime kast, die bovendien behoorlijk vol stond.

Opeens hoorde hij een ander geluid. Hij ging kaarsrechtop staan en spitste zijn oren. Een seconde later hoorde hij de voordeur dicht-slaan en dat maakte in de doodse stilte een ogenschijnlijk oorver-dovend kabaal.

Het was Devlin gelukt binnen te komen! Opnieuw maakte Jeffrey zich zorgen over de bezem, die ongetwijfeld in de richting van de deur naar de bijkeuken moest wijzen. Hij wenste dat hij hem weer had opgepakt, maar nu kon hij daar toch niets meer aan verande-ren. Het enige dat hij kon doen, was hopen dat Devlin naar boven zou gaan, zodat hij, Jeffrey, via de achterdeur zou kunnen ontsnappen.

Hij hoorde voetstappen in de keuken en toen werd het opeens weer stil. Jeffrey hield zijn adem in en stelde zich al voor hoe Devlin naar de deur stond te kijken en zich op zijn hoofd krabde. Hij duwde de deur dicht, zo hard hij kon, en hoopte dat Devlin daardoor de indruk zou krijgen dat die op slot was.

Er werd inderdaad aan de andere kant tegen de deur geduwd, en nog eens, en nog eens, tot Jeffrey hem niet meer kon houden. Hij viel op de grond en bracht zijn handen naar zijn hoofd om dat te beschermen.

Kelly slaakte een gil. Delilah rende de huiskamer in.

Jeffrey en Kelly stonden elkaar enige seconden lang verbijsterd aan te kijken. Zij was de eerste die zich herstelde.

'Is dit een nieuw spelletje of zo? Was het je bedoeling me de stui-pen op het lijf te jagen? Ik ben hier op mijn tenen naar toe gelopen, omdat ik dacht dat je wel zou slapen.'

Jeffrey pakte haar hand vast en trok haar tegen de muur aan die de eetkamer van de keuken scheidde.

'Wat doe je nu weer?'

'Weet je nog van die man die op me heeft geschoten? Die Devlin?' fluisterde hij.

Kelly knikte.

'Hij stond daarnet voor de voordeur en heeft ook geprobeerd achterom binnen te komen.'

'Ik heb niemand gezien toen ik thuiskwam.'

'Ben je daar volkomen zeker van?'

'Vrijwel, maar ik wil nog wel even gaan kijken.' Ze wilde weglopen, maar Jeffrey pakte meteen haar arm weer vast en toen zag ze eigenlijk pas hoe bang hij was.

'Hij kan gewapend zijn.'

'Moet ik de politie bellen?'

'Nee,' zei Jeffrey. Hij wist niet wat ze nu moesten doen.

'Ga jij maar even terug naar de bijkeuken, terwijl ik hier wat rondkijk,' zei Kelly.

Jeffrey knikte.

Kelly liep naar de voordeur en controleerde de voorzijde van het huis. Toen liep ze door de tuin naar achteren. Op het terras zag ze een paar modderige voetafdrukken, maar dat was alles. Ze ging weer naar binnen en riep Jeffrey toe dat de kust veilig was.

Ook Jeffrey maakte een ronde, eerst binnenshuis en toen buiten, om het huis heen. Hij vroeg zich verbaasd af waarom Devlin was vertrokken.

Ze liepen weer naar binnen. 'Hoe kan die vent me in vredesnaam hebben gevonden?' vroeg Jeffrey. Ik heb niemand verteld dat ik hier ben. Heb jij er soms wel met iemand over gesproken?'

'Nee, absoluut niet.'

Jeffrey liep naar de logeerkamer en trok de duffelse tas onder het bed vandaan. 'Wat doe je?' vroeg Kelly, die in de deuropening stond.

'Ik moet weg voordat die vent weer terugkomt.'

'Wacht nu eens even. Dit moeten we als verstandige mensen rustig bespreken,' zei Kelly. 'We hadden toch afgesproken dat we dit samen aan zouden pakken?'

'Ik moet weg zijn als die man terugkomt!'

'Denk je echt dat Devlin weet dat jij hier bent?'

'Dat lijkt me duidelijk. Hij zal heus niet gaan aanbellen bij ieder huis hier in Boston.'

'Je hoeft niet sarcastisch te gaan doen.'

'Sorry, maar ik gedraag me niet zo tactvol als ik doodsbang ben.'
'Ik denk dat er een goede reden is waarom hij hierheen is gekomen. Je hebt me verteld dat je de aantekeningen van Chris in die hotelkamer hebt moeten achterlaten. De naam van Chris staat erop en ik denk dat die man mij gewoon een paar vragen heeft willen stellen.'
'Denk je dat echt?' vroeg Jeffrey, die best wel oren had naar deze verklaring.
'Ja. Hoe langer ik erover nadenk, hoe logischer die verklaring me lijkt. Waarom zou hij anders weer zijn vertrokken? Als hij wist dat je hier was, zou hij buiten beslist hebben gewacht tot jij je liet zien.'
Jeffrey knikte. Haar opmerkingen sneden inderdaad hout.
'Volgens mij is er wel degelijk een kans dat hij terugkomt, maar niet omdat hij denkt dat jij hier bent,' ging Kelly door. 'We zullen alleen nog voorzichtiger moeten zijn en een verklaring moeten zien te bedenken voor het feit dat je Chris' aantekeningen bij je had.'
Jeffrey knikte nogmaals.
'Weet jij iets?' vroeg ze.
Jeffrey haalde zijn schouders op. 'We zijn beiden anesthesisten. Je zou kunnen zeggen dat Chris en ik met een wetenschappelijk onderzoek bezig waren.'
'Misschien moeten we iets beters verzinnen,' zei Kelly, 'maar het idee op zich is zo gek nog niet. In ieder geval blijf jij hier, dus leg die tas maar weer onder het bed.' Ze draaide zich om en liep weg.
Jeffrey loosde een zucht van opluchting, duwde de tas terug en liep achter Kelly aan.
Het eerste dat ze deed, was overal de gordijnen dichttrekken. Toen liep ze naar de keuken en borg de bezem op, waarna ze Jeffrey de envelop van St. Joe's overhandigde. Daarin zat een lijst van het voltallige personeel.
Jeffrey ging op de bank zitten om de lange lijst te bestuderen. Hij begon met de verpleegkundige staf, om te kijken of hem soms een naam opviel van iemand die in het Memorial werkte en tevens toegang had tot het St. Joe's.
'Zal ik iets te eten klaarmaken?' vroeg Kelly.
'Hmmm. Veel honger heb ik niet, na alle ellende van daarnet, maar een hapje eten kan geen kwaad, denk ik.'

11

'Sorry dat ik u stoor,' begon Devlin. Een vrouw van ergens in de zestig, met wit haar, had net de deur geopend van haar huis in Newton. Ze was onberispelijk gekleed in een witlinnen rok met een blauwe trui en had een parelketting om. Ze pakte haar bril, die aan een gouden kettinkje aan haar hals hing.

'Mijn hemel, jongeman, je lijkt wel iemand van de Hell's Angels!'

'Dat is me wel eens eerder gezegd, mevrouw, maar om u de waarheid te zeggen, heb ik nog nooit op een motor gezeten. Die dingen zijn mij gewoon te gevaarlijk!'

'Waarom kleed je je dan zo opvallend en eigenaardig?'

Devlin keek de vrouw aan. Ze leek er werkelijk belangstelling voor te hebben. 'Wilt u dat echt weten?' vroeg hij.

'Ik ben altijd geïnteresseerd in de beweegredenen van jonge mensen.'

Devlin werd helemaal warm van binnen door het idee dat zij hem nog jong vond. Hij was nu achtenveertig en het was lang geleden dat hij zichzelf als een jonge vent had gezien. 'Ik heb gemerkt dat deze kleding me helpt bij mijn werk,' zei hij.

'En welk werk doe je dan? Je ziet er zo...' De vrouw aarzelde even, alsof ze naar het juiste woord zocht. 'Je ziet er zo intimiderend uit.'

Devlin lachte en begon toen te hoesten. Hij wist dat hij moest ophouden met roken. 'Ik ben een premiejager. Ik spoor mensen op die proberen zich aan de wet te onttrekken.'

'Wat opwindend,' zei de vrouw. 'En wat een nobel beroep!'

'Of het nobel is, weet ik niet, mevrouw. Ik doe het voor het geld.'

'Iedereen moet worden betaald. Waarom ben je naar mij toe gekomen?'

Devlin vertelde haar over Chris Everson. Hij zei dat de man niet op de vlucht was, maar hem misschien zou kunnen helpen aan inlichtingen over iemand die dat wel was.

'In mijn familie komt geen Chris voor, maar toch meen ik me te herinneren die naam een aantal jaren geleden wel eens te hebben gehoord. Ik geloof dat hij arts was.'

'Dat klinkt bemoedigend,' zei Devlin. 'Ik vermoedde zelf ook al dat die man arts moest zijn.'

'Misschien zou ik er mijn man eens naar kunnen vragen als hij thuiskomt. Die is uit de aard der zaak beter bekend met de Everson-tak binnen onze familie. Kan ik je op de een of andere manier bereiken?'

Devlin gaf haar zijn naam en het telefoonnummer van het kantoor van Michael Mosconi en zei dat ze daar altijd een boodschap kon achterlaten. Toen bedankte hij haar voor de hulp en liep terug naar de auto.

Hij schudde zijn hoofd terwijl hij de naam Ralph Everson omcirkelde. Als hij geen betere aanwijzingen kreeg en die vrouw niet terugbelde, zou het de moeite waard kunnen zijn nogmaals hierheen te gaan.

Devlin startte zijn wagen en reed de straat weer uit. Hij ging naar Dedham, waar twee Eversons stonden geregistreerd. Hij was van plan naar Dedham, Canton en Milton te gaan en dan weer terug te keren naar Boston zelf.

Hij reed via Hammond Street en La Grange de oude hoofdweg op naar het centrum van Dedham. Onder het rijden moest hij lachen om de diverse ervaringen die hij inmiddels had opgedaan. Bij Kelly C. Eversons huis was hij er bijvoorbeeld zeker van geweest dat er iemand thuis was en daarom had hij dat adres ook omcirkeld. Als hij niets wijzer werd, wilde hij ook daar nog eens langs gaan. Het vinden van die Rhodes was beslist niet zo makkelijk als hij in eerste instantie had gedacht. Nu pas begon hij zich af te vragen waarom de man was veroordeeld. Normaal gesproken hield hij zich daar niet mee bezig, alleen wanneer het van belang was voor de keuze van het wapen dat hij zou meenemen. Met de vraag of iemand schuldig of onschuldig was, had hij zich eigenlijk nooit beziggehouden.

Jeffrey Rhodes begon echter niet alleen een uitdaging, maar ook een mysterie te worden. Mosconi had hem niet veel over die man verteld, behalve dan dat verhaal over de borgtocht en de mededeling dat hij niet dacht dat Rhodes een crimineel type was. Devlin zelf had via zijn netwerk van contactpersonen in de onderwereld het een en ander laten navragen, maar ook dat had helemaal niets opgeleverd. Niemand wist iets van Jeffrey Rhodes af. Hij scheen nog nooit het verkeerde pad op te zijn gegaan en dat was iets unieks in Devlins ervaring als premiejager. Waarom dan die immens hoge borgsom? Wat had die arts gedaan?

Devlin stond ook stomverbaasd over Jeffrey's gedrag sinds hij had getracht een vliegtuig naar Rio te nemen. Rhodes gedroeg zich volstrekt niet volgens het geijkte patroon van iemand die voor de justitie op de vlucht was. Het had er zelfs alle schijn van dat de man helemaal niet meer vluchtte. Hij was ergens druk mee bezig. Devlins intuïtie vertelde hem dat zonder mankeren, zeker nadat hij die aantekeningen in het Essex Hotel had gevonden. Devlin vroeg zich af of hij er wat wijzer van zou worden als hij een van de politieartsen daar eens naar liet kijken. Nu die Eversons niets leken op te leveren, zou hij best een nieuwe benaderingshoek kunnen gebruiken.

Ondanks het feit dat Kelly nadrukkelijk zei dat Jeffrey haar niet hoefde te helpen opruimen en afwassen, deed hij dat toch.
'Er heeft zich vandaag niet alleen een tragedie afgespeeld in een van onze operatiekamers,' zei Kelly onder de afwas, 'maar ook op de Intensive Care.' 'Wat is er dan gebeurd?' vroeg Jeffrey lichtelijk afwezig, omdat hij totaal verdiept was in zijn eigen gedachten over het zijns inziens onvermijdelijke volgende bezoekje van Devlin.
'Een van onze verpleegsters is gestorven. Ze was een goede vriendin van me, en een uitstekende vakvrouw.'
'Was ze aan het werk toen dat gebeurde?'
'Nee. Ze draaide bij ons de avonddiensten. Vanmorgen is ze rond een uur of acht met een ambulance binnengebracht.'
'Had ze een ongeluk met een auto gehad?'
'Nee. Voor zover ze hebben kunnen nagaan, heeft ze een aanval van grand mal gekregen.'
Jeffrey bleef opeens stokstijf staan, omdat hem dat meteen aan Patty Owen deed denken.
'Het was afschuwelijk,' zei Kelly. 'Voor zover ik weet, moet het zijn gebeurd toen ze in bad zat of onder de douche stond. Ze heeft haar hoofd toen kennelijk zo hard gestoten dat er sprake was van een schedelbreuk.'
'Afschuwelijk. Heeft die haar dood veroorzaakt?'
'Nee, al is haar toestand daar natuurlijk wel aanzienlijk door verergerd. De ambulancebroeders hebben gemeld dat haar hartslag al heel onregelmatig was toen zij bij haar thuis arriveerden. Op onze afdeling is ze toen overleden aan de gevolgen van een hartstilstand. Ze heeft het met een pacemaker nog even volgehouden, maar niet lang.'
'Wacht eens even!' zei Jeffrey, die werkelijk stomverbaasd was over de overeenkomsten tussen de twee casussen. 'Een van jullie operatiezusters kwam op de Intensive Care terecht nadat ze een aanval

van grand mal had gekregen en er enige problemen waren met haar hart, klopt dat?'

'Dat klopt. Ik vond het zo triest, omdat ik haar goed heb gekend. Het was net alsof er een familielid van me overleed.'

'Is er een bepaalde diagnose gesteld?'

'Nee. In eerste instantie dachten ze aan een hersentumor, maar ze hebben die met de röntgenapparatuur niet kunnen ontdekken. Dus gaat men van de veronderstelling uit dat er sprake geweest moet zijn van een probleem met haar hart. In ieder geval heeft een van de internisten in opleiding dat tegen me gezegd.'

'Hoe heette ze?'

'Gail Shaffer.'

'Weet je iets van haar privé-leven af?'

'Iets. Zoals ik je al heb gezegd, was ze een vriendin van me.'

'Vertel me dan eens wat meer over haar.'

'Ze was niet getrouwd, maar volgens mij had ze wel een vaste vriend.'

'Ken je hem?'

'Nee. Ik weet alleen dat hij medicijnen studeert. Waarom word ik eigenlijk onderworpen aan dit derdegraads verhoor?'

'Dat weet ik zelf niet,' zei Jeffrey. 'Maar zodra je me over Gail begon te vertellen, moest ik aan Patty Owen denken. Het is zo'n ongebruikelijke sequentie...'

'Je wilt toch niet suggereren dat...' Kelly kon haar zin niet afmaken. Jeffrey schudde zijn hoofd. 'Ja, ik weet ook wel dat ik begin te klinken als een van die krankzinnige mensen die overal een samenzwering achter vermoeden. Het is echter zo ongebruikelijk. Ik denk dat ik op dit moment overgevoelig ben voor alles wat ook maar een beetje verdacht klinkt.'

Om elf uur 's avonds had Devlin het idee dat hij er voor de rest van de dag maar de brui aan moest geven. Het was zo laat dat je niet meer kon verwachten dat iemand nog de deur voor een onbekende opendeed. Bovendien was hij uitgeput. Hij vroeg zich af of die Chris Everson wel in de buurt van Boston of in Boston zelf woonde. Alle Eversons in de zuidelijke voorsteden hadden niets opgeleverd. Een man had hem gezegd dat hij wist dat er een dokter Everson bestond, maar dat hij niet wist waar de man woonde of werkte.

Devlin besloot nog even bij Michael Mosconi langs te gaan. Hij wist dat het al laat was, maar dat kon hem niets schelen. Hij zette zijn auto in Hanover Street neer, dubbel geparkeerd, en liep naar Unity Street, waar Michael een bescheiden, drie verdiepingen tellend huis had.

'Ik hoop dat dit betekent dat je goed nieuws voor me hebt,' zei Michael toen hij de voordeur opendeed. Hij had een satijnen kamerjas aan en zijn voeten staken in oude leren pantoffels. Zelfs mevrouw Mosconi verscheen bovenaan de trap, om te zien wie er zo laat nog langs kwam.

Mosconi nam Devlin mee naar de keuken en bood hem een biertje aan, dat enthousiast werd aanvaard.

'Krijg ik er geen glas bij?'

'Niet te veel willen hebben, mannetje!'

Devlin nam een grote slok en veegde zijn mond af met de rug van zijn hand.

'En, heb je hem te pakken gekregen?'

Devlin schudde zijn hoofd. 'Nog niet.'

'Ben je dan zomaar voor de gezelligheid even binnen komen wippen?' vroeg Mosconi met zijn gebruikelijke sarcasme.

'Nee, voor zaken. Waarom is die Jeffrey Rhodes eigenlijk veroordeeld?'

'Moord.'

'Is hij ook schuldig?'

'Hoe zou ik dat verdomme nu kunnen weten? Hij is veroordeeld en dat is voor mij voldoende. Wat maakt dat verdomme uit?'

'Dit is geen gewone zaak. Ik heb meer informatie nodig.'

Mosconi slaakte een diepe zucht. 'De man is arts. Hij schijnt te zijn veroordeeld omdat hij als arts een fout heeft gemaakt, en zelf verdovende middelen gebruikte. Meer weet ik ook niet. Devlin, wat is er in vredesnaam met jou aan de hand? Ik wil dat die Rhodes wordt gepakt. Is dat duidelijk?'

'Ik heb meer informatie nodig,' herhaalde Devlin. 'Dan kan ik gerichter gaan zoeken.'

'Misschien moet ik er iemand anders bijhalen. Of een paar mensen. Als de concurrentie groot is, zullen jullie allemaal vanzelf wel meer je best gaan doen.'

Devlin wilde geen concurrentie, want er stond te veel geld op het spel. 'We hebben in ieder geval één voordeel: de man is nog in Boston. Als je er anderen bij gaat halen, zal hij beslist opnieuw proberen naar Zuid-Amerika te vluchten.'

'Ik wil weten wanneer we die man in de gevangenis kunnen hebben.'

'Geef me nog vijf dagen de tijd, maar dan stel ik wel als eis dat je de informatie achterhaalt die ik nodig heb. Die arts is iets van plan en zodra ik weet wat dat is, kan ik hem te grazen nemen.'

Devlin liep terug naar zijn auto en kon zijn ogen nauwelijks openhouden toen hij naar zijn appartement in Charlestown reed. Maar eerst moest hij nog contact opnemen met Bill Bartley, de man die hij in de arm had genomen om Carol Rhodes in de gaten te houden. Hij belde hem via de autotelefoon.

De verbinding was niet best. Devlin moest schreeuwen om zich boven het statische geknetter verstaanbaar te maken.

'Heeft die dokter nog opgebeld?'

'Nee,' zei Bill. 'Het enige dat enigszins interessant was, was een telefoontje van een makelaar uit L.A. Wist jij dat ze gaat verhuizen?'

'Ben je er zeker van dat het Rhodes niet was?'

'Ja. Ze maakten zelfs een paar weinig vleiende grapjes over onze dokter.'

Geweldig! dacht Devlin, nadat hij de hoorn weer op de haak had gelegd. Geen wonder dat Mosconi de indruk had dat Jeffrey en Carol geen tortelduifjes meer waren. Er leek een echtscheiding aan te komen. Hij had het gevoel dat hij zijn geld wegsmeet door Bill op zijn loonlijst te houden, maar toch wilde hij geen enkel risico nemen. Nog niet.

Toen Devlin naar de ingang van zijn flatgebouw liep, voelden zijn benen loodzwaar aan. Hij wist dat hij al in slaap zou vallen voordat zijn hoofd het kussen raakte.

Hij deed het licht aan en bleef even in de deuropening staan. Zijn appartement was een troep. Overal tijdschriften en lege bierflesjes. Opeens voelde hij zich eenzaam. Vijf jaar geleden had hij een vrouw, twee kinderen en een hond gehad. Toen was hij in de verleiding gebracht. 'Kom nu, Dev. Een paar extra dollars kun je toch zeker wel gebruiken? Het enige dat je hoeft te doen, is je mond op slot houden. We doen het bijna allemaal.'

Devlin legde zijn denim jack op de bank en trapte zijn laarzen uit. Hij ging naar de keuken en pakte een blikje bier. Daarmee liep hij terug naar de huiskamer en ging op een van de versleten stoelen zitten. Herinneringen aan het verleden maakten hem altijd somber.

Het was een val geweest. Hij en een paar anderen werden veroordeeld en oneervol ontslagen. Devlin was op heterdaad betrapt, met het geld op zak, toen hij een eerste aanbetaling wilde doen op een klein huisje in Maine, zodat de kinderen in de zomer niet in de stad hoefden te blijven.

Devlin stak een sigaret op en inhaleerde diep. Toen hoestte hij hevig, maakte de sigaret weer uit en smeet de peuk in een hoek van de kamer. Hij nam nog een slok bier. Dat hielp om zijn rauwe keel te verzachten.

Het was altijd een beetje moeilijk gegaan tussen hem en Sheila, maar in het verleden hadden ze voor alle problemen altijd wel een oplossing kunnen vinden. Tot hij wegens omkoping was opgepakt. Toen was ze met de kinderen teruggegaan naar Indiana. Ze hadden gevochten om het voogdijschap, maar Devlin had in feite geen enkele kans gehad. Niet nadat hij was veroordeeld en enige tijd in de gevangenis had gezeten.

Devlin dacht opnieuw na over Jeffrey Rhodes. Ook zijn leven leek volkomen op zijn kop te zijn gezet. Wat voor een fout zou die man hebben gemaakt? Voor welke verleiding was hij bezweken? Devlin kon zich absoluut niet indenken dat die man verdovende middelen gebruikte. Hij glimlachte. Misschien had Mosconi wel gelijk wanneer hij stelde dat hij, Devlin, een dagje ouder en weekhartiger werd.

Jeffrey maakte met aanzienlijk minder enthousiasme schoon dan de nacht daarvoor en daar was David heel blij om. Omdat Jeffrey bang was geweest dat Devlin hem zou opwachten zodra hij Kelly's huis verliet, had ze aangeboden hem naar het ziekenhuis te brengen en dat aanbod had hij dankbaar aanvaard. Dus had hij zich in haar auto op de achterbank verstopt voordat ze die de garage uit reed en als extra voorzorgsmaatregel had ze ook nog eens een deken over hem heen gedrapeerd. Pas toen ze een paar kilometer verder waren, was hij over de voorbank heen geklauterd en naast Kelly gaan zitten.

Rond drie uur 's nachts kondigde David aan dat het tijd was voor de 'lunch'. Zodra David en de anderen naar de kleine lunchroom waren vertrokken, ging Jeffrey met zijn karretje naar de begane grond.

Daar liep hij langs de hoofdingang en draaide linksom, de centrale gang op. Er liepen enige mensen rond, voornamelijk ziekenhuispersoneel dat ook een hapje ging eten. Zoals gewoonlijk besteedde niemand ook maar enige aandacht aan hem, ondanks de herrie die zijn karretje onder het rijden maakte.

Jeffrey bleef staan bij het kantoor Personeelszaken. Hij was er niet zeker van of hij met zijn lopers de deur open zou kunnen krijgen, want dat kantoor werd altijd door de dagploeg schoongemaakt, zoals David hem had verteld.

De tweede sleutel bleek echter te passen. Alle lichten brandden. Jeffrey duwde zijn kar naar binnen, keek om zich heen om er volkomen zeker van te zijn dat er verder niemand was en stevende toen op de kamer van Carl Bodanski af.

Daar doorzocht hij iedere bureaulade, zonder succes. Vervolgens was de computer aan de beurt. Ook geen succes, omdat Jeffrey niet wist hoe hij de gewenste gegevens zou moeten opvragen.

Vervolgens richtte hij zijn aandacht op een dossierkast. Net toen hij een van de laden daarvan opentrok, hoorde hij de deur naar het grote kantoor opengaan. Snel dook hij weg achter de openstaande deur van Bodanski's kamer. Hij hoorde degene die binnen was gekomen door het grote kantoor heen lopen en plaats nemen achter het bureau van Bodanski's secretaresse.

Toen werd een hoorn van de haak genomen en een nummer gedraaid. 'Hallo, mam! Hoe is het met je? En hoe is het weer op Hawaï?' Jeffrey keek door de kier tussen de deur en de deurpost heen en zag David Arnold zitten.

Hij moest twintig minuten wachten terwijl David de laatste nieuwtjes met zijn moeder uitwisselde. Toen hing de man eindelijk op en ging het kantoor weer uit. Jeffrey liep terug naar de dossierkast en zag dat daarin de dossiers van alle werknemers in alfabetische volgorde waren opgeborgen.

Net toen hij de lade die hij had bekeken weer wilde sluiten, zag hij het woord 'Verzamellijsten'. Jeffrey pakte het dossier en haalde er de lijst van 1988 uit, die hij snel fotokopieerde. Het origineel werd weer keurig op zijn plaats opgeborgen, de kopie verdween op de onderste plank van zijn karretje en een paar tellen later stond hij alweer op de gang.

Hij ging niet meteen terug naar de operatieafdeling, maar liep de kant op van de apotheek. Die had een balie, waar de medicijnen die door de verschillende afdelingen waren aangevraagd, werden afgeleverd. Naast de balie was een afgesloten deur, die Jeffrey ook met een van zijn lopers kon openen.

Hij wist dat hij een risico nam, maar toch ging hij met zijn karretje naar binnen. Hij liep een grote gang door, waarop allerlei zijgangen uitkwamen met rekken vol medicijnen. Op de planken waren kaartjes aangebracht waarop stond welke medicijnen daar te vinden waren.

Jeffrey las ieder kaartje, omdat hij op zoek was naar middelen waarmee een plaatselijke verdoving kon worden toegediend.

Een van de apothekersassistenten kwam opeens aangelopen, met een arm vol flessen. De vrouw knikte hem vriendelijk toe en liep meteen verder. Jeffrey zocht door, tot hij achteraan op de gang op een van de onderste planken had gevonden wat hij zocht. Talrijke dozen met Marcaine. Makkelijk toegankelijk. Iedere apothekers-assistente zou ermee kunnen knoeien.

Jeffrey zuchtte. De lijst van mogelijke verdachten leek steeds langer te worden. Hoe zou hij de schuldige ooit kunnen vinden? In ieder geval moest hij rekening houden met de mogelijkheid dat de schul-dige in deze apotheek was te vinden. Maar daar stond wel tegen-over dat de mensen die hier werkten, zich lang niet zo vrij door het ziekenhuis konden bewegen als artsen, en zeker geen onbeperkte bewegingsvrijheid zouden genieten in andere ziekenhuizen!

Jeffrey liep de apotheek weer uit en besefte opeens dat ook leden van de huishoudelijke staf feitelijk overal in het ziekenhuis konden komen. Dat bewijs had hij inmiddels zelf geleverd. Het enige pro-bleem met die mensen was dat ze niet de vereiste vakkennis beza-ten...

Opeens bleef Jeffrey staan en dacht opnieuw aan zichzelf. Niemand wist dat hij een ervaren anesthesist was. Waarom zou iemand die evenveel wist als hij, niet eveneens kunnen solliciteren bij de huis-houdelijke dienst? Weer was de lijst van mogelijke verdachten lan-ger geworden!

Toen het tegen zevenen liep, dacht Jeffrey aan Devlin. Hij was bang dat die man zou terugkomen om Kelly te terroriseren. Als er iets met haar gebeurde, zou hij dat zichzelf nooit kunnen vergeven. Om half zeven belde hij haar op om te vragen hoe het met haar ging en of ze Devlin nog had gezien.

'Nee,' stelde ze hem gerust. 'Ik ben een halfuurtje geleden opge-staan en heb toen een rondje om het huis gemaakt. Van hem of zijn auto viel geen spoor te bekennen.'

'Misschien zou ik toch beter weer mijn intrek kunnen nemen in een hotel.'

'Ik heb liever dat je bij mij blijft, Jeffrey. Ik ben ervan overtuigd dat het geen risico's met zich meebrengt en om je de waarheid te zeg-gen voel ik me veiliger als jij bij me bent. Ik zal de achterdeur openlaten, dan hoef je niet via de voordeur naar binnen. Je kunt je door een taxi laten afzetten in de straat achter de mijne en dan tus-sen de bomen door naar mijn huis lopen.'

Jeffrey was ontroerd en besefte dat hij veel liever bij haar bleef dan dat hij opnieuw zijn intrek nam in een hotel. Hij bleef zelfs liever bij haar dan dat hij terugging naar zijn eigen huis!

'Ik zal de gordijnen dichtlaten. Niet reageren op de deurbel of de telefoon. Dan zal niemand weten dat je bij mij bent,' hoorde hij Kelly zeggen.

'Goed.'

'Ik heb echter wel één verzoek.'

'Zeg het maar.'

'Wil je me alsjeblieft niet nog eens de doodschrik op het lijf jagen als ik vanmiddag thuis kom?'

Jeffrey lachte. 'Dat beloof ik je!'

Om zeven uur bracht Jeffrey zijn karretje terug en liep de kleedruimte in om zijn normale kleren weer aan te trekken. De kopie van de verzamellijst verdween in zijn achterzak.

Op dat moment kwam David binnen. 'Je moet meteen naar het kantoor van Bodanski gaan.'

'O?' Jeffrey was doodsbang dat zijn dekmantel was doorzien.

'Frank, jij bent toch geen spion die door de directie is ingeschakeld om te controleren of wij ons werk wel goed doen?'

Jeffrey lachte zenuwachtig. 'Bepaald niet.'

'Waarom wil die man je dan om zeven uur 's morgens spreken?'

'Ik heb geen flauw idee.'

Samen liepen ze de trap op. 'Waarom lunch jij niet, zoals gewone mensen dat doen?' vroeg David verder.

'Ik heb geen honger,' zei Jeffrey afwezig. Davids achterdocht was wel het allerlaatste waar hij zich nu zorgen over maakte. Vertwijfeld vroeg hij zich af waarom Bodanski hem wilde spreken. Jeffrey had de begane grond bereikt en duwde de deur naar de centrale gang open.

Misschien had iemand hem gezien toen hij het fotokopieerapparaat gebruikte? Of wellicht had die assistente gemeld dat hij in de apotheek was gesignaleerd? Nee. In dat geval zou David de klacht vast hebben moeten afhandelen.

Jeffrey haalde eens diep adem en liep het kantoor Personeelszaken in. Daar was nog niemand. De bureaus waren leeg en de typemachines zwegen. Het enige geluid kwam van een koffiezetapparaat.

Jeffrey liep naar het kantoor van Bodanski en zag de man achter zijn bureau zitten, met een lijst voor zich en een pen in zijn hand. Jeffrey klopte tweemaal op de openstaande deur en Bodanski keek op.

'Meneer Amendola! Heel vriendelijk van u dat u bent gekomen. Neemt u plaats. Wilt u koffie?'

'Nee, dank u.'

'In de eerste plaats wil ik u vertellen dat uit de werkverslagen blijkt dat u voor ons beslist een zeer waardevolle werknemer bent.'

'Ik ben blij dat te horen.'

'We zouden graag willen dat u zo lang bij ons blijft werken als u daar zelf zin in heeft.' Bodanski schraapte zijn keel en Jeffrey kreeg opeens de indruk dat die man zenuwachtiger was dan hij. 'U zult zich wel afvragen waarom ik u vanmorgen heb verzocht hierheen te komen. U bent natuurlijk moe en zou graag naar huis en naar bed willen gaan.'

'Kom op, man!' zei Jeffrey in stilte. 'Voor de draad ermee!'

'Weet u zeker dat u geen koffie wilt?'

'Ik zou inderdaad het liefste regelrecht naar huis en naar bed gaan, dus zou u me nu misschien willen vertellen wat er aan de hand is?'

'Ja, natuurlijk. Misschien had ik de hulp van een psychiater moeten inroepen, of minstens een maatschappelijk werker. Ik houd er in principe echt niet van me met het leven van iemand anders te bemoeien.'

Jeffrey voelde aan dat er een vervelende mededeling zou volgen.

'Waar gaat het nu precies om?'

'Laat ik het zo zeggen: ik weet dat u zich verborgen heeft gehouden.'

Jeffrey's mond werd kurkdroog.

'Ik begrijp dat u ernstige problemen heeft, maar ik meende u op de een of andere manier te moeten helpen en dus heb ik uw vrouw opgebeld.'

'Mijn vrouw opgebeld?' Jeffrey kon zich niet voorstellen dat de man contact met Carol had opgenomen.

'Om u de waarheid te zeggen, is ze hier. Ze wil u dolgraag zien. Ik wilde u alleen even waarschuwen dat ze er was.'

'Heeft u de politie gebeld?' vroeg Jeffrey, die opeens kwaad werd op deze bemoeizieke man.

'Nee, natuurlijk niet.'

Bodanski stond op en Jeffrey was gedwongen achter hem aan te lopen. De personeelschef maakte de deur van een klein kantoor open, waarna een vrouw meteen snikkend op Jeffrey af rende.

Het was Carol niet. Deze vrouw was minstens vier maal zo zwaar. Haar haren waren geblondeerd en leken wel van stro.

Het snikken van de vrouw, die dicht tegen hem aangedrukt stond, werd minder. Ze liet Jeffrey los, snoot haar neus en keek hem toen aan.

'Jij bent mijn man helemaal niet!' klonk het hoogst verontwaardigd.

'Nee?' vroeg Bodanski.

'Nee!'

Jeffrey dook weg toen de vrouw op hem af wilde vliegen, en Bodanski wist duidelijk niet wat hij hiermee aan moest. Opeens vloog de vrouw op Bodanski af, gaf hem een keiharde klap midden in zijn gezicht en liet zich toen snikkend op een van de rechte stoelen zakken.

'Ik had moeten weten dat Frank nooit een baan zou hebben genomen in een ziekenhuis!' jammerde de vrouw.

Eindelijk begreep Jeffrey de situatie. Dit was mevrouw Amendola, de echtgenote van de man in het gerafelde pak. Gek dat hij daar niet eerder aan had gedacht! Op hetzelfde moment wist Jeffrey dat het niet lang zou duren voordat het ook tot Bodanski doordrong wat er hier aan de hand was, en dan zou die man nog wel eens de politie kunnen bellen.

Terwijl Bodanski de vrouw trachtte te troosten, liep Jeffrey het vertrek uit. Bodanski riep hem toe dat hij moest wachten, maar Jeffrey negeerde hem. Hij rende naar de hoofdingang, erop vertrouwend dat de man zich geroepen zou voelen bij mevrouw Amendola te blijven.

Zodra Jeffrey buiten was, ging hij langzamer lopen, omdat hij niet wilde dat iemand van de bewakingsdienst achterdocht zou gaan koesteren. Hij liep regelrecht op de rij taxi's af, stapte in de voorste en zei dat hij naar Brookline gebracht wilde worden.

'Waar in Brookline?' vroeg de chauffeur, toen ze waren weggereden.

Jeffrey noemde de straat achter Kelly's huis, zei dat hij het nummer niet wist, maar het huis meteen zou herkennen.

Jeffrey ging wat makkelijker zitten en vroeg zich af hoeveel langer zijn geest de spanningen waaraan hij de laatste tijd onderhevig was, nog zou kunnen verdragen. Bovendien was hij nu lichamelijk echt de uitputting nabij.

Jeffrey liet zich afzetten bij het huis achter dat van Kelly, betaalde de chauffeur en keek om zich heen om te zien of er ergens een spoor van Devlin te ontdekken viel. Niets te zien. Toch wachtte hij tussen de bomen nog geruime tijd voordat hij naar haar huis liep en via de achterdeur naar binnen glipte.

Pas toen hij zich ervan had vergewist dat het doodstil in huis was, deed hij de achterdeur op slot. Uit de ijskast haalde hij melk, uit de bijkeuken een pak cornflakes, en liep met dat alles naar de huiskamer. Daar ging hij zitten en legde de lijsten van het personeel van het St. Joe's en het Memorial naast elkaar.

Hij bekeek eerst de namen van de artsen en zag tot zijn verdriet dat er heel veel waren die in beide ziekenhuizen werkten. Die namen schreef hij op; het bleken er uiteindelijk in totaal meer dan dertig te zijn. Op de een of andere manier zou hij de lijst kleiner moeten maken, want de gangen van zoveel mensen zou hij nooit kunnen nagaan. De enige manier waarop hij het aantal mogelijke kandidaten kon beperken, was door nog meer lijsten te bemachtigen. Jeffrey stond op en draaide het nummer van Kelly.

'Het is fijn om je stem te horen,' zei ze. 'Ben je veilig thuisgekomen?'

'Ja. Ik bel je op om je er even aan te herinneren dat je vandaag het Valley Hospital zou bellen om naar een personeelslijst te vragen.'

'Dat heb ik gedaan en als het meezit, krijg ik hem vanmiddag al,' vertelde ze.

'Kelly, hoe heette die vriendin van jou ook alweer die gisteren is overleden?'

'Gail Shaffer. Hoezo?'

'Ik wil vandaag het kantoor van de patholoog-anatoom bezoeken om naar de autopsie van Karen Hodges te vragen en dan zou ik ook meteen kunnen proberen wat meer aan de weet te komen over Gail.'

'Je maakt me opnieuw bang.'

'Ik ben zelf ook bang.'

Jeffrey legde de hoorn op de haak en at de rest van zijn cornflakes op. Toen waste hij alles af en nam weer de lijsten ter hand. Om echt grondig te werk te gaan, zou hij ook de namen van het overige medische en het niet-medische personeel met elkaar moeten vergelijken. Dat was lastiger, omdat die niet alfabetisch, maar naar afdeling gerangschikt waren voor het St. Joe's en naar salariëring voor het Memorial.

Hij zou moeten beginnen met die namen op alfabet te zetten. Toen hij bij de E was, vielen zijn ogen vrijwel dicht. Hij werd echter weer helder toen hij de eerste naam vond die op beide lijsten voorkwam, een zekere Maureen Gallop, die op dat moment behoorde tot het huishoudelijke personeel van het St. Joe's. Hij voegde haar naam toe aan de lijst van de artsen die tot beide ziekenhuizen vrij toegang hadden.

Snel ging hij verder en vond nog een naam die tweemaal voorkwam: Trent Harding, op dat moment werkzaam als verpleger in het St. Joe's.

Het verbaasde hem dat er ook binnen die sector overlappingen waren. Snel zocht hij verder, maar het bleef bij die twee namen. Toen hij klaar was, ging hij op de bank liggen en viel meteen in een diepe, droomloze slaap. Hij werd niet eens wakker toen Delilah uit de bijkeuken kwam en opgekruld tegen hem aan ging liggen.

Zodra Trent de deur van het Boston City Hospital door was, wist hij al dat dit ziekenhuis hem aanstond. Zou wel komen door het duidelijke machosfeertje dat er hing. Hier werd serieus gewerkt, hier werden beslist geen rijke patiënten geopereerd omdat hun neus niet helemaal aan de wensen voldeed! Nu zou hij weer eens mensen zien die met schotwonden of messteken werden binnengebracht! Bij Personeelszaken waren er enige wachtenden voor hem, maar hij had al snel in de gaten dat die mensen kwamen solliciteren naar een baan binnen de huishoudelijke dienst of een van de schoonmaakploegen. Trent werd meteen doorverwezen naar een functionaris die zich bezighield met de werving van medisch personeel. Net als in alle andere ziekenhuizen zaten ze hier ook te springen om verpleegsters en vooral steviggebouwde verplegers. De laatsten werden meestal ingezet op de poliklinieken, waar de spoedopnamen ook binnenkwamen, maar Trent wilde weer gaan werken op de operatieafdeling.

Nadat hij een formulier had ingevuld, was het tijd voor een persoonlijk gesprek. Hij vroeg zich af waarom dat nodig was, want het stond toch al zonder meer vast dat hij zou worden aangenomen. Het idee dat men behoefte aan hem had, hem nodig had, stond hem bijzonder aan. Toen hij klein was, had zijn vader altijd tegen hem gezegd dat hij een waardeloos mietje was, vooral nadat Trent had besloten dat hij niet wilde meespelen met de voetbaljunioren op de legerbasis van San Antonio.

Trent keek naar de vrouw die het door hem ingevulde formulier doorlas. Volgens het naamplaatje op haar bureau heette ze Diana Mecklenburg.

Trent verheugde zich nu al op de dag dat hij hier weer binnen zou komen om aan te kondigen dat hij op staande voet ontslag nam om daarmee de dag van deze dame grondig naar de knoppen te helpen. 'Meneer Harding,' zei mevrouw Mecklenburg en keek hem door haar dikke brilleglazen heen aan. 'U heeft hier opgeschreven dat u in vier verschillende ziekenhuizen in Boston heeft gewerkt. Is dat niet een beetje ongewoon?'

Trent kwam in de verleiding hardop te kreunen. Deze dame leek werkelijk alles strikt volgens de regels te willen doen. Hoewel hij wist dat hij vrijwel alles kon zeggen zonder het risico te lopen dat hij niet werd aangenomen, besloot hij toch op veilig te spelen en mee te werken. Op dergelijke vragen was hij altijd voorbereid.

'Ieder ziekenhuis heeft me andere mogelijkheden geboden ten aanzien van specialisatie en verantwoordelijkheden,' zei Trent. 'Mijn opzet is zoveel mogelijk ervaring op te doen. Nu wil ik graag eens meemaken wat het betekent in een druk academisch ziekenhuis te werken.'

'Hmmm.'

'Ik ben niet bang om hard te werken of uitdagingen aan te nemen, maar ik wil wel één voorwaarde stellen en dat is dat ik kan werken op de operatieafdeling.'

'Ik denk niet dat dat een probleem zal zijn. Wanneer kunt u beginnen?'

Trent glimlachte. Het was iedere keer weer zo verdomd gemakkelijk.

Devlins dag verliep niet beter dan de vorige. Hij had twee Eversons bezocht, één in Peabody en één in Salem, en nu was hij onderweg naar Marblehead. Links van hem was de haven, rechts de oceaan. In ieder geval was het mooi weer en bleek de omgeving best de moeite van het bekijken waard te zijn.

Gelukkig had hij iedereen thuis getroffen en waren ze allemaal redelijk tot medewerking bereid geweest. Geen van hen had echter ooit van een Christopher Everson gehoord.

Zodra Devlin Harbour Avenue had bereikt, draaide hij naar links en keek bewonderend naar de werkelijk indrukwekkende huizen. Hij vroeg zich af hoe het zou zijn om zoveel geld te hebben dat je je iets dergelijks kon veroorloven. De afgelopen jaren had hij af en toe wel eens flink wat geld verdiend, maar dat meteen weer vergokt in Las Vegas of Atlantic City.

Het eerste dat Devlin die morgen had gedaan, was naar het hoofdbureau van politie rijden aan Berkeley Street, om daar een praatje te maken met Sawbones Bromlley. Dokter Bromlley was al sinds de negentiende eeuw aan de Bostonse politie verbonden. Zo luidde de legende in ieder geval. Hij onderzocht het personeel eens in de zoveel tijd en behandelde kleine wonden en lichte verkoudheden. Veel zelfvertrouwen straalde de man niet uit.

Devlin had hem de aantekeningen laten zien die hij uit Rhodes' hotelkamer had meegenomen en hem gevraagd waar ze over gingen. Sawbones was meteen begonnen aan een college over het zenuwstelsel. Hij had verteld dat dat uit twee delen bestond. Het ene zorgde ervoor dat je de dingen kon doen die je wilde doen, zoals drinken of iets voelen. Het andere was er om de dingen te doen waarover je niet eens wilde nadenken, zoals ademhalen of een biefstukje verorberen.

Tot daar had Devlin het allemaal nog wel kunnen volgen. Toen had Bromlley meegedeeld dat het deel waarover je niet eens wilde nadenken, ook weer uit twee delen bestond, het sympathische en het parasympathische, en dat die twee met elkaar de strijd aanbonden. Het ene maakte bijvoorbeeld je pupillen groot, het andere maakte ze klein; het ene gaf je diarree, het andere zorgde voor constipatie.

Ook dat had Devlin nog wel zo ongeveer kunnen volgen, maar toen was Bromlley gaan vertellen over middelen om patiënten te verdoven en de invloed die ze op je zenuwen konden hebben.

Daarna had Devlin steeds meer moeite gekregen met het bijbenen van het verhaal, maar hij had de arts laten doorpraten, omdat die het heerlijk vond eens een keer een aandachtig gehoor te hebben. Toen de arts zijn betoog had afgerond, had Devlin gezegd: 'Dat is allemaal geweldig, maar nu zou ik toch nog even willen terugkomen op die aantekeningen. Kunt u daarin iets vreemds ontdekken, of iets wat u verdacht vindt?'

De arts had de aantekeningen nogmaals bestudeerd en toen gezegd dat alles er in zijn ogen heel normaal uitzag en dat de tekst op zich zeer helder was. Devlin had hem bedankt en was vertrokken. Meer dan ooit was hij er nu van overtuigd dat die Everson ook een arts moest zijn.

Devlin bracht zijn auto tot stilstand voor een laag huis dat in de stijl van een ranch was gebouwd. Hij rekte zich eens behaaglijk uit en liep toen naar de voordeur. Een aantrekkelijke blondine, die ongeveer even oud moest zijn als hij, deed open. Zodra ze Devlin zag, wilde ze de deur weer dicht doen, maar hij had zijn voet al tussen de deur gezet.

'Uw voet zit tussen de deur!' zei de vrouw.

'Dat klopt. Het spijt me dat ik zo onbeschoft lijk, maar ik wil u slechts een eenvoudige vraag stellen en ik was bang dat u de deur weer dicht zou doen.'

'Ik ben een karate-expert,' zei de vrouw.

'U hoeft niet zo onaardig te doen. Ik ben op zoek naar een zekere Chris Everson en omdat dit huis op naam staat van een Everson, dacht ik dat iemand hier de man misschien zou kennen.'

'Waarom zoekt u hem?'

Dat vertelde Devlin haar en de vrouw leek zich meteen te ontspannen. 'Ik meen me te herinneren dat ik wel eens iets over hem in de krant heb gelezen.'

'In een Bostonse krant?'

'Ja. In de *Globe*. Minstens een jaar geleden. Zoveel Eversons zijn er hier niet. Mijn man en zijn familie komen oorspronkelijk uit Minnesota.'

'Kunt u zich herinneren waar dat artikel over ging?' vroeg Devlin.

'Ja. Het stond op de pagina met de overlijdensberichten. De man was dood.'

Devlin liep terug naar zijn auto en was boos op zichzelf. Stom dat hij niet aan die mogelijkheid had gedacht. Hij reed terug naar Boston en zette de auto neer bij het bevolkingsregister.

Op de eerste verdieping vulde hij een formulier in met het verzoek om een kopie van de overlijdensakte van Chris Everson. Als jaar van overlijden vulde hij 1988 in. Mocht dat niet blijken te kloppen, kon hij dat later altijd nog bijstellen. Hij betaalde vijf dollar en een kwartiertje later liep hij alweer terug naar zijn auto, met de kopie in zijn zak. Everson bleek al in 1987 te zijn overleden, maar toch had dat kleine foutje op het aanvraagformulier geen problemen gegeven.

Zodra hij achter het stuur zat, bekeek hij de akte aandachtig. Het eerste dat hij zag, was dat de man getrouwd was geweest met een zekere Kelly.

Devlin herinnerde zich haar huis. Daar had hij herrie gehoord, maar was niemand de deur komen opendoen, hoe vaak hij ook had aangebeld. Hij pakte zijn eigen lijst en vergeleek de adressen. Die stemden overeen.

Christopher Everson was inderdaad een arts geweest, zag hij verder, en even later las hij dat de man zelfmoord had gepleegd. Als officiële doodsoorzaak was een hartstilstand opgegeven, maar die was volgens een kleine notitie onderaan de bladzijde veroorzaakt doordat de man zichzelf succinylcholine had toegediend.

Succinylcholine! Hetzelfde spul waarmee Rhodes hem, Devlin, had geïnjecteerd. Het was een wonder dat hij nog in leven was!

Devlin startte de wagen en reed Tremont Street af. Hij verheugde zich erop Jeffrey Rhodes nu eindelijk in handen te krijgen. Het was druk op de weg en daardoor duurde de rit naar Brookline lang. Pas tegen enen draaide hij de straat in waar Kelly Everson woonde en reed langs haar huis. Er leek niemand thuis te zijn, maar wel viel het hem op dat alle gordijnen op de begane grond dicht waren. Gisteren waren ze open geweest. Hij kon zich nog herinneren dat hij door het raam van de zitkamer naar binnen had gekeken. Devlin glimlachte. Je hoefde niet vreselijk intelligent te zijn om te constateren dat er daar in huis iets bijzonders gaande was.

Devlin draaide, reed nogmaals langs het huis en vroeg zich af wat hij nu moest doen. Toen hij niet meteen een knoop kon doorhakken, besloot hij te wachten. Ervaring had hem geleerd dat hij het beste niets kon doen als hij niet meteen wist hoe hij tot handelen zou moeten overgaan.

12

'Houdt u het wisselgeld maar,' zei Jeffrey tegen de taxichauffeur toen hij voor het lijkenhuis uitstapte. De man zei iets dat hij niet kon verstaan en hij boog zich dichter naar hem toe.
'Sorry. Wat zei u?'
'Ik zei dat vijftig cent geen fooi mag heten.' De man reed nijdig en met piepende banden weg, nadat hij de muntjes op straat had gegooid.
Jeffrey schudde zijn hoofd en pakte ze weer op. De taxichauffeurs van Boston vormden een slag apart! Toen keek hij naar de voorgevel van het grote, oude gebouw, die met Egyptische motieven was opgesierd, maar daar niet echt mooier van was geworden.
Jeffrey ging naar binnen en volgde de pijlen naar het kantoor van de patholoog-anatoom.
'Kan ik u ergens mee van dienst zijn?' vroeg een moederlijke vrouw zodra Jeffrey op de balie af liep. Achter haar stonden vijf ouderwetse, metalen bureaus vol brieven, formulieren, enveloppen en handboeken. Jeffrey had het idee dat hij twintig jaar in de tijd was teruggegaan.
'Ik ben als arts verbonden aan het St. Joseph's Hospital,' zei hij, 'en heb belangstelling voor een autopsie die vandaag zou worden uitgevoerd. Karen Hodges.'
De vrouw pakte een lijst en keek die na. 'Ja, dat wordt gedaan door dokter Warren Seibert. Ik ben er niet zeker van waar hij nu is. Waarschijnlijk in de autopsieruimte.'
'En waar kan ik die vinden?' vroeg Jeffrey, die dit gebouw nog nooit van binnen had gezien.
'U kunt met de lift naar boven gaan, maar ik zou u willen aanraden gewoon de trap te nemen. Als u boven bent, moet u eerst naar rechts en dan weer naar links. Missen kunt u het niet.'
Jeffrey nam de trap en kon het makkelijk vinden.
De deur stond op een kiertje. Jeffrey zag drie tafels van roestvrij staal, waarop drie naakte lijken lagen, van twee mannen en een vrouw. De vrouw was jong en blond, haar huid ivoorkleurig, maar met een blauwe tint.

Bij iedere tafel waren twee mensen aan het werk. Ze hadden witte jassen aan en plastic schorten voor, en droegen allen een bril om hun ogen te beschermen, een masker voor hun neus en mond en rubberen handschoenen aan hun handen. In een hoek van de kamer was het aanrecht waar de kraan continu leek te lopen. Op de rand van dat aanrecht stond een radio, die zacht popmuziek produceerde. Jeffrey vroeg zich af wat Billy Ocean zou denken als hij dit tafereel kon gadeslaan.

Pas na ongeveer een kwartier werd Jeffrey's aanwezigheid opgemerkt, toen een van de mensen naar het aanrecht liep om een orgaan af te spoelen dat eruitzag als een lever. 'Kan ik u ergens mee van dienst zijn?' vroeg hij meteen achterdochtig.

'Ik ben op zoek naar dokter Seibert,' zei Jeffrey, die zich een beetje misselijk voelde.

'Seibert, er is iemand voor jou!' riep de man over zijn schouder.

Een van de mannen die bij het lijk van de vrouw stonden, keek op. 'Wat kan ik voor u doen?' vroeg hij, heel wat vriendelijker.

Jeffrey slikte. 'Ik ben als arts verbonden aan het St. Joe's, afdeling anesthesie. Ik zou graag weten wat uw bevindingen zijn geweest met Karen Hodges.'

Dokter Seibert knikte naar zijn assistent en liep op Jeffrey af. 'Bent u de behandelend anesthesist geweest?'

'Nee, maar ik heb gehoord dat het probleem is ontstaan bij het toedienen van een epidurale anesthesie. Het interesseert mij omdat zich in de afgelopen vier jaar minstens vier soortgelijke ongelukken hebben voorgedaan. Is er bij Karen Hodges Marcaine gebruikt?'

'Dat weet ik nog niet, maar de gegevens liggen in mijn kantoor, links voorbij de bibliotheek. Gaat u daar gerust heen. Over een kwartiertje of zo ben ik hier klaar.'

'Bent u op dit moment soms toevallig bezig met Gail Shaffer?' vroeg Jeffrey.

'Inderdaad. Voor het eerst in mijn hele carrière heb ik twee aantrekkelijke jonge vrouwen achter elkaar op mijn tafel gekregen. Geluksdag, nietwaar?'

Jeffrey reageerde daar niet op. 'Heeft u er al enig idee van wat bij haar de doodsoorzaak is geweest?'

'Kom maar eens kijken.'

Voorzichtig liep Jeffrey iets dichter naar de tafel toe.

Seibert stelde hem aan zijn assistent voor en zei toen: 'Ziet u dat?' terwijl hij op de wond op het voorhoofd wees. 'Knots van een fractuur, tot in de voorhoofdsholte.'

Jeffrey knikte en begon door zijn mond adem te halen, omdat hij de stank niet langer kon verdragen. 'Kan die klap haar dood hebben veroorzaakt?'

'Het zou kunnen, maar ik ben er niet zeker van. Ze blijkt ook hartproblemen te hebben gehad, hoewel die bij haar voor zover ze hebben kunnen nagaan, niet bekend waren. Dus zullen we ook dat moeten bekijken.'

'Drugs?'

'We hebben besloten tot een volledig toxicologisch onderzoek.'

'Wat zou u zeggen als ik beweer dat beide vrouwen wel eens vergiftigd kunnen zijn? Zou u dan andere proeven uitvoeren dan u nu van plan bent?'

Seibert hield abrupt op met werken en keek Jeffrey strak aan. 'Weet u iets dat ik zou moeten weten?' vroeg hij en zijn stem klonk opeens een stuk serieuzer.

'Laten we zeggen dat ik een hypothese heb,' reageerde Jeffrey ontwijkend. 'Beide vrouwen hebben spasmen, een grand mal en hartproblemen gekregen zonder dat iets in hun voorgeschiedenis op die mogelijkheden wees. In ieder geval heb ik dat begrepen.'

Seibert dacht even na. 'Nee, ik zou dan geen andere proeven doen,' zei hij. 'In wezen is er geen verschil tussen zelfvergiftiging, dat in de wandelgangen het recreatieve gebruik van drugs wordt genoemd, en een andere vorm van vergiftiging. In ieder geval niet vanuit pathologisch standpunt bezien. Het vergif wordt aangetroffen in het lichaam van een overledene, of niet. Ik neem aan dat ik sommige weefsels iets anders zou bekijken wanneer ik wist om welk vergif het ging, omdat bepaalde vergiften bepaalde vlekken te zien geven.'

'En een toxine?' vroeg Jeffrey.

Seibert floot. 'Dat is heel gevaarlijk spul. U doelt kennelijk op een fytotoxine of een tetrodotoxine. Van dat laatste heeft u toch wel eens gehoord, neem ik aan? Komt van de egelvis. Kunt u zich voorstellen dat dat dier in sushi-bars echt mag worden geserveerd? Ik zou het nog met geen vinger aanraken!'

Jeffrey merkte dat hij Seiberts belangstelling had gewekt. De man kon kennelijk warm lopen voor toxinen.

'Toxinen zijn iets fenomenaals,' ging Seibert verder. 'Man, als ik iemand de das om zou willen doen, zou ik zonder enige twijfel een toxine gebruiken. In negen van de tien gevallen zal niemand daarnaar op zoek gaan, omdat de doodsoorzaak een natuurlijke lijkt te zijn. Kunt u zich die Turkse diplomaat nog herinneren die in Parijs overleed? Moet een toxine zijn geweest, verborgen in de punt van een paraplu. Iemand liep langs die vent heen en prikte hem in zijn achterste. Binnen een paar minuten was hij dood. En hebben ze kunnen bepalen wat het was? Nee. Toxinen laten zich verdomd lastig identificeren.'

'Maar het is wel mogelijk?' vroeg Jeffrey.

Seibert schudde ietwat onzeker zijn hoofd. 'Daarom zou ik een toxine gebruiken als ik een einde aan het leven van iemand wilde maken. Het grote probleem is dat sommige toxinen in een heel kleine dosering voldoende kunnen zijn. Een paar moleculen zijn al genoeg om het smerige werk op te knappen. Dat betekent dat de gaschromatograaf, in combinatie met de massaspectometer, de toxine vaak niet zal kunnen ontdekken te midden van alle andere organische componenten van een monster. Maar als je weet waarnaar je moet zoeken, wordt het een wat ander verhaal, al blijft het verdomd lastig.'

'Het klinkt als een echte Catch-22,' zei Jeffrey, die zich opeens ontmoedigd voelde.

'Ja, inderdaad. Op die manier zou je een vrijwel perfecte moord kunnen plegen.'

Harold kwam terug van het aanrecht, waar hij de ingewanden van Gail Shaffer had afgespoeld. Jeffrey maakte van de gelegenheid gebruik om het plafond aandachtig te bestuderen.

'Harold, wil jij de hersenen voor je rekening nemen?' vroeg Seibert aan zijn assistent. De man knikte en ging aan het werk.

'Sorry voor deze onderbreking,' zei Jeffrey.

'Hindert niet. Het verrichten van een autopsie kan na een tijdje knap vervelend worden. Het analyseren is het leukste deel van mijn baan. Als ik ga vissen, vind ik het schoonmaken van de vis altijd een vervelend karwei en er is niet veel verschil tussen zoiets en een autopsie. Hoe komt het dat u opeens zoveel belangstelling voor toxinen heeft? Ik neem aan dat een drukbezet man zoals u niet alleen hierheen is gekomen om zomaar een paar vragen te stellen.'

'Ik heb u al verteld dat er zich de laatste vier jaar minstens vier ongelukken hebben voorgedaan tijdens het toedienen van een epidurale anesthesie. Dat is heel ongebruikelijk. Bij minstens twee van die gevallen waren de eerste symptomen heel anders dan je normaal gesproken zou verwachten.'

'Hoezo?'

Een van de andere pathologen-anatoom keek op en riep: 'Seibert, ben je van plan eindeloos met die vrouw bezig te blijven omdat ze toevallig een goed lijf had?'

'Nelson, doe niet zo idioot,' zei Seibert en draaide zich toen weer om naar Jeffrey. 'Hij is jaloers. Maar straks zal ik wel aan de slag moeten gaan met een zestigjarige alcoholicus die drie weken lang in de haven heeft gelegen. Daar word je bepaald niet vrolijker van.'

Jeffrey probeerde te glimlachen, maar dat viel niet mee.

Seibert ging weer aan de slag. 'In welk opzicht waren die symptomen dan anders?'

'Meteen nadat de Marcaine was toegediend, kregen de patiënten een opvallende parasympathische reactie in de vorm van buikpijn, speekselvloed, hevige transpiratie en zelfs heel kleine pupillen. Dat duurde een paar seconden en toen volgde er een aanval van grand mal.'

'Is dat niet gebruikelijk wanneer er sprake is van een toxische reactie op een middel voor een locale anesthesie?' vroeg Seibert.

'Ja en nee. Die hevige spasmen zouden binnen dat patroon kunnen passen. De heel kleine pupillen worden in de vakliteratuur ook wel gemeld, hoewel ik het nog nooit heb gezien en er geen enkele fysiologische verklaring voor kan bedenken. Maar de speekselvloed, het zweten en de tranenvloed worden ook in de literatuur nergens genoemd.'

'Ik begin het te begrijpen,' zei Seibert, die met een zaag aan het werk ging om het schedeldak van Gail Shaffer te lichten. 'Ik meen me te herinneren dat een middel voor een plaatselijke anesthesie impulsoverdracht bij de zenuwuitlopers blokkeert. Aanvankelijke stimulatie kan zich voordoen wanneer de remmende zenuwvezels in eerste instantie worden geblokkeerd. Klopt dat?'

'Inderdaad. Ga door.'

'En dan wordt het rustpotentiaal niet in stand gehouden omdat het uit de omgeving in de cel diffunderende natrium weer actief naar buiten wordt gewerkt.'

'U moet tijdens uw studie heel goed zijn geweest in de neurofysiologie.'

'Het is een onderwerp waar ik erg veel belangstelling voor heb. Ik heb dat alles laatst nog weer eens nagekeken in verband met een casus waarmee ik werd geconfronteerd, en er stond ook het een en ander in een artikel dat ik over tetrodotoxine heb gelezen. Weet u dat er mensen zijn die denken dat het nog wel eens als een natuurlijk middel voor een plaatselijke verdoving zou kunnen dienen?'

Het schedeldak kon worden gelicht. Jeffrey draaide zich om, omdat hij dat niet wilde zien.

'In ieder geval,' ging Seibert verder, 'meen ik te weten dat de veranderingen die zich bij een epidurale anesthesie kunnen voordoen, het sympathisch en niet het parasympathisch stelsel betreffen. Klopt dat?'

'Inderdaad.'

'Maar bestaat de kans niet dat je het middel per ongeluk rechtstreeks in de bloedsomloop injecteert?'

'Ook dat klopt en daarmee komen we dan op de spasmen en de hartproblemen. Maar een plotselinge, duidelijke stimulatie van het parasympathisch stelsel laat zich op geen enkele manier verklaren. Daardoor ga je vermoeden dat een ander middel de oorzaak moet zijn van de problemen. Iets dat dat stelsel even stimuleert.'

'Mijn hemel, wat interessant allemaal! Iets dergelijks zou een patholoog kunnen bedenken.'

'Of een anesthesist.'

'Een patholoog is ongetwijfeld beter in staat om de beste manier te bedenken om mensen om zeep te brengen.'

Jeffrey wilde daartegen protesteren, maar zag opeens in hoe belachelijk zo'n discussie zou zijn. 'Er is nog iets anders aan die twee casussen dat me niet lekker zit,' zei hij. 'Bij beide is bij de autopsie een beschadiging van de zenuwcellen geconstateerd en bij één ervan heeft een elektronenmicrograaf zelfs duidelijke ultrastructurele schade aan zenuwen en spieren te zien gegeven.'

'Echt waar? Dus moeten we een toxine zien te vinden dat spasmen veroorzaakt en cardiotoxisch is en bovendien het parasympathisch stelsel stimuleert. In ieder geval in eerste instantie. Daar zal ik toch eens een tijdje over moeten nadenken.'

'Weet u of er bij Karen Hodges in eerste instantie sprake is geweest van soortgelijke symptomen?'

'Nog niet. Ik verricht altijd eerst de autopsie en dan pak ik de casus van de patiënt er pas bij. Op die manier is de kans dat me iets ontgaat, kleiner.'

'Zou u er bezwaar tegen hebben als ik haar dossier alvast even inzie?'

'Natuurlijk niet. Dat heb ik al eerder gezegd. Ik kom zo snel mogelijk naar u toe.'

Jeffrey liep de gang op, naar het kleine kantoor van Seibert. Het was gezellig ingericht en op het bureau stond een foto van een aantrekkelijke vrouw en twee glimlachende kinderen.

Midden op het bureau lagen twee dossiers. Het bovenste was van Gail Shaffer. Dat legde Jeffrey opzij. Toen pakte hij het dossier van Karen Hodges en ging op de kunststof stoel zitten.

De behandelend anesthesist bleek William Doherty te heten. Jeffrey herinnerde zich die man vaag van symposia. Al snel zag hij dat er inderdaad Marcaine was gebruikt, in een concentratie van .5%. Te oordelen naar de toegediende dosis moest Doherty een ampul van 30 cc hebben gebruikt. Daarna las Jeffrey de beknopte samenvatting van de daaropvolgende gebeurtenissen door en moest meteen weer denken aan zijn eigen rampzalige ervaring met Patty Owen. Hij kreeg medelijden met Doherty, want hij wist maar al te goed wat die man had moeten doormaken. Impulsief pakte hij Seiberts telefoon, draaide het nummer van het St. Joseph's Hospital en vroeg naar dokter Doherty.

Toen Doherty opnam, zei Jeffrey dat hij erg met hem te doen had door wat er de dag daarvoor was gebeurd, omdat hij zelf iets dergelijks had meegemaakt.

'Met wie spreek ik?' onderbrak Doherty hem.

'Met Jeffrey Rhodes,' zei Jeffrey, die zo voor het eerst sinds dagen weer zijn eigen naam gebruikte.

'Dokter Jeffrey Rhodes, van het Memorial?'

'Ja. Ik wilde u een vraag stellen. Toen u de...'

'Ik heb van mijn advocaat de strikte opdracht gekregen deze affaire met niemand te bespreken,' onderbrak Doherty hem opnieuw.

'O. Is er al een proces tegen u aangespannen?'

'Nog niet, maar helaas houden we allemaal ernstig rekening met die mogelijkheid. Ik kan hier echt niet verder over praten, al dank ik u van harte voor uw telefoontje.'

Jeffrey legde gefrustreerd de hoorn op de haak.

'Ik heb al een paar ideeën,' zei Seibert, die op dat moment naar binnen kwam. Jeffrey zag eigenlijk nu pas hoe atletisch de man gebouwd was. Hij had blond haar en blauwe ogen en een hoekig, knap gezicht. Jeffrey meende dat hij begin dertig moest zijn.

Seibert ging achter zijn bureau zitten. 'Waar we het over hebben, is een of andere depolariserende remmer. Als je iemand met zo'n middel, zoals bijvoorbeeld acetylcholine, injecteert, zal dat meteen van invloed zijn op de synapsen en de motore eindplaatjes. Dus is er sprake van een sterke overdracht van impulsen van zenuwen op spiervezels. Daarna breekt de hel los door de vernietiging van zenuw- en spiercellen. Het enige probleem is dat er dan duidelijke spiertrekkingen zouden moeten worden geconstateerd.'

'Dat was ook zo. Er was sprake van fasciculatie,' zei Jeffrey met toenemende belangstelling. Hij had de indruk dat Seibert echt iets had ontdekt.

'Dat verbaast me niets,' zei Seibert. 'Had die Karen Hodges exact dezelfde symptomen?' Jeffrey knikte.

'Dan zouden de resultaten van het toxicologisch onderzoek nog wel eens heel interessant kunnen worden.'

'Ik heb een blik geworpen op de autopsieverslagen van twee van de vier andere patiënten die aan de gevolgen van een epidurale anesthesie zijn overleden,' zei Jeffrey. 'Bij beiden heeft een toxicologisch onderzoek niets bijzonders aan het licht gebracht.'

'Hoe heetten die vier patiënten?' vroeg Seibert en pakte pen en papier.

'Patty Owen, Henry Noble, Clark de Vries en Lucy Havalin. Ik heb gekeken naar de casussen van Owen en Noble.'

'Ik ken ze niet. Om daar wat meer over aan de weet te komen, zou ik de dossiers moeten opzoeken.'

'Bestaat de kans dat er nog monsters van hen zijn bewaard?'

'Dat zou kunnen. Die bewaren we gewoonlijk ongeveer een jaar. Wat was de meest recente casus?'

'Patty Owen. Zou u daar nog eens naar willen kijken?'

'Zoals ik u al heb gezegd, is het heel lastig om een toxine te vinden als je niet precies weet waar je naar moet zoeken. Als dat niet het geval is, moet je het op goed geluk proberen met een paar antitoxinen en er het beste van hopen.'

'Kan het aantal mogelijkheden op de een of andere manier worden beperkt?'

'Dat zou kunnen. Misschien dat het de moeite waard zou zijn dit probleem eens vanuit een andere hoek te benaderen. Stel dat er sprake is van een toxine. Hoe zouden die patiënten dat dan binnen hebben gekregen?'

Jeffrey aarzelde om met zijn dokter X-theorie op de proppen te komen. 'Laten we dat nog even buiten beschouwing laten. Toen u daarnet binnenkwam, meende ik te merken dat u iets specifieks in gedachten had.'

'Inderdaad. Ik dacht aan een groep toxinen die de deskundigen domweg versteld heeft doen staan. Zij zijn afkomstig van de huidklieren van boomkikkers in Colombia, Zuid-Amerika.'

'Zou daar in de onderhavige gevallen sprake van kunnen zijn?'

'Om die vraag met zekerheid te kunnen beantwoorden, zou ik eerst nog eens het een en ander moeten lezen, maar zover ik weet, zou het heel goed kunnen. Die toxinen zijn zo ongeveer op dezelfde manier ontdekt als curare. De Indianen vermaalden de kikkers en smeerden hun gifpijlen met het goedje in. Misschien hebben we daar wel mee te maken! Een Colombiaanse Indiaan, die op het oorlogspad is gegaan!' Seibert lachte.

'Zou u me enige literatuur daarover kunnen aanraden?' vroeg Jeffrey heel belangstellend.

'Ja, natuurlijk.' Seibert stond op en liep naar zijn dossierkast. Opeens bleef hij staan. 'Deze discussie herinnert me aan een perfecte misdaad-cocktail. Als ik met een middel voor een locale anesthesie moest knoeien, zou ik er tetrodotoxine in doen, dat sushi-gif. Omdat het effect ervan hetzelfde zou zijn als dat van een goed middel voor een locale anesthesie, zou niemand ooit achterdocht gaan koesteren. U maakt zich kennelijk zorgen over de voorbijgaande parasympathische symptomen, maar die zouden zich bij tetrodotoxine niet voordoen.'

'Ik ben bang dat u toch even iets bent vergeten,' zei Jeffrey. 'Volgens mij is tetrodotoxine reversibel. Het verlamt het vermogen om adem te halen, maar tijdens een anesthesie is dat niet van belang, omdat wij voor de patiënt kunnen ademen.'

Seibert knipte teleurgesteld met zijn vingers. 'U heeft gelijk. Dat was ik even helemaal vergeten. De functie van de cellen moet niet alleen worden geblokkeerd, ze moeten zelf ook worden vernietigd.'

Seibert trok de bovenste lade van zijn dossierkast open. 'Waar heb ik dat spul nou ook al weer gestopt?' mompelde hij. 'Aha! Hier heb ik het. Ik had het onder "kikkers" opgeborgen. Stom van me!'

In het dossier zaten kopieën van artikelen uit diverse tijdschriften en de twee mannen bladerden die enige tijd lang zwijgend door.

'Hoe komt het dat u al die artikelen bij elkaar heeft?' vroeg Jeffrey. 'In mijn vak is alles wat de dood kan veroorzaken, interessant, vooral wanneer het om zo'n effectief middel gaat als deze toxinen. Hoe zou je trouwens weerstand kunnen bieden aan giften met zulke namen? Neem deze nu bijvoorbeeld eens: histrionicotoxine.' Seibert overhandigde Jeffrey een artikel, die dat meteen begon te lezen.

'Hier hebben we nog zo'n schatje,' zei Seibert. 'Een van de meest toxische substanties die we kennen: batrachotoxine.'

'Laat me dat artikel eens zien,' zei Jeffrey. Hij herinnerde zich de naam, omdat hij die had gezien in een van de handboeken van Chris. Het artikel leek veelbelovend. De toxine werkte depolariserend op zenuwknopen en het bracht ook aanzienlijke ultrastructurele schade toe aan zenuw- en spiercellen.

'Zou het zinvol zijn specifiek naar dit toxine op zoek te gaan?' vroeg Jeffrey aan Seibert en gaf hem het artikel terug.

'Dat zou verdomd lastig zijn. Het is een steroïd alkaloïde, wat betekent dat het zich makkelijk kan verbergen in de lipiden en steroïden van de cel. Ik denk dat ik dan zou moeten experimenteren met wat spierweefsel, omdat de toxine van invloed is op de motore eindplaatjes. Om een toxine als de onderhavige te vinden, zou ik een manier moeten bedenken om het in een monster te concentreren.'

'Hoe zou zoiets moeten?'

'Als steroïd zou het worden gemetaboliseerd in de lever en worden uitgescheiden via de gal. Dus zou een monster van de gal in aanmerking moeten komen, maar daarbij zit je dan wel met een klein probleem.'

'Namelijk?'

'Dat spul doodt zo snel dat de lever nooit de kans krijgt het te metaboliseren.'

'Een van die patiënten is niet zo snel overleden als de anderen. Hij heeft kennelijk een kleinere dosis gekregen en hij heeft nog een week geleefd. Denkt u dat u iets zou kunnen doen met dat gegeven?' vroeg Jeffrey, die aan Henry Noble dacht.

'Ik denk het wel. Als die man deze toxine in zijn lichaam had, moet de hoogste concentratie ervan in de gal te vinden zijn.'

'Maar hij is bijna twee jaar geleden gestorven.'

'Dan hebben we niets meer van hem bewaard. Onze ijskasten hebben uiteindelijk maar een beperkte capaciteit.'

'Zou het opgraven van het lijk kunnen helpen?'

'Dat zou kunnen, maar dat is afhankelijk van de staat waarin dat verkeert. Als het lichaam redelijk gebalsemd en op een schaduwrijk plekje is begraven, zou het mogelijk zijn. Maar het opgraven van een lijk laat zich niet zo makkelijk regelen. Daar heb je officieel toestemming voor nodig en die wordt niet snel gegeven. De rechter moet dat doen, of een nabestaande. U zult zich wel kunnen voorstellen dat die niet direct op zoiets staat te wachten.'

Jeffrey keek op zijn horloge. Het was al over tweeën. 'Mag ik dit artikel een tijdje van u lenen?'

'Als ik het maar terug krijg,' zei Seibert. 'Ik zou u ook een telefoontje kunnen geven over de resultaten van het toxicologisch onderzoek bij Karen Hodges en het serummonster van Patty Owen, maar ik moet zeggen dat ik niet eens weet hoe u heet.'

'Sorry. Ik heet Peter Webber, maar ik ben in het ziekenhuis altijd heel moeilijk bereikbaar. Het zou makkelijker zijn als ik u bel. Wanneer zou ik dat het beste kunnen doen?'

'Morgen. Als we zoveel werk hebben, gaan we in het weekend gewoon door. Ik zal eens kijken of ik het onderzoek niet wat kan versnellen, omdat u er kennelijk zoveel belangstelling voor hebt.'

Jeffrey moest naar het Boston City Hospital lopen om een taxi te nemen. Hij stapte in en vroeg de chauffeur hem naar het St. Joseph's te brengen. Hij wilde zijn dag zo indelen dat hij met Kelly naar huis kon rijden en zij had haar auto staan op het terrein van het ziekenhuis.

Tijdens de rit keek Jeffrey het artikel over batrachotoxine door. Het was lastig lezen, omdat het heel technisch was. Maar wel stond erin dat de toxine beslist blijvende schade veroorzaakte aan zenuw- en spiercellen en hoewel tranen- en speekselvloed en kleine pupillen niet expliciet werden genoemd, werd er wel op gezinspeeld. Verder las hij dat de toxine het parasympathisch stelsel stimuleerde en spierspasmen veroorzaakte.

In het St. Joe's vond Jeffrey Kelly op haar gebruikelijke plek, de balie van de verpleegsters bij de Intensive Care. Ze had het erg druk, want er was net een patiënt opgenomen en een nieuwe ploeg stond op het punt van aantreden. 'Ik heb maar even de tijd, maar dit is voor jou.' Ze gaf Jeffrey een envelop.

'Wat is dat?'

'De lijsten van het Valley Hospital. Hart heeft me die bezorgd. Maar ditmaal was hij wel nieuwsgierig.'

'Wat heb je hem verteld?'

'De waarheid. Dat iets aan Chris' casus me nog altijd dwars zat. Jeffrey, ik kan nu verder echt niet praten. Over een paar minuten kom ik naar je toe.'

Jeffrey ging in de kleine lounge zitten en maakte de envelop open. Er zaten twee vellen in. Op de ene stond een lijst van de artsen die daar in 1987 hadden gewerkt, naar afdeling gerangschikt, op de andere een lijst van alle overige werknemers van het ziekenhuis in datzelfde jaar.

Jeffrey pakte er meteen de lijst bij van de vierendertig artsen die toegang hadden tot het Memorial en het St. Joseph's. Nu kon hij hun aantal terugbrengen tot zes. Een van die zes was een zekere dokter Nancy Bennett, die in het Valley Hospital als anesthesist werkzaam was. Nu zou hij nog soortgelijke lijsten moeten zien te bemachtigen van het Commonwealth Hospital en het Suffolk General. Dan zou het aantal mogelijkheden ongetwijfeld nog verder worden beperkt. In feite hoopte hij dat hij dan één enkel individu zou overhouden.

Kelly kwam naar binnen en zag er even moe uit als Jeffrey zich voelde. 'Wat een dag! Vijf nieuwe patiënten!'

'Ik kan je al vertellen dat het aantal mogelijke kandidaten inmiddels tot zes is beperkt. Nu zou ik dolgraag lijsten van andere ziekenhuizen willen hebben.'

'Daar zal ik je niet bij kunnen helpen, ben ik bang. Wacht eens even! Amy heeft op de intensive care van het Suffolk gewerkt.'

'Wie is Amy?'

'Een van mijn verpleegsters hier. Ik zal eens even kijken of ze er nog is.'

Jeffrey bekeek de lijsten nogmaals. Zes was een redelijker aantal dan vierendertig! Toen besefte hij opeens dat hij de lijst van het overige personeel nog niet had gecontroleerd. Maureen Gallops naam was op deze nieuwe lijst niet te vinden, zoals hij al had verwacht. Toen zocht hij naar de naam Trent Harding en zag tot zijn grote verbazing dat die man in 1987 in het Valley Hospital werkzaam was geweest.

Jeffrey's hart begon sneller te slaan. Trent Harding had gewerkt in het Valley Hospital, het Boston Memorial èn het St. Joseph's.

Rustig blijven! hield hij zichzelf vermanend voor. Het was waarschijnlijk niet meer dan toeval. Maar wel een toeval dat zich veel moeilijker liet verklaren dan de toegang die de zes artsen tot die ziekenhuizen hadden.

Kelly verscheen weer. 'Ze was al weg, maar morgen zal ik haar meteen vragen of zij het voor je kan regelen.'

'Ik ben er niet zeker van of dat nog wel nodig is.' Hij gaf haar de tweede lijst en wees de naam Trent Harding aan. 'Die man heeft steeds op de kritieke momenten in de diverse ziekenhuizen gewerkt. Het kan natuurlijk toeval zijn, maar eerlijk gezegd kan ik dat nauwelijks geloven.'

'En hij werkt nu in het St. Joseph's.'

'Volgens de lijst die jij me hebt gegeven, wel.'

'Weet je waar?'

'Niet precies op welke afdeling, maar hij staat als verpleger ingeschreven.'

Kelly hield even geschrokken haar adem in. 'Ik heb zijn naam nog nooit gehoord, maar natuurlijk ken ik ook lang niet iedereen.'

'We moeten erachter komen waar hij werkt.'

'Dan gaan we nu meteen naar Polly Arnsdorf.'

Jeffrey pakte haar arm vast. 'Niet zo snel. We moeten voorzichtig zijn. Ik wil niet dat Polly die man bang maakt. Onthoud goed dat we geen echte bewijzen hebben. Als die Harding er een vermoeden van krijgt dat we hem verdenken, zou hij nog wel eens op de vlucht kunnen slaan en dat is wel het laatste dat we nodig hebben. Bovendien kan ik mijn echte naam niet gebruiken, want de kans bestaat dat ze die herkent.'

'Maar als die Harding de moordenaar is, kunnen we hem niet vrijuit in dit ziekenhuis rond laten blijven lopen.'

'Een paar dagen meer of minder doet er niet zoveel toe. Er is tot nu toe altijd geruime tijd verstreken tussen de incidenten.'

'En Gail?'

'We weten nog niet wat haar doodsoorzaak is geweest.'

'Maar je hebt zelf gezegd dat...'

'Ik heb gezegd dat het geval me achterdochtig maakte. Kelly, blijf rustig. Jij windt je nog meer op dan ik. We zullen heel wat meer gegevens moeten achterhalen voordat we echt met een beschuldigende vinger naar die man kunnen wijzen. Ik zeg niet dat we niet met Polly moeten gaan praten, maar we moeten wel met een goed verhaal komen.'

'Best. Hoe moet ik jou aan haar voorstellen?'

'Ik heb de naam Webber al eens gebruikt. Dus noem me maar dokter Justin Webber. En laten we over die Harding maar zeggen dat we redenen hebben om aan zijn competentie te twijfelen.'

Samen liepen ze naar beneden en moesten wachten, omdat Polly net bezig was met een telefoongesprek. Toen ze naar binnen konden, stelde Kelly Jeffrey volgens afspraak voor als dokter Justin Webber.

'Wat kan ik voor jullie doen?' vroeg Polly vriendelijk, maar zakelijk.

'We zouden graag wat inlichtingen willen hebben over een van de verplegers,' zei Kelly. 'Een zekere Trent Harding.'

'En wat willen jullie over hem horen?'

'In de eerste plaats waar hij in dit ziekenhuis werkt,' zei Jeffrey.

'Werkte,' corrigeerde Polly hem. 'Meneer Harding heeft gisteren ontslag genomen.'

'Waar werkte hij?' vroeg Jeffrey nogmaals.

'Op de operatieafdeling,' antwoordde Polly.

'Welke diensten draaide hij daar?'

'De eerste maanden werkte hij 's avonds, daarna is hij overgestapt naar de dagploeg. Tot gisteren heeft hij overdag gewerkt.'

'Verbaasde het u dat hij ontslag nam?' vroeg Jeffrey.

'Nee, niet werkelijk. Als we niet zo'n immens tekort hadden aan verplegend personeel, zou ik hem zelf al enige tijd geleden de laan hebben uitgestuurd. Hij had altijd problemen met de mensen die boven hem stonden. Niet alleen hier, maar ook in de andere instellingen waar hij heeft gewerkt. Mevrouw Raleigh heeft haar handen aan hem vol gehad, want hij meende haar voortdurend te moeten vertellen hoe je een operatieafdeling moest runnen. Maar als verpleger was hij heel goed en bovendien was het een bijzonder intelligente man.'

'Waar heeft hij verder zoal gewerkt?' vroeg Jeffrey.

'In de meeste ziekenhuizen hier in Boston. Ik geloof dat hij alleen het Boston City nog niet had gehad.'

'Wel het Commonwealth en het Suffolk General?'

Polly knikte.

'Zou ik zijn dossier mogen inzien?' vroeg Jeffrey, die zijn opwinding nauwelijks verborgen kon houden.

'Dat mag ik niet toestaan,' reageerde Polly.

Jeffrey knikte, want dat antwoord had hij al verwacht. 'Ik neem aan dat u me wel een foto van de man zou kunnen laten zien?'

'Ja.' Polly belde het verzoek aan haar secretaresse door. 'Mag ik jullie eens vragen waarom jullie zoveel belangstelling voor die man hebben?'

'We twijfelen aan zijn competentie, en aan zijn getuigschriften,' antwoordde Kelly, nadat ze even naar Jeffrey had gekeken en hij haar met een knikje te kennen had gegeven dat zij die vraag maar moest beantwoorden.

'Ik denk niet dat daar reden toe is.' De secretaresse kwam met de foto binnen en Polly gaf hem meteen aan Jeffrey. Kelly keek over zijn schouder mee.

Jeffrey had de man vele malen op de operatieafdeling van het Boston Memorial gezien. Hij herkende het heel kort geknipte, blonde haar en de stevige lichaamsbouw. Voor zover hij wist, had hij nooit met de man gesproken, maar wel had hij altijd de indruk gehad dat hij heel beleefd en nauwkeurig was. Hij zag er eerder uit als een jonge, sportieve student dan als een moordenaar.

'Heeft u er enig idee van wat de man verder van plan was?' vroeg Jeffrey aan Polly.

'Ja. Hij zei dat hij in het Boston City ging solliciteren, omdat hij ervaring wilde opdoen in een academisch ziekenhuis.'

'Zou u ons het adres en telefoonnummer van die Trent Harding kunnen geven?'

'Dat kan ik wel doen, denk ik, want die gegevens zou u ook uit een telefoongids kunnen halen.' Ze pakte een pen en een stukje papier en schreef de gevraagde gegevens, die op de achterzijde van de foto stonden, over.

Jeffrey en Kelly bedankten Polly voor het beschikbaar stellen van haar tijd en liepen snel door naar Kelly's auto.

'Trent Harding zou de moordenaar nog kunnen zijn!' zei Jeffrey opgewonden.

'Dat denk ik ook, maar ik vind wel dat het nu onze plicht is meteen naar de politie te gaan. We moeten die man een halt toeroepen voordat hij de kans krijgt nog eens toe te slaan. Als hij het echt is, moet hij krankzinnig zijn!'

'We kunnen niet naar de politie gaan, dat heb ik je al verteld. Harde bewijzen hebben we niet. We kunnen niet eens bewijzen dat de overleden patiënten waren vergiftigd! Ik heb de patholoog-anatoom gevraagd naar een toxine te zoeken, maar de kans dat hij iets vindt, is niet groot. Er zijn grenzen aan wat in toxicologisch opzicht kan.'

'Het idee dat zo iemand vrij rondloopt, maakt me doodsbang.'

'De politie zou daar niets aan kunnen veranderen, zelfs wanneer ze ons geloofden. We hebben bewijzen nodig en het eerste dat we moeten vaststellen, is of die Harding nog steeds in de stad is of niet.'

'En hoe gaan we dat doen?' vroeg Kelly, terwijl ze het contactsleuteltje omdraaide.

We rijden naar het adres dat Polly ons heeft gegeven, om te kijken of dat appartement nog bewoond is.'

'Je bent toch niet van plan met die vent te gaan praten?'

'Nee, in ieder geval nu nog niet. Op een gegeven moment zal het daar echter wel van moeten komen. Kom, rijden maar. Garden Street, Beacon Hill.'

Kelly draaide Storrow Drive op en ging toen rechtsaf Revere Street in, richting Beacon Hill. Ze zwegen, tot ze het adres hadden bereikt. Kelly zette de auto neer en trok de handrem aan, want het was een zeer steile straat.

Jeffrey boog zich langs Kelly heen en keek naar het flatgebouw, dat uit gele stenen was opgetrokken en vijf verdiepingen telde. De voordeur en de brandtrap waren hard aan een opknapbeurt toe. Op de stoep lag afval en de auto's die er geparkeerd stonden, waren rijp voor de schroot, met uitzondering van een rode Corvette.

'Ik ben zo terug,' zei Jeffrey en wilde het portier opendoen.

Kelly pakte zijn arm vast. 'Weet je zeker dat je dit moet doen?'

'Heb jij een beter idee? Ik ben trouwens alleen van plan in de grote hal even te gaan kijken of ik zijn naamplaatje kan ontdekken. Ik ben echt zo weer terug.'

Op straat bleef Jeffrey even staan en vroeg zich af of dit inderdaad wel verstandig was. Hij moest echter zekerheid hebben. Dus klemde hij zijn kaken op elkaar, stak over en liep het flatgebouw in.

Van binnen zag het er nog beroerder uit dan van buiten. Aan het plafond bengelde een kaal peertje en de deur naar het trapportaal was duidelijk ooit met een koevoet geforceerd en nooit meer gerepareerd. In een van de hoeken lag een kapotte vuilniszak, waardoor het er verre van aangenaam rook.

Bij de intercom zag Jeffrey zes naamplaatjes en Trent Hardings naam stond bovenaan. Ook bij het postvak was zijn naamplaatje aangebracht. Dat was kapot, zag Jeffrey, en hij maakte het open om te kijken of er post in zat.

Op dat moment kwam Trent Harding de hal in. Jeffrey trok snel zijn hand terug en was doodsbang dat de man hem direct zou herkennen, maar gelukkig gebeurde dat niet. Zodra hij was verdwenen, ging Jeffrey terug naar Kelly's auto. Ze was woedend.

'Die vent kwam net naar buiten! Je had er niet naar toe moeten gaan, hoor je!'

'Er is niets gebeurd en nu weten we in ieder geval zeker dat hij nog in de stad is. Ik moet wel bekennen dat ik ook behoorlijk ben geschrokken. Ik weet nog steeds niet zeker of hij de moordenaar is, maar angstaanjagend ziet hij er van dichtbij wel uit. Hij heeft een litteken onder zijn oog dat op de foto niet te zien is en in zijn ogen ligt een woeste blik.'

'Als die man de moordenaar is, moet hij krankzinnig zijn.'

Kelly wilde de auto weer starten, maar Jeffrey hield haar tegen.

'Wacht even,' zei hij en vloog de auto uit. Hij rende naar de hoek van Revere Street en kon Harding nog net in de verte zien lopen.

'Dit is een te mooie gelegenheid om voorbij te laten gaan,' zei hij, zodra hij weer naar Kelly's auto was teruggerend, maar zonder aanstalten te maken in te stappen.

'Wat bedoel je?'

'De deur naar het trapportaal van dat flatgebouw is kapot. Ik ga

215

eens even in dat appartement rondneuzen, om te kijken of ik iets kan vinden dat onze vermoedens bevestigt.'

'Dat vind ik geen goed idee. Hoe wil je trouwens binnenkomen in zijn appartement?'

Jeffrey wees op het dak. 'Trent Harding woont op de bovenste verdieping, en zoals je kunt zien is het raam naast de brandtrap open. Ik ga naar het dak, klauter dan die brandtrap een stukje af en wip naar binnen.'

'Ik zou het veel verstandiger vinden als we nu meteen weggingen.'

'Jij was degene die het een paar minuten geleden zo vreselijk vond dat die vent nog steeds vrij rondliep. Het is toch best de moeite waard eens te kijken of ik iets kan ontdekken? Ik vind echt dat we deze gelegenheid niet ongebruikt voorbij mogen laten gaan.'

'Stel dat die vent opeens terugkomt? Volgens mij kan hij jou met zijn blote handen aan stukken scheuren.'

'Ik zal snel zijn en als hij terugkomt, moet je vijf seconden wachten, tot hij de hal door is, en dan bellen. Bovenste bel. Zijn naam staat erbij.'

'Er kan iets mis gaan.'

'Er zal niets mis gaan. Vertrouw me nu maar.'

Voordat Kelly nog iets kon zeggen, was Jeffrey weer overgestoken. Hij liep de trap op en zag boven een deur. Met enige moeite kreeg hij die open en stond toen op het dak. Hij stevende regelrecht op de brandtrap af, omdat hij last had van hoogtevrees en bang was dat de moed hem al snel in de schoenen zou zakken. Heel voorzichtig ging hij naar beneden, tot hij het platformpje bij Hardings verdieping had bereikt. Daar zwaaide hij even naar Kelly en ging toen door het raam naar binnen.

Trent keek naar het tijdschrift *Playgirl*, dat in een van de rekken stond. Hij dacht erover het eens te pakken om te zien wat vrouwen nu zo aantrekkelijk vonden aan een mannenlichaam. Toch deed hij dat niet, omdat hij niet onnodig de aandacht wilde trekken, en pakte in plaats daarvan een tijdschrift over reizen, met op de omslag een imposante foto van San Francisco. Daarmee liep hij naar de toonbank, legde er een exemplaar van de *Globe* bovenop en vroeg om twee pakjes Camel zonder filter.

Nadat hij voor dat alles had betaald, liep hij weer naar buiten. Zou hij nu meteen naar een reisbureau toe gaan om een vakantie naar San Francisco te bespreken? Hij had er de tijd en het geld voor.

Nee, morgen kon hij dat ook nog wel doen. Nu was hij er te lui voor. Hij stak de straat over naar een slijterij, om een paar biertjes te kopen.

Daarna zou hij naar huis gaan om een dutje te doen. Dan zou hij het vanavond laat kunnen maken: een filmpje pakken en dan misschien op zoek gaan naar een paar flikkers die hij eens een lekkere aframmeling kon geven.

Jeffrey stond in de huiskamer en keek om zich heen naar de slecht bij elkaar passende meubels, de lege bierflesjes en de Harley-Davidson-poster. Hij was er helemaal niet zeker van wat hij verwachtte aan te treffen en was heel wat zenuwachtiger dan hij Kelly had laten merken. Stel dat een van de buren hem had gezien en de politie had gebeld? Even spitste hij zijn oren, half verwachtend dat hij in de verte de sirenes al zou kunnen horen.

Toen liep hij snel het hele appartement door. Zodra hij er zeker van was dat hij alleen was, ging hij terug naar de huiskamer en keek daar eens aandachtiger om zich heen.

Op de lage tafel zag hij enige tijdschriften over huursoldaten en een paar SM-pornobladen. Ook een stel handboeien, met de sleutel in het slot. Tegen de muur tussen de huiskamer en de slaapkamer stond een houten boekenkast vol boeken over scheikunde, fysiologie en verpleegkunde. Naast de bank stond een groot aquarium met een deksel en een boa constrictor erin. Leuk! meende Jeffrey.

Tegen een van de andere muren stond een groot bureau, dat er in tegenstelling tot de rest van het appartement keurig opgeruimd uitzag.

Jeffrey trok de middelste lade open, waarin keurig netjes papier en pennen bleken te liggen, evenals een adresboek en een chequeboek. Impulsief stopte Jeffrey dat adresboekje in zijn zak en bekeek het chequeboek. Het verbaasde hem te zien hoeveel geld Harding op zijn bankrekening had staan. Meer dan tienduizend dollar! Hij legde het chequeboek weer terug.

Net toen hij zich bukte om de onderste laden open te maken, ging de telefoon en bleef hij doodstil zitten. Na een paar maal rinkelen trad het antwoordapparaat in werking. Jeffrey kwam weer bij zijn positieven en ging verder met zoeken. In de eerste lade die hij openmaakte, zag hij dossiers over verpleegkunde en begon zich af te vragen of hij zich misschien toch had vergist over deze man.

Het antwoordapparaat klikte en hij hoorde een mannenstem.

'Hallo, Trent. Dit is Matt. Ik wilde je even zeggen hoe tevreden ik ben. Je bent fantastisch. Ik bel je nog wel. Hou je haaks.'

Jeffrey vroeg zich even af wie die Matt was en waarom hij zo tevreden was. Toen liep hij naar de slaapkamer, waarin niets anders bleek te staan dan een bed, een bureau, een nachtkastje en een stoel. De kastdeur stond open. Jeffrey zag een aantal marine-uniformen, keurig gestoomd. Waarom zou de man die in zijn kast hebben hangen?

Op het bureau stond een televisie, met daarbovenop videobanden van seksfilms, voor het merendeel van de sadomasochistische variant. Op het nachtkastje lag een boek met de titel *Gestapo*, en een geüniformeerde Duitser op de omslag, die over een naakte, geketende vrouw heen gebogen stond.

Jeffrey trok de lade van dat kastje open en vond een sok met marihuana, evenals allerlei vrouwenondergoed. Leuke jongen! dacht Jeffrey sarcastisch. Lekker stabiel ventje! Toen zag hij tussen de lingerie een stapeltje Polaroid-foto's van Trent Harding, die de man kennelijk van zichzelf had genomen. Hij lag op bed, soms met veel, soms met weinig kleren aan, en speelde op sommige met de lingerie. Jeffrey zocht er drie foto's uit, stopte die in zijn zak en legde de andere weer op hun plaats.

Toen liep hij de badkamer in en deed het licht aan. In het medicijnkastje de gebruikelijke spullen, waaronder aspirientjes en pleisters, maar niets ongewoons, zoals ampullen Marcaine.

Daarna ging Jeffrey verder met de keuken en begon de kastjes één voor één te bekijken.

Kelly trommelde met haar vingers op het stuur. Dit alles stond haar helemaal niet aan. Zenuwachtig keek ze naar het geopende raam op de vijfde verdieping. Jeffrey was nu al bijna twintig minuten weg. Wat was hij daar binnen in vredesnaam allemaal aan het doen?

Net toen Kelly ongeduldig de auto uit wilde stappen, zag ze Trent Harding, die regelrecht op de ingang van het flatgebouw afstevende. Het leed geen enkele twijfel dat de man onderweg was naar huis.

Kelly bleef even doodstil zitten toen ze de inderdaad woeste blik in de ogen van de man zag. Het leken wel de ogen van een kat, die zonder te knipperen de wereld in ogenschouw namen. Ze zag hoe hij de deur naar de grote hal opentrok en naar binnen liep.

Even later sprong Kelly de auto uit, rende de hal in en drukte met een trillende vinger op de bovenste bel. Die weigerde echter zich te laten indrukken. 'Nee!' riep ze uit. Toen keek ze eens wat beter en zag de elektriciteitsdraadjes los hangen. Ze moest iets bedenken! Wat zou ze kunnen doen? Veel mogelijkheden waren er niet.

Ze rende de straat weer op, zette haar handen aan haar mond en schreeuwde: 'Jeffrey!' Er kwam geen reactie. Ze gilde nogmaals zijn naam, en nog een keer.

Nog altijd geen reactie. Wat zou ze nu in vredesnaam nog meer kunnen doen? Ze zag in gedachten hoe Harding de trap op liep. Het zou beslist niet lang meer duren voordat hij voor de deur van zijn eigen appartement stond. Kelly rende terug naar de auto en toeterde zo hard ze kon.

Jeffrey ging rechtop staan en rekte zich uit. Hij had alle onderkastjes nagekeken en niets bijzonders kunnen vinden. In de verte hoorde hij iemand aanhoudend toeteren, maar besteedde daar verder geen enkele aandacht aan.

Hij had gehoopt dat hij inmiddels wel iets zou hebben gevonden, maar het enige dat hij tot dusverre kon doen, was constateren dat die Trent Harding een eigenaardige en mogelijk gewelddadige man moest zijn, die kennelijk ernstig twijfelde aan zijn eigen seksuele identiteit. Dat maakte hem echter nog geenszins tot een seriemoordenaar...

Jeffrey trok de keukenladen open. Ook niets bijzonders. Toen keek hij in het kastje onder het aanrecht en ontdekte in de afvalemmer oude pleisters, een paar kranten en een propaanbrander.

Die pakte hij op, om hem eens wat nauwkeuriger te bekijken. Het was een type dat werd gebruikt door mensen die zelf loodgieterswerk deden. Er was een opklapbare driepoot aan de zijkant tegenaan geplakt. Jeffrey herinnerde zich zijn eigen experiment bij het gasstel van Kelly. Een brander als deze zou de hitte veel beter richten. Toch was de aanwezigheid van het ding op zich nu niet direct voldoende om te bewijzen dat Harding met ampullen Marcaine had geknoeid.

Opeens hoorde hij zware voetstappen op de trap. Snel zette hij de brander op zijn plaats en deed de deur van het kastje dicht. Hij had de bel niet gehoord, maar toch wilde hij naar de huiskamer lopen, voor het geval dat hij zich als de bliksem uit de voeten zou moeten maken.

Toen hoorde hij een sleutel in het slot steken en bleef even stokstijf staan. Om het geopende raam te bereiken, moest hij langs de voordeur en hij wist dat hij dat niet meer zou halen. Het enige dat hij kon doen, was zich zo dicht mogelijk tegen de keukenmuur aandrukken en hopen dat hij niet zou worden gezien.

De deur werd dichtgegooid, gevolgd door het geritsel van bladen die op de lage tafel werden gesmeten. Even later werd de radio aangezet en hoorde Jeffrey keiharde rockmuziek.

Jeffrey vroeg zich af wat hij nu moest doen. Bij het keukenraam was geen brandtrap. Hij zou alleen kunnen ontsnappen door het raam aan de voorzijde, tenzij hij de voordeur op tijd zou kunnen bereiken. Daar twijfelde Jeffrey aan en bovendien zag hij dat er meerdere sloten op zaten. Die zou hij nooit snel genoeg kunnen openkrijgen. Hij moest echter iets doen, want het zou beslist niet lang meer duren voordat Trent zag dat de oude hor voor het raam was weggehaald.

Op datzelfde moment kwam Trent de keuken in, met een zestal biertjes in zijn hand, en stevende regelrecht op de ijskast af. Jeffrey maakte daar meteen gebruik van door op het raam af te rennen. Trent schrok, vloekte, liet de biertjes vallen en rende achter Jeffrey aan. Net toen Jeffrey het raam door dook, had Harding een van zijn voeten vastgepakt en trok.

Jeffrey besefte dat hij dit nooit van die veel jongere man zou kunnen winnen, trok zijn vrije been in en trapte zo hard hij kon tegen Trents borstkas. Daardoor verslapte de greep van de man op Jeffrey's been iets. Jeffrey trapte nogmaals en was vrij. Zo snel hij kon klom hij de brandtrap op.

Trent zag dat en besloot Jeffrey in het trappenhuis op te wachten. Hij pakte een klauwhamer, die altijd op zijn boekenkast lag, en ging de voordeur door.

Jeffrey was nog nooit van zijn leven zo snel geweest. Zodra hij op het dak stond, rende hij naar de hogere muur van het huis ernaast, klauterde erop en rende door naar de deur die naar het trappenhuis moest leiden. Die zat op slot! Hij klom door naar het volgende dak en terwijl hij dat deed, hoorde hij dat Trent inmiddels het dak van zijn flatgebouw had bereikt, omdat de deur daar met een denderende klap open werd gesmeten.

Tot Jeffrey's immense opluchting bleek de deur op het dak van het tweede huis wel open te gaan. Hij dook naar binnen en wilde de deur op slot doen, maar het slot bleek kapot te zijn. Wel zag hij een haak en een oog. Met trillende handen zette hij de haak in het oog en een seconde later hoorde hij Trent aan de andere kant tegen de deur aan vliegen.

Jeffrey rende de trap af. Toen hij twee verdiepingen lager was, had Trent de deur boven met zijn hamer geforceerd. Zo snel Jeffrey's benen hem dragen konden rende hij verder, tot hij de straat had bereikt.

Kelly stond naast haar auto.

'Rijden!' schreeuwde Jeffrey haar toe, terwijl hij het portier openrukte. Net toen Kelly de motor had gestart, verscheen Trent, en zodra ze met piepende banden wegreed, hoorden ze een doffe klap op het dak van de auto. Trent had zijn hamer hun kant op gesmeten.

Kelly reed keihard door en beiden zwegen, tot ze voor een rood licht moesten stoppen. Toen keek Kelly Jeffrey woedend aan. 'Ik had je nog zo gezegd dat je niet naar binnen moest gaan. En jij maar beweren dat er niets zou gebeuren!'

'Jij had moeten bellen!'

'Dat heb ik geprobeerd, maar die bel was kapot, uilskuiken! Dat had je eerst wel eens mogen controleren, maar natuurlijk had meneer dat niet gedaan. Je had wel dood kunnen zijn. Waarom heb ik je in vredesnaam daar naar binnen laten gaan?'

Ze konden weer verder rijden. Jeffrey zweeg. Wat kon hij zeggen? Ze had gelijk. Hij had er niet naar binnen moeten gaan, maar het had zo'n ideale kans geleken.

'Heb je op zijn minst iets gevonden waardoor je dit gedoe kan rechtvaardigen?' vroeg Kelly na een tijdje.

Jeffrey schudde zijn hoofd. 'Niet echt. Ik heb een propaanbrander gevonden, maar dat kan nauwelijks als een sluitend bewijsstuk worden aangemerkt.'

'Geen buisjes vergif op de keukentafel?' vroeg Kelly sarcastisch.

'Ik ben bang van niet,' zei Jeffrey, die ook een beetje boos werd, omdat hij uiteindelijk degene was geweest die zijn nek had uitgestoken.

'Ik vind dat we de politie moeten bellen, of we nu sluitende bewijzen hebben of niet,' ging Kelly door. 'Een krankzinnige gozer die met een klauwhamer gooit, is voor mij voldoende. De politie moet maar eens gaan rondkijken in het appartement van die griezel. Niet jij.'

'Nee!' schreeuwde Jeffrey, ditmaal echt boos. Maar meteen had hij er spijt van. Kelly had omwille van hem al heel wat moeten doorstaan en ze verdiende het niet zo te worden afgesnauwd. Jeffrey zuchtte. 'De politie zou niet eens een bevel tot huiszoeking los kunnen krijgen op grond van pure speculaties. Kelly, het spijt me dat ik tegen je heb geschreeuwd. Die man heeft me echt bang gemaakt. Ik moet er niet aan denken wat hij met me zou hebben gedaan als hij me echt in handen had gekregen.'

'Ik was doodsbang toen ik hem naar binnen zag gaan en merkte dat de bel kapot was. Ik voelde me zo hulpeloos en toen ik je op die brandtrap zag vechten, wist ik me helemaal geen raad meer. Hoe is het je gelukt om weg te komen?'

'Ik heb mazzel gehad,' zei Jeffrey.

Zodra ze de straat in draaiden waar Kelly woonde, moest Jeffrey opeens weer aan Devlin denken. Meteen liet hij zich op de grond zakken, tot zijn knieën tegen het dashboard rustten.

'Wat is er nu weer?' vroeg Kelly.

'Devlin. Ik heb er werkelijk geen enkele behoefte aan die man ook nog eens op mijn nek te krijgen!'

Kelly reed de auto de garage in en pas toen die was gesloten, durfde Jeffrey weer te voorschijn te komen.

'Zal ik wat kruidenthee maken?' stelde Kelly voor. 'Ik denk dat dat ons beiden goed zou doen.'

'Ik denk dat ik meer behoefte zou hebben aan tien milligram valium 4,' zei Jeffrey, 'maar ik neem wel genoegen met een kopje thee. We zouden er een scheutje cognac bij kunnen doen.'

Kelly zette water op en Jeffrey ging op de bank liggen.

'We moeten een manier zien te bedenken om erachter te komen of die Trent Harding de boosdoener is,' zei hij na een tijdje. 'Het probleem is echter dat ik weinig tijd heb. Devlin zal me een dezer dagen beslist vinden.'

'Ik denk nog altijd dat we wel degelijk naar de politie zouden kunnen gaan. Oké, ik weet wat je hebt gezegd, maar ik ben niet op de vlucht en misschien zouden ze mij wel geloven.'

Jeffrey negeerde haar. Als ze het nu nog niet begreep, zou hij geen poging meer ondernemen om het haar duidelijk te maken. Hij was realistisch genoeg om in te zien dat ze in die richting niets konden ondernemen tot ze echte bewijzen in handen hadden.

Jeffrey trilde nog altijd een beetje door zijn aanvaring met Trent Harding. Het beeld van die man, die met een hamer achter hem aan kwam, stond voor altijd in zijn geheugen gegrift.

Jeffrey dacht aan de stand van zaken. Hoewel hij nog steeds niet kon bewijzen dat er met de Marcaine was geknoeid, twijfelde hij daar diep in zijn hart absoluut niet meer aan. Er was geen andere verklaring mogelijk voor alle symptomen die zich bij de slachtoffers hadden geopenbaard. Hij had niet veel hoop dat die patholoog-anatoom iets bijzonders zou ontdekken, maar het gesprek met hem had Jeffrey wel duidelijk gemaakt dat er sprake moest zijn van een toxine, en wellicht wel dat batrachotoxine. In ieder geval had hij de interesse van Seibert zodanig gewekt dat die man deze kwestie beslist de nodige aandacht zou geven.

Jeffrey was er ook vrij zeker van dat Harding de moordenaar was. Het feit dat hij in alle vijf de betrokken ziekenhuizen had gewerkt, kon geen toeval zijn. Toch moest hij vooralsnog rekening blijven houden met de mogelijkheid dat het om een toeval ging, en tot hij zekerheid had, diende hij alle lijsten goed te bewaren en zijn ogen en oren open te houden.

'Misschien moet je hem opbellen,' zei Kelly vanuit de keuken.

'Wie opbellen?'

'Harding.'

'Prima idee. Wat moet ik dan zeggen? Hallo, Trent, ben jij de kerel die vergif in de Marcaine heeft gedaan?'

'Dat is niet idioter dan inbreken in zijn appartement.'

Jeffrey keek Kelly aan en zag dat ze die suggestie echt serieus meende. Toen voerde hij in gedachten een telefoongesprek met Trent Harding. Misschien was het idee toch niet zo gek, concludeerde hij.

'Natuurlijk kun je daar niet rechtstreeks naar informeren,' zei Kelly, die binnenkwam met de thee, 'maar misschien zou je door het stellen van een paar slimme vragen hem ertoe kunnen verleiden iets los te laten.'

Jeffrey knikte. 'Ik heb in de lade van zijn nachtkastje iets gevonden dat in dat verband nog wel eens van belang zou kunnen zijn.'

'Wat dan?'

'Een stapeltje foto's, naaktfoto's voor het merendeel.'

'Van wie?'

'Van hemzelf. Verder heb ik in dat appartement handboeien gezien, en pornofilms. Verpleger Harding heeft kennelijk een seksueel identiteitsprobleem en enige op zijn zachtst gezegd eigenaardige seksuele voorkeuren. Ik heb een paar foto's meegenomen en misschien dat we daar nu ons voordeel mee kunnen doen.'

'Hoe?'

'Dat weet ik nog niet precies, maar ik kan me niet voorstellen dat hij het prettig vindt dat andere mensen die foto's zien, want hij is nogal ijdel.'

'Denk je dat hij een homo is?'

'Die kans bestaat, maar ik heb het gevoel dat hij er zelf niet helemaal zeker van is, zich verward voelt en zich ertegen verzet. Het kan zijn dat hij er door dat probleem toe wordt gedreven dit soort krankzinnige dingen te doen.'

'Hij lijkt me heel sympathiek.'

'Ja, echt een zoon van wie een moeder intens veel zou kunnen houden. Hier zijn de foto's. Bekijk ze zelf maar eens.'

'Jasses!' zei Kelly en gaf ze meteen weer terug.

'Nu zou het prettig zijn te weten of een bandopname in een rechtszaal als officieel bewijsstuk wordt aangenomen. Het zou wellicht niet onverstandig zijn daar Randolph maar eens over te bellen,' zei Jeffrey.

'Wie is Randolph?' vroeg Kelly, terwijl ze de thee inschonk.

'Mijn advocaat.'

Jeffrey liep naar de keuken en draaide het nummer van Randolphs kantoor. Toen de man aan de telefoon kwam, klonk zijn stem niet bepaald vriendelijk. 'Waar zit je, Jeffrey?'

'Ik ben nog altijd in Boston.'

'Het Hof is op de hoogte van je poging om naar Zuid-Amerika te vluchten en ik kan je alleen maar met de grootste klem aanraden je uit eigen beweging aan te geven.'

'Randolph, ik heb op dit moment wel andere dingen aan mijn hoofd.'

'Ik geloof niet dat je bent doordrongen van de ernst van je situatie. Er is inmiddels een officieel arrestatiebevel uitgevaardigd.'

'*Randolph, wil je nu verdomme eens even je mond houden!*' schreeuwde Jeffrey. 'Ik heb je iets te vertellen. Vanaf de eerste dag ben ik volledig doordrongen geweest van de ernst van mijn situatie. Als er iemand is die zich in dat opzicht heeft vergist, ben jij het wel en niet ik. Jullie juristen beschouwen zoiets als een spelletje. Jullie doen je werk en denken er verder niet meer over na. Maar mijn leven staat op het spel, weet je. En ik zal je nog eens iets anders vertellen. Ik ben me deze dagen niet lekker aan het amuseren op het strand van Ipanema. Ik denk dat ik iets heb ontdekt waardoor mijn veroordeling ongedaan kan worden gemaakt. Op dit moment wil ik je alleen iets vragen over een juridische kwestie en misschien dat ik dan eindelijk eens iets terugkrijg voor al het geld dat ik voor jou heb moeten dokken.'

Even bleef het stil en Jeffrey werd bang dat de man had opgehangen.

'Randolph, ben je er nog?'

'Wat wilde je weten?'

'Wordt een bandopname door een rechtbank als officieel bewijsstuk geaccepteerd?'

'Weet de persoon in kwestie dat er een bandopname wordt gemaakt.'

'Nee.'

'Dan zal een rechtbank er nooit mee akkoord gaan.'

'Waarom verdomme niet?'

'Het heeft te maken met het recht op privacy.'

Jeffrey legde de hoorn weer op de haak. 'Geen succes,' zei hij tegen Kelly. 'Je zou toch hebben verwacht dat hij minstens één ding fatsoenlijk voor me zou kunnen regelen.'

'Die man heeft de wet niet geschreven.'

'Kan best, maar juristen vormen een kliek en het lijkt wel alsof ze zich boven alle andere stervelingen verheven voelen.'

'Opnemen heeft dus geen zin. Maar stel dat ik mee zou luisteren? Ik kan als getuige worden gehoord.'

Jeffrey keek haar vol bewondering aan. 'Je hebt gelijk! Ik heb helemaal niet aan die mogelijkheid gedacht. Nu moeten we alleen bedenken wat ik tegen Trent Harding zal gaan zeggen.'

13

Devlin werd uit zijn overpeinzingen gewekt door de autotelefoon. Hij zat nog altijd in zijn auto, vlak bij het huis van Kelly Everson. Vijfentwintig minuten geleden was ze komen aanrijden en had de auto in de garage gezet. Even had hij een glimp van haar opgevangen: een brunette met lang haar. Hij nam in ieder geval aan dat de vrouw achter het stuur Kelly moest zijn geweest.

Eerder was hij een keer naar het huis gelopen en had aangebeld, maar daarop was niet gereageerd. Het huis leek verlaten te zijn en anders dan de vorige keer had hij geen enkel geluid gehoord. Daarna was hij weer naar zijn auto gelopen, om af te wachten wat er verder zou gebeuren. Nu Kelly thuis was, wist hij echter niet of hij meteen een praatje met haar moest gaan maken, of rustig moest afwachten of ze bezoek kreeg of ergens heenging. Vast stond in ieder geval dat ze de gordijnen niet had opengetrokken, en dat was niet normaal.

Hij kreeg Mosconi aan de lijn. 'Waarom heb je die dokter nog steeds niet gevonden?'

Devlin bracht hem in herinnering dat de week die hem was toegezegd, nog niet voorbij was, maar hij leek tegen dovemansoren te praten.

'Ik heb inmiddels al een paar andere premiejagers opgebeld,' zei Mosconi.

'Waarom? Ik heb je al gezegd dat ik die man te grazen zal nemen en dat zal ook gebeuren. Dus als die kerels terugbellen, zeg je maar dat je van hun diensten bij nader inzien toch geen gebruik wenst te maken.'

'Kun je me iets beloven binnen de komende vierentwintig uur?'

'Ik heb het sterke vermoeden dat ik onze dokter vanavond nog te zien zal krijgen.'

'Je hebt me geen antwoord gegeven op mijn vraag. Ik wil binnen vierentwintig uur resultaten zien, want anders is de borgtocht verbeurd en kan ik mijn kap wel aan de wilgen hangen.'

'Oké. Vierentwintig uur.'

'Devlin, ben je echt in staat die belofte na te komen?'

'Natuurlijk.'

'Ik zal je daaraan houden, heb je me goed begrepen?' Er was een dreigende ondertoon in de stem van Mosconi te horen.

'Ben je nog iets anders te weten gekomen over dat proces tegen Rhodes?' vroeg Devlin. De essentiële details had hij die middag al van Mosconi gehoord en dat had tot gevolg gehad dat hij even medelijden had met die Rhodes. Als je een keer een kleine vergissing had begaan met morfine en dat dan meteen onder je neus gewreven kreeg wanneer er iets mis ging, was dat in feite niet eerlijk. Nu Devlin wist wat voor een 'moordenaar' Jeffrey was, voelde hij zich zelfs een beetje schuldig omdat hij in het Essex Hotel op hem had geschoten. Hij was zo hardhandig opgetreden omdat hij meende te maken te hebben met een echte misdadiger, maar nu hij wist dat dat niet het geval was, had hij in feite met de man te doen.

Toch voelde Devlin er niets voor dat gevoel van medeleven de overhand te laten krijgen. Hij zou dit professioneel blijven aanpakken. Dat moest! Wel stond het nu voor hem vast dat hij Jeffrey Rhodes niet om zeep zou brengen.

'Houd nu maar eens op met je zorgen te maken over de veroordeling van die man,' zei Mosconi. 'Zorg dat je die rotzak binnen vierentwintig uur te pakken hebt. Anders geef ik de opdracht aan iemand anders.'

Devlin verbrak de verbinding. Soms werkte Mosconi op zijn zenuwen, en dit was zo'n moment. Devlin wilde geld kunnen opstrijken voor deze klus en hij had er een hekel aan als er werd gedreigd met andere premiejagers. Hij vond het ook heel vervelend dat hem een belofte was afgedwongen die hij wellicht niet zou kunnen nakomen. In ieder geval zou hij zijn uiterste best doen. Hij kon zich de luxe niet meer veroorloven af te wachten, en zou nu zelf in actie moeten komen. Hij startte zijn wagen en reed Kelly's oprijlaan op. Toen stapte hij uit, liep naar de voordeur en belde aan.

Jeffrey was diep in gedachten verzonken geweest toen er werd aangebeld. Hij schrok. Kelly stond op en liep naar de deur. 'Kijk eerst goed wie het is!' zei Jeffrey.

'Dat doe ik altijd.'

Jeffrey knikte en dacht aan Trent Harding en alle spanningen waaraan hij en Kelly op dat moment bloot stonden. Er moest een manier zijn om die man in de val te lokken. Als hij hem aan de praat zou kunnen krijgen over...

Op dat moment kwam Kelly op haar tenen de kamer weer in. 'Ik ken de persoon die voor de deur staat niet. Het zou wel eens Devlin kunnen zijn. Paardestaartje, denim kleren, oorbel met Maltezer kruis. Kom jij eens kijken?'

'O nee!' kreunde Jeffrey en stond op van de bank. Toen ze bij de voordeur kwamen, werd er nogmaals een paar keer achter elkaar gebeld.

Jeffrey keek door het kijkgaatje en meteen liepen de koude rillingen over zijn rug. Het was inderdaad Devlin. Jeffrey dook weg en gaf Kelly een teken dat ze achter hem aan moest komen naar de eetkamer.

'Het is Devlin,' fluisterde hij. 'Misschien gaat hij wel weg als we ons muisstil houden.'

'Maar die man heeft me vast thuis zien komen. Als we doen alsof er niemand is, zal hij daaruit natuurlijk meteen afleiden dat je hier bent.'

Jeffrey keek haar met hernieuwde bewondering aan. 'Wat goed van je dat je daaraan denkt. Ik geloof echt dat jij in dit soort situaties beter bent dan ik.'

'Verstop jij je nu maar,' zei Kelly. 'Ik ga naar de voordeur en zal met hem praten, maar ik ben niet van plan hem binnen te laten.'

Jeffrey knikte. Kelly had gelijk. Hij kon alleen maar hopen dat Devlin hem niet in haar auto had gezien.

Hij dook de garderobekast in de hal onder de trap in en deed de deur dicht.

'Wie is daar?' hoorde hij Kelly roepen.

'Het spijt me dat ik u stoor, mevrouw, maar ik vertegenwoordig de wet en ik ben op zoek naar een gevaarlijke man, een veroordeelde misdadiger. Ik zou graag even met u willen praten.'

'Ik ben net onder de douche geweest en verder ben ik helemaal alleen thuis, dus lijkt me dit niet zo'n geschikt moment,' reageerde Kelly. 'Ik hoop dat u er begrip voor zult hebben dat ik de deur niet graag voor een onbekende open doe.'

'Dat begrijp ik, zeker gezien het feit dat u vast al heeft gezien hoe ik eruitzie. Ik ben op zoek naar een zekere Jeffrey Rhodes, hoewel hij zich ook wel eens andere namen aanmeet. Ik wil met u spreken omdat iemand me heeft verteld dat u kort geleden in het gezelschap van die man bent gezien.'

'Wie heeft u dat verteld?'

'Dat mag ik niet zeggen. U kent die man dus wel?'

Kelly probeerde zich bliksemsnel te herstellen. De man was aan het vissen en probeerde haar ertoe te verlokken hem iets te vertellen wat ze eigenlijk niet kwijt wilde, net zoals Jeffrey en zij van plan waren dat met Trent Harding te doen.

'Ik ken hem van naam,' zei Kelly. 'Ik geloof dat mijn man een paar jaar geleden, voor zijn overlijden, samen met Rhodes een of ander onderzoek heeft verricht. Ik heb hem echter nooit meer gezien na de begrafenis van mijn echtgenoot.'

'In dat geval spijt het me dat ik u heb gestoord. Misschien is die contactpersoon van me niet voor de volle honderd procent betrouwbaar. Ik zal mijn telefoonnummer opschrijven en dat onder de deur door schuiven. Ik hoop dat u mij wilt opbellen als u die Jeffrey Rhodes onverwacht toch ziet of spreekt.'

Kelly keek naar de grond en zag het visitekaartje te voorschijn komen.

'Heeft u het?' vroeg Devlin.

'Ja, en ik zal u beslist bellen als ik hem zie.' Door het kijkgaatje zag ze de man verdwijnen. Even later werd er een auto gestart. Na een halve minuut maakte Kelly de deur open, liep de oprijlaan af en zag een zwarte Buick Regal in de richting van Boston rijden. Snel liep ze weer naar binnen, deed de voordeur dicht, vergrendelde die en verloste Jeffrey uit de trapkast. Hij knipperde met zijn ogen toen hij opeens weer in het licht keek.

Devlin moest glimlachen. Soms konden zelfs intelligente mensen dom zijn. Ze was in de door hem uitgezette val gelopen en had zich te laat hersteld. Ze had tegen hem gelogen en dat betekende dat ze iets te verbergen had. Bovendien had hij in zijn achteruitkijkspiegel gezien dat ze het huis uit was gelopen toen hij was weggereden.

Zodra hij er zeker van was dat zijn auto vanuit Kelly's huis niet meer te zien was, draaide hij om, reed de oprijlaan van een huis op dat er verlaten uitzag en in de buurt lag, en zette de motor af.

Die vrouw moest iets weten. Dat was wel duidelijk. De vraag was hoeveel ze wist. Devlin schatte de kans dat ze Jeffrey zou opbellen om hem te waarschuwen hoog in. Hij wenste dat hij de kans had gehad haar telefoon af te tappen. Dat liet zich bij daglicht echter niet realiseren. Voor een dergelijke stunt zou hij moeten wachten tot het donker was.

Als hij mazzel had, en Devlin vond dat hij best eens een beetje mazzel mocht hebben, zou die Kelly naar Jeffrey toe gaan, waar hij zich dan ook verborgen hield. Er bestond zelfs een kleine kans dat de dokter binnen de kortste keren hier op de stoep zou staan. Een ding stond vast: hij zou die Rhodes te grazen nemen en ditmaal zou hij hem niet meer kunnen ontsnappen!

'Heb je niet gehoord wat hij zei?' vroeg Kelly.

'Nee. Jou kon ik verstaan, maar hem niet.'

'Hij zei dat iemand ons samen had gezien. Ik heb gezegd dat ik je na de begrafenis van Chris nooit meer heb ontmoet. Hij heeft zijn naam en telefoonnummer achtergelaten en ik ben er zeker van dat hij niet weet dat jij hier zit. Anders zou hij het niet zo snel hebben opgegeven.'

'Dat is mogelijk, maar daar staat tegenover dat dit al de tweede keer is dat hij hier langskwam. Tot dusverre hebben we mazzel gehad. Hij heeft een pistool bij zich en uit eigen ervaring weet ik dat hij geen seconde zal aarzelen om het ook te gebruiken.'

'Ik zeg je dat hij niet weet dat je hier bent. Vertrouw me nu maar.'

'Jou vertrouw ik wel, maar die Devlin niet. Ik voel me schuldig, omdat ik jou in gevaar heb gebracht.'

'Dat heb je helemaal niet gedaan. Ik heb er zelf voor gekozen hierbij betrokken te raken, dus als iemand met mijn leven speelt, ben ik dat. Ik zal je blijven helpen. Je hebt me nodig.'

Jeffrey keek diep in haar ogen en zag de goudkleurige stippeltjes erin. Hij had haar aldoor al een aantrekkelijke vrouw gevonden, maar nu was ze prachtig. Mooi en warm en bezorgd en o, zo vrouwelijk.

Ze zaten samen op het bankje in de keuken. De gordijnen van de voorkamer waren nog dicht en het enige licht kwam naar binnen via de hoge keukenramen.

'Wil je echt dat ik blijf?' vroeg Jeffrey.

'Ja, natuurlijk. Ziezo, dat is dan geregeld.' Speels streek ze met een vinger over zijn neus en toen over zijn bovenlip. 'Ik heb er wel een idee van hoe eenzaam je je de afgelopen dagen en maanden moet hebben gevoeld, want ik heb dergelijke gevoelens ook gehad. Ik zag het in je ogen, op de avond toen je vanaf het vliegveld hierheen kwam.'

'Was het zo goed te zien?' vroeg Jeffrey. Maar hij verwachtte al geen antwoord meer op die vraag. Opeens scheen de wereld veel kleiner te worden en alleen uit dit huis te bestaan. De tijd stond stil.

Voorzichtig boog Jeffrey zich naar Kelly toe en kuste haar lippen. Ze kwamen langzaam tot elkaar op een tedere, emotionele manier, die duidelijk maakte hoe intens ze beiden naar wat liefde verlangden. In eerste instantie was hun vrijen voorzichtig, toen enthousiast, toen hartstochtelijk. Het mondde uit in een vreugdevolle eenwording, die wederzijds ongelooflijk veel bevrediging schonk.

Geleidelijk aan keerde de werkelijkheid echter weer terug. Even waren ze de enige twee mensen op deze aarde geweest en was de tijd stil blijven staan. Een beetje verlegen lieten ze elkaar los en keken elkaar aan. Toen schoten ze in de lach, alsof ze weer tieners waren geworden.

'Dus je blijft?' vroeg Kelly.

'Ik blijf.'

'Zal ik dan nu maar eens een hapje te eten voor ons klaarmaken?'

'Mijn hemel, wat een overgang! Ik heb eigenlijk nauwelijks aan eten gedacht. Heb jij honger?'

'Ik heb altijd honger,' bekende Kelly hem.

Samen gingen ze aan de slag. Kelly deed het merendeel van het werk; Jeffrey waste de sla en deed de kleinere klusjes. Hij verbaasde zich over het feit dat hij zich zo rustig voelde. Hij was nog altijd bang voor Devlin, maar had die angst nu onder controle. Nu Kelly bij hem bleef, hoefde hij zich niet meer alleen en verlaten te voelen. Bovendien was hij inmiddels tot de conclusie gekomen dat ze gelijk had als ze stelde dat Devlin niet wist dat hij hier was. Anders was hij binnengekomen, of Kelly de deur nu open had gemaakt of niet.

Jeffrey keek op zijn horloge en belde het kantoor van de patholoog-anatoom. Hij hoopte dat dokter Warren Seibert er nog zou zijn. Jeffrey wilde hem vragen of hij nog een toxine had gevonden.

'Tot dusverre heb ik nog niets ontdekt,' zei Seibert. 'Noch bij Karen Hodges, noch bij Gail Shaffer, noch bij Patty Owen. De gaschromatograaf heeft, zoals gezegd, nog niets opgeleverd.'

'Gezien alles wat u me vanmorgen heeft verteld, is dat natuurlijk niet zo verbazingwekkend,' zei Jeffrey. 'Maar het feit dat u niets heeft gevonden, hoeft niet te betekenen dat er geen sprake van de aanwezigheid van een toxine kan zijn, nietwaar?'

'Dat klopt. Ik heb overigens de moeite genomen een telefoongesprek te voeren met een collega patholoog-anatoom in Californië, die enig onderzoek heeft verricht naar batrachotoxine en de daarbij behorende toxinen. Hopelijk kan hij me iets wijzer maken, of me de naam van een antitoxine geven. Ik heb nog eens wat artikelen doorgelezen en dat heeft me de stellige indruk gegeven dat batrachotoxine de belangrijkste kandidaat moet zijn als uw vermoeden juist is.'

'Alvast hartelijk dank voor al uw hulp,' zei Jeffrey.

'Graag gedaan. Dit soort casussen heeft in feite mijn beroepskeuze bepaald. Het is opwindend. Ik bedoel... als u gelijk heeft, is dit iets heel belangrijks. We zullen er een aantal wereldschokkende artikelen over kunnen schrijven.'

'Mazzel?' vroeg Kelly, toen Jeffrey de hoorn weer op de haak had gelegd.

'Nee. Die man doet zijn uiterste best, maar hij heeft nog niets gevonden. Het is zo frustrerend om nog altijd geen bewijs te hebben van het feit dat er misdaden zijn gepleegd.'

'Maak je geen zorgen. Op de een of andere manier zullen we de waarheid op het spoor komen.'

'Dat hoop ik oprecht en ik hoop ook dat het ons lukt voordat Devlin me heeft gevonden, of de politie. Laten we nu die Trent Harding maar eens opbellen.'

'Straks. Eerst gaan we een hapje eten. Wil jij een flesje wijn opentrekken? We zouden best een slokje kunnen gebruiken.'

Jeffrey pakte een fles witte wijn uit de ijskast en maakte die open. 'Als die Trent werkelijk de schuldige is, zou ik dolgraag meer willen weten over zijn jeugd. Er moet een verklaring voor zijn gedrag te vinden zijn, hoe irrationeel dat misschien ook is.'

'Het probleem met die man is dat hij er zo normaal uitziet,' zei Kelly. 'Natuurlijk, de blik in zijn ogen is nogal vreemd, maar misschien is dat iets wat alleen wij erin zien. Verder ziet hij er doodgewoon uit. Hij had zo samen met mij op de middelbare school kunnen zitten.'

'Ik verbaas me nog het meest over het feit dat hij zijn slachtoffers zo volstrekt willekeurig lijkt uit te kiezen,' zei Jeffrey. 'Het vermoorden van iemand is op zich al afschuwelijk, maar het knoeien met medicijnen zonder te weten wie daar het slachtoffer van zal worden, is zo ziek dat mijn geest het nauwelijks kan bevatten.'

'Als hij inderdaad de schuldige is, vraag ik me af hoe hij verder zo goed kan functioneren,' zei Kelly.

'Ja, zeker gezien het feit dat hij verpleger is geworden. Daar moet hij altruïstische redenen voor hebben gehad. Verplegend personeel moet meer dan artsen worden gemotiveerd door een verlangen mensen daadwerkelijk te helpen. Zij zijn dag en nacht met de patiënten bezig en moeten ook allerlei vervelende karweitjes

opknappen. Verder moet die Harding intelligent zijn. Als er inderdaad iets als batrachotoxine aan de Marcaine is toegevoegd, is dat
een duivels vindingrijke keuze geweest. Ik zou niet eens aan zo'n
mogelijkheid hebben gedacht als ik de aantekeningen van Chris
niet onder ogen had gekregen.'

'Lief van je om dat te zeggen.'

'Het is nu eenmaal de waarheid. Maar als Trent de schuldige is,
staat vast dat ik zijn beweegredenen nimmer zal kunnen begrijpen.
Psychiatrie is nooit een van mijn sterkste kanten geweest.'

Even zwegen ze beiden. Toen ging Jeffrey verder. 'Seibert heeft
gezegd dat er misschien wel iets te vinden zou zijn in het lichaam
van die patiënt van Chris, omdat die man nog een week heeft
geleefd. Maar dan zouden we toestemming moeten krijgen om het
lijk op te graven en bovendien zou het dan ook nog eens, ik citeer
Seibert, fatsoenlijk gebalsemd en op een schaduwrijk plekje begraven moeten zijn.'

'Jasses. Kunnen we dat gespreksonderwerp niet laten rusten tot we
klaar zijn met eten? Laten we ons tot die tijd maar concentreren op
Trent Harding.'

'Ik denk dat we hem meteen duidelijk moeten maken dat we hem
verdenken, en verder moeten we ons voordeel doen met de foto's
die ik heb meegenomen. Hij zal, zoals ik al zei, vast niet willen dat
anderen die te zien krijgen.'

'Stel dat het hem alleen maar woedend maakt?' zei Kelly, die zich
de klauwhamer herinnerde, en de grote deuk in het dak van haar
auto.

'Dat hoop ik nu juist, want in dat geval is de kans groot dat hij zichzelf op de een of andere manier zal verraden.'

'Door jou te bedreigen of zo? In de trant van: "Ik heb al eens eerder gemoord en zal niet aarzelen dat nogmaals te doen"?'

'Heb jij een beter idee?'

Kelly schudde haar hoofd. Ze moesten het maar proberen, want op
dit moment hadden ze in feite niets te verliezen. 'Ik ga het tweede
toestel halen. Er zit een extra contact bij de televisie,' zei ze en
voegde de daad bij het woord.

Jeffrey trachtte zich in Trents positie te verplaatsen. Als hij
onschuldig was, zou hij waarschijnlijk meteen weer de hoorn op de
haak gooien. Als hij schuldig was, zou hij zenuwachtig worden en
proberen te achterhalen hoeveel degene die hem opbelde, nu precies wist. Maar wel was het natuurlijk zo dat het bewijs van Trents

schuld niet was geleverd wanneer de man niet direct ophing.

Kelly kwam terug en sloot het tweede toestel aan. Toen controleerde ze of ze de zoemtoon hoorde. Tot dusverre ging alles naar wens.

'Neem jij deze telefoon, of heb je liever het toestel in de keuken?' vroeg ze aan Jeffrey.

'Ik neem het toestel in de keuken wel.'

Jeffrey pakte het papiertje waarop Polly Arnsdorf het adres en telefoonnummer van Trent Harding had geschreven. Hij draaide Hardings nummer en zodra het toestel aan de andere kant van de lijn overging, gaf hij Kelly een teken dat ze de hoorn van de haak moest nemen. Na drie keer rinkelen nam Harding op. Zijn stem klonk veel zachter dan Jeffrey had verwacht. 'Hallo... Matt?' zei hij meteen.

'Je spreekt niet met Matt.'

'Met wie dan wel?' Nu klonk Trents stem koud, boos zelfs.

'Een bewonderaar van je werk.'

'Wie?'

'Jeffrey Rhodes.'

'Moet ik jou kennen?'

'Reken maar. Ik was als anesthesist verbonden aan het Boston Memorial, maar kon mijn werk niet meer doen nadat er zich een probleem had voorgedaan. Een probleem op de operatieafdeling. Gaat er al een belletje bij je rinkelen?'

Even bleef het stil, toen werd Harding woedend. 'Waarom bel je me godverdomme op? Ik werk niet meer in het Boston Memorial. Ik heb daar al bijna een jaar geleden ontslag genomen.'

'Dat weet ik. Je bent in het St. Joseph's gaan werken, en daar heb je kort geleden ook weer ontslag genomen. Ik weet zo het een en ander van je af, Trent, en ook van wat je hebt gedaan.'

'Waar heb je het verdomme over?'

'Patty Owen, Henry Noble en Karen Hodges. Gaat er nu een belletje rinkelen?'

'Man, ik weet werkelijk niet waar je het over hebt.'

'Dat weet je wel. Je bent alleen bescheiden van aard. Ik kan me trouwens best voorstellen dat je niet wilt dat al te veel mensen ervan op de hoogte raken. Zeker niet na al die moeite die je hebt moeten doen om de juiste toxine te kiezen. Je begrijpt toch zeker wel wat ik bedoel?'

'Nee, man, dat begrijp ik helemaal niet. Ik heb er geen flauw idee van waarom je me belt.'

'Maar je weet wel wie ik ben, nietwaar?'

'Ja. Ik kan me je uit het Boston Memorial herinneren, en verder heb ik het een en ander over je gelezen in de krant.'

'Dat dacht ik al. De kans bestaat alleen dat er binnenkort veel mensen zullen zijn die het een en ander over jou te lezen krijgen, in welk verband dan ook.'

'Hoe bedoel je dat nu weer?'

Jeffrey putte moed uit het feit dat Trent nog altijd niet had opgehangen. 'Het is nu eenmaal zo dat die dingen op een gegeven moment worden ontdekt, maar ik twijfel er niet aan dat ik je daarmee niks nieuws vertel.'

'Ik weet echt niet waar je het over hebt. Je hebt de verkeerde vent gebeld.'

'Geen sprake van. Zoals ik al zei, zul je op de een of andere manier de kranten halen. Ik heb een aantal foto's die het in dat verband geweldig zouden doen. Ik zou kopieën in Boston kunnen gaan verspreiden. Dan leren je collega's je eens van een heel andere kant kennen.'

'Over welke foto's heb je het?'

'Ik heb ervan genoten, hoor. Wat een verrassing!'

'Ik weet nog altijd niet waar je het over hebt,' hield Trent vol.

'Polaroid-foto's,' antwoordde Jeffrey. 'Kleurenfoto's van jou en verder weinig meer. Kijk maar eens in de lade van je nachtkastje, dan zul je zien dat er het een en ander ontbreekt.'

Trent vloekte en legde de hoorn neer. Even later kwam hij weer terug. 'Dus jij hebt bij me ingebroken. Nu, ik wil die foto's terug hebben, makker!'

'Dat zal best. Mooie lingerie. Dat roze gevalletje vond ik nog het leukst.'

'Wat wil je van me?' vroeg Trent.

'Ik wil je persoonlijk ontmoeten.' Het was Jeffrey inmiddels duidelijk dat hij over de telefoon niets wijzer zou worden.

'En als ik daar nu eens niets voor voel?'

'Dan kan ik niet garanderen dat die foto's geen eigen leven gaan leiden.'

'Dat is chantage.'

'Inderdaad. Ik ben blij dat we elkaar zo goed begrijpen. Maken we een afspraak of niet?'

'Best. Je kunt hierheen komen, gezien het feit dat je toch al weet waar ik woon.'

'Dat zou ik best leuk vinden, maar toch heb ik de indruk dat ik in jouw appartement niet echt welkom ben. Dus denk ik dat we ergens moeten afspreken waar andere mensen in de buurt zijn.'

'Zeg het maar.'

Jeffrey wist dat Harding nu echt aangeslagen was. Hij dacht even na. Wat zou een veilige ontmoetingsplaats zijn? Hij herinnerde zich zijn zwerftocht langs de rivier de Charles. Daar liepen altijd veel mensen te wandelen en er waren nauwelijks plekjes waar je door anderen niet kon worden gezien. 'Wat zou je denken van de kade langs de rivier?'

'Hoe herken ik je?'

'Maak je geen zorgen, ik herken jou wel, zelfs met al je kleren aan. Laten we afspreken in de buurt van het podium van de Hatch Shell.'

'Zeg maar hoe laat,' zei Trent, die bijna leek te barsten van woede.

'Half tien?'

'Ik neem aan dat je alleen komt?'

'Ik heb tegenwoordig bijna geen vrienden meer, en mijn moeder heeft het druk.'

Harding lachte niet. 'Ik hoop dat je verder niet tegenover anderen hebt lopen raaskallen,' zei Trent, 'want laster tolereer ik niet.'

'Tot ziens,' zei Jeffrey en hing op.

'Ben je nu helemaal gek geworden?' tierde Kelly meteen. 'Je kunt die idioot niet ontmoeten. Die man is krankzinnig. Zo hadden we het niet afgesproken!'

'Ik moest improviseren. Zoals ik al vermoedde, is de vent intelligent en slim. Ik kwam geen stap verder. Als ik hem persoonlijk spreek, kan ik misschien wat opmaken uit zijn gezichtsuitdrukking. Dan is de kans veel groter dat hij zichzelf op de een of andere manier verraadt.'

'Die man heeft met een klauwhamer achter je aan gezeten!'

'Onder andere omstandigheden. Ik had tenslotte bij hem ingebroken en dat gaf hem het recht woedend te zijn.'

Kelly staarde verbaasd naar het plafond. 'Ben je nu opeens een seriemoordenaar aan het verdedigen?'

'Hij wil die foto's terughebben en zal me niets aandoen tot dat is geregeld. Natuurlijk neem ik ze niet mee. Ik laat ze hier bij jou achter.'

'Moeten we toch niet eerder denken aan de mogelijkheid het lijk van Henry Noble op te laten graven?'

'Als er dan een toxine werd gevonden, zou Chris' naam zijn gezuiverd, maar hebben we nog geen enkel bewijs dat Trent de schuldige is. Hij is de sleutel tot deze afschuwelijke affaire.'

'Maar het zal gevaarlijk zijn, en ga me nu niet weer vertellen dat er niets zal gebeuren, want ik weet inmiddels wel beter.'

'Ik geef toe dat het niet helemaal ongevaarlijk is, maar ik denk niet dat Trent iets zal ondernemen als er veel mensen in de buurt zijn.'

'Je vergeet iets. Jij denkt rationeel, maar die Harding doet dat niet.'

'Tot nu toe heeft hij het anders heel slim gespeeld.'

'Ja, en nu is hij wanhopig.'

'Luister, Kelly. Seibert heeft niets kunnen vinden en we moeten iets doen. Dat is de enige hoop die ons rest, want veel tijd hebben we absoluut niet meer.'

'Ik kan dat gesprek tussen jullie niet afluisteren en zelfs als die man bekent, heb je juridisch gezien nog geen poot om op te staan.'

Jeffrey zuchtte. 'Daar had ik even niet aan gedacht.'

'Er zijn een heleboel dingen waar jij niet aan denkt, zoals aan het feit dat ik je niet wil verliezen.'

'Je zult me hoe dan ook verliezen als we niet kunnen bewijzen dat Harding de schuldige is. We moeten een manier bedenken om jou te laten meeluisteren...'

'Nu, misschien weet ik daar wel wat op. Je moet niet lachen, want het is wel een vreemd ding. Een apparaatje waar ik eens een advertentie voor heb gezien en dat een 'Listenaid' wordt genoemd. Het ziet eruit als een Walkman, maar het vangt geluiden op en versterkt die. Jagers en mensen die vogels willen observeren, schijnen er vaak gebruik van te maken.'

'Een geweldig idee. Waar is de dichtstbijzijnde winkel waar we zo'n ding zouden kunnen kopen?'

'Copley Place.'

'Dan kopen we er onderweg één.'

'Toch zitten we dan nog met een probleem.'

'Welk?'

'We moeten ervoor zorgen dat jou niets kan gebeuren.'

'Wie wat wil bereiken, moet zijn nek durven uitsteken.'

'Jeffrey, ik meen het heel serieus.'

'Oké. Heb je een bandenlichter in huis? Dan neem ik die mee, voor geval van nood. Maar nogmaals: ik denk niet dat Trent Harding daar iets zal ondernemen. Risico's zijn er natuurlijk altijd. Kom, we hebben niet veel tijd meer als we eerst ook nog zo'n apparaatje moeten kopen.'

'Verdomme!' brulde Trent, die zijn hand tot een vuist balde en daarmee keihard tegen de muur boven de telefoon sloeg, waarop er prompt een gat in de dunne wand ontstond.

Daarna gaf hij een keiharde trap tegen de lage tafel. Het ding vloog door de lucht en er brak een poot af. Vervolgens smeet hij bij de keuken een bierflesje aan gruzelementen en kwam toen pas weer een beetje tot bedaren.

Hoe had dit kunnen gebeuren? vroeg hij zich af. Hij was zo voorzichtig geweest. Eerst die verdomde verpleegster en nu die idioot van een dokter. Hoe kon die man verdomme zoveel weten? En nu had hij die foto's. Trent wist dat hij ze niet had moeten maken. Hij had alleen willen zien hoe hij eruitzag als... Niet dat iemand dat ooit zou kunnen begrijpen. Maar die foto's moesten weer in zijn bezit komen!

Trent, die weer was teruggelopen naar de kamer, kreeg opeens een afschrikwekkende gedachte en rende terug naar de keuken. Met trillende handen maakte hij het kastje naast de ijskast open en smeet de glazen op de grond. Toen haalde hij de valse achterwand weg en slaakte een zucht van opluchting. Alles was nog in orde.

Trent pakte zijn geliefde pistool en poetste de loop met zijn shirt op. Daarna laadde hij het wapen.

Zou die dokter hier met anderen over hebben gesproken? Waarschijnlijk niet, want de man was voor de justitie op de vlucht. Wel stond het voor hem vast dat Jeffrey Rhodes niet kon blijven leven. Trent lachte. Die vent had er duidelijk geen idee van met wie hij te maken had!

Met vaste hand pakte Trent een kleine injectiespuit, deed er wat van de gele vloeistof in en verdunde die met steriel water, net zoals hij dat voor Gail Shaffer had gedaan. In gedachten zag hij Jeffrey Rhodes al een aanval van grand mal krijgen, en hij glimlachte. Het zou een geweldig tafereeltje opleveren!

Hij sloot het kastje weer af, keek op zijn horloge en zag dat hij nog anderhalf uur de tijd had. Wat zou hij gaan doen? Hij was gewaarschuwd voor mensen als Jeffrey Rhodes, die zich met zijn zaken zouden kunnen gaan bemoeien. Zou hij moeten opbellen? Ja, om dit door te geven. Niet met het verzoek om assistentie. Hij zou zich strikt aan de gegeven instructies houden.

14

Vrijdag 19 mei 1989, twaalf over half negen 's avonds

'Daar gaan we dan!' constateerde Devlin tevreden toen hij de garagedeur van Kelly omhoog zag gaan. Ze startte haar Honda en reed razendsnel de garage uit en de weg op, richting Boston. Devlin had op zo'n snel vertrek niet gerekend en tegen de tijd dat hij zijn auto had gestart, kon hij Kelly nog maar net zien.

Toen ze een paar kilometer van Kelly's huis vandaan waren, zag Devlin tot zijn grote verbazing opeens een tweede hoofd in de Honda opduiken, van iemand die snel van de achterbank naar de voorbank klauterde. Even later bracht de vrouw haar wagen tot stilstand bij het kleine winkelcentrum van Copley Place en sprong Jeffrey Rhodes de stoep op.

'Geweldig!' zei Devlin, die zijn wagen een eindje voor die van Kelly langs de stoeprand neerzette. Eindelijk had hij geluk! Maar net toen Devlin wilde uitstappen, werd hem het uitzicht belemmerd door een geüniformeerde en gewapende agent.

'Sorry, meneer, maar u mag hier niet parkeren,' zei de man vriendelijk.

Devlin bekeek hem eens uitgebreid. Hij was een groentje. Niet veel ouder dan een jaar of achttien, schatte hij. Devlin pakte zijn parkeerontheffing, maar de jonge agent wilde daar niet eens naar kijken.

'Doorrijden,' zei hij, iets minder vriendelijk nu. 'Het kan me niets schelen wie u bent. Hier mag niemand parkeren!'

'Maar ik...' begon Devlin en hield toen zijn mond. Het was niet belangrijk meer, want Jeffrey bleek inmiddels spoorloos te zijn verdwenen.

'Doorrijden!' herhaalde de agent, die nu werkelijk alle geduld had verloren.

Met een diepe zucht startte Devlin zijn wagen weer, draaide en reed via een parallel lopende straat terug. God zij dank stond Kelly's Honda er nog. Devlin zette zijn wagen een kleine twintig meter achter de hare neer, draaide het contactsleuteltje om en wachtte evenals zij op de terugkeer van Jeffrey Rhodes.

Jeffrey kocht het apparaatje, nadat hij zich ervan had vergewist dat het inderdaad goed werkte. Toen rende hij terug naar Kelly's auto en stapte in.

'Heb je het?'

'Reken maar! Het werkt fantastisch.'

Geen van beiden waren zich ervan bewust dat ze werden gevolgd door een zwarte Buick Regal. De zon was ondergegaan, maar het was nog licht en zodra ze de rivier en de boulevard hadden bereikt, zag Jeffrey dat het nog behoorlijk druk was. Daardoor voelde hij zich weer iets geruster.

Kelly zette de auto neer bij het begin van Chestnut Street en stapte uit. Even controleerde Jeffrey of hij de bandenlichter in zijn zak had en toen liepen ze verder.

Devlin vloekte. Tegen de tijd dat hij eindelijk een parkeerplaatsje had gevonden, liepen Jeffrey en Kelly al over de voetbrug naar de boulevard. Devlin pakte de handboeien, stapte de auto uit en rende achter het tweetal aan.

Wat waren die twee in 's hemelsnaam van plan? Hij werd steeds nieuwsgieriger en had het sterke vermoeden dat er binnen heel korte tijd iets belangrijks stond te gebeuren. Hij herinnerde zich dat hij tegen Mosconi had gezegd dat die Rhodes plannetjes had en zo te zien zou die opmerking nu bewaarheid worden.

Hij kon best eerst even kijken wat er ging gebeuren, want hij had de dokter nu toch klem tussen de rivier en Storrow Drive, en bovendien was de gevangenis van Charles Street dicht in de buurt.

Op de boulevard liepen enige tientallen mensen rond, die allemaal van de aangename schemering leken te willen genieten. Voor de Hatch Shell waren enige jonge mensen aan het rollerskaten op het ritme van de popmuziek die uit een draagbare radio schalde.

Devlin liep verder en zag hoe Jeffrey Kelly hielp een Walkman-achtig apparaatje op te zetten. Hij zette zijn handen op zijn heupen. Wat was hier verdomme gaande? Weer deed Jeffrey Rhodes iets onverwachts: hij kuste Kelly. 'Stoute jongen!' mompelde Devlin.

Toen zag hij hoe Rhodes zich bukte en iets van de grond pakte dat van metaal leek te zijn, waarna hij op een draf in de richting van het podium liep. Tot zijn verbazing zag Devlin Jeffrey op het podium klimmen, daar middenop gaan staan en iets zeggen.

Kelly stak een duim omhoog en weer vroeg Devlin zich af waar die twee in vredesnaam mee bezig waren. De vrouw had nog steeds de Walkman op. Devlin krabde op zijn hoofd. Het werd allemaal met de minuut eigenaardiger.

Trent Harding stopte het pistool tussen zijn broeksriem, net zoals hij dat had gedaan toen hij ging afrekenen met Gail Shaffer. De injectiespuit verdween in zijn rechter broekzak. Hij keek op zijn horloge. Iets na negenen. Tijd om te vertrekken.

Hij liep via Revere Street naar Charles Street en nam de voetbrug even ten westen van de Longfellowbrug.

Het werd al donker.

Eerder die avond was Trent behoorlijk zenuwachtig geweest, omdat hij niet wist wat die Rhodes nu precies van hem wilde. De poging tot chantage was even onverwacht als schokkend. Maar nu was hij op alles voorbereid. Hij wilde de foto's hebben en hij wilde er zeker van zijn dat Rhodes er niemand anders bij had betrokken. Verder was hij totaal niet in de man geïnteresseerd. Hij zou hem die injectie geven, dan zou iemand een ambulance bellen en dan was dat dat.

Een paar joggers liepen langs Trent en daar schrok hij even van. Het liefste zou hij zijn pistool te voorschijn hebben gehaald om hen neer te knallen, net zoals ze dat in *Miami Vice* deden, met gespreide benen, een gestrekte arm en twee handen om het pistool heen.

Voor hem zag hij de Hatch Shell en die benaderde hij via de achterzijde. Opeens verheugde hij zich op die ontmoeting met Jeffrey Rhodes. Die man stond een geweldige verrassing te wachten!

Trent bleef even staan. Moest hij om de linker- of de rechterkant van de Hatch Shell heen lopen? Veel verschil maakte het niet, maar hij besloot Storrow Drive als rugdekking te nemen. Als hij met Jeffrey had afgerekend en zich als een haas uit de voeten moest maken, zou hij op de hoofdweg afkoersen.

Jeffrey liep zenuwachtig over het podium te ijsberen. Het werd nu snel donker en de eerste sterren waren al aan de hemel verschenen. Jeffrey kon Kelly niet langer zien en het werd steeds stiller op de boulevard. Maar de jongeren waren vlak bij hem in de buurt nog aan het rollerskaten, her en der zaten nog groepjes mensen op het gras en over het pad waren fanatiekelingen nog altijd aan het joggen.

Jeffrey keek op zijn horloge. Het was half tien en dus kon Trent Harding nu ieder moment komen. Wat moest hij doen als de man had besloten zich niet te laten zien? Om de een of andere reden had Jeffrey tot dat moment niet eens aan die mogelijkheid gedacht. Jeffrey hield zichzelf voor dat hij weer tot bedaren moest komen.

Trent zou beslist komen. De man was ziek, maar hij wilde die foto's zonder enige twijfel weer in zijn bezit krijgen. Jeffrey hield op met ijsberen en keek naar het grasveld voor het podium. Als Trent moeilijk ging doen, zou hij, Jeffrey, een heel eind kunnen rennen. Verder had hij die bandenlichter van Kelly inmiddels in zijn mouw gestoken; hij zou hem zo in zijn hand kunnen laten glijden.

Jeffrey kneep zijn ogen tot spleetjes samen, maar kon Kelly nu echt niet meer zien. Dat betekende dat Harding haar evenmin kon zien, dus zou hij volstrekt niet vermoeden dat er iemand was die hun gesprek afluisterde.

Jeffrey schrok van het geluid van een sirene in de verte. Hij hield zijn adem in en spitste zijn oren. Kwam het dichterbij? Kon het de politie zijn? Had Harding die gewaarschuwd? De sirene kwam inderdaad dichterbij, maar toen zag hij een ambulance over Storrow Drive rijden. Jeffrey zuchtte. De spanning was vermoeiend. Hij begon weer te ijsberen, tot hij opeens stokstijf bleef staan. Trent Harding stond links van het podium op het trapje. Hij hield een arm langs zijn lichaam en zijn andere hand hield hij op zijn rug, onder een leren jack.

Trent bleef ook even staan en toen Jeffrey de man uitgebreider bekeek, zonk de moed hem in de schoenen. Trent had een zwartleren jack zonder kraag aan en een gebleekte spijkerbroek. In het schemerlicht leken zijn haren blonder te zijn, bijna wit, en in zijn ogen lag een gevaarlijke glans.

Nu stond hij, Jeffrey, oog in oog met de man die hij van minstens zes moorden verdacht. Weer vroeg hij zich af wat Trents beweegredenen zouden kunnen zijn. Het leek opeens allemaal zo onwerkelijk. Jeffrey werd bang, ondanks de bandenlichter en de nabijheid van andere mensen. Het liet zich niet voorspellen hoe Harding zou reageren op de listig bedachte chantagepoging.

Trent liep langzaam het trapje op, keek om zich heen en richtte toen al zijn aandacht weer op Jeffrey. Met een hooghartige blik en een hanige houding liep hij verder op hem af.

'Ben jij Jeffrey Rhodes?'

'Ken je me dan niet meer?' Jeffrey schraapte zenuwachtig zijn keel.

'Jawel, en nu wil ik weten waarom je me lastig valt.'

'Noem het maar nieuwsgierigheid,' zei Jeffrey, wiens hart in zijn keel klopte. 'Ik ben degene die de onplezierige gevolgen heeft moeten ondervinden van jouw handwerk. Ik ben tweemaal veroordeeld en nu zou ik graag eens iets meer willen weten over jouw beweegredenen.'

'Ik weet niet waar je het over hebt.'

'En ik neem aan dat je ook niets van die Polaroid-foto's afweet.'

'Die wil ik terug hebben. Nu!'

'Alles op zijn tijd, alles op zijn tijd. Waarom vertel je me eerst niet eens wat over Patty Owen en Henry Noble.'

'Ik wil weten wie je deelgenoot hebt gemaakt van die krankzinnige theorie van je.'

'Niemand. Ik word door iedereen gemeden als de pest en ik ben op de vlucht voor de justitie. Een man zonder vrienden. Met wie zou ik erover hebben kunnen praten?'

'Heb je de foto's bij je?'

'Zijn we daarom niet hier gekomen?' reageerde Jeffrey ontwijkend.

'Dat was alles wat ik weten wilde,' zei Harding.

Opeens haalde hij zijn hand achter zijn rug vandaan en liet het pistool zien. Hij pakte het met twee handen vast, net zoals ze dat in *Miami Vice* deden, en richtte de loop op Jeffrey's voorhoofd.

Jeffrey bleef doodstil staan en zijn hart sloeg een slagje over. Een wapen had hij niet verwacht.

'Draai je om,' beval Harding.

Jeffrey kon zich niet bewegen.

Trent hield met één hand het wapen op Jeffrey gericht en stak zijn andere hand in zijn zak om de injectiespuit te pakken.

Opeens hoorde Jeffrey een gil. Kelly! Hij was doodsbang dat ze over het gras naar hen toe zou rennen.

'Ik dacht dat je alleen was,' snauwde Trent, die naar Jeffrey toeliep en zijn vinger om de trekker spande.

Opeens klonk er een knal, gevolgd door gegil van de jonge mensen, die zich op hun rollerskates zo snel mogelijk uit de voeten maakten. Jeffrey's benen konden hem niet meer dragen. De bandenlichter viel uit zijn mouw en kletterde op het podium. Hij meende dat hij was neergeschoten, maar zag toen opeens bloed op Trents voorhoofd. De man wankelde. Vervolgens werd er nog enige keren snel achter elkaar gevuurd.

Trent werd in de borstkas getroffen en viel op de grond. Het pistool viel uit zijn hand. Jeffrey keek naar Trent en wist dat de man dood moest zijn. Zijn achterhoofd was vrijwel geheel verdwenen.

Zodra het eerste geweerschot weerklonk, liet Devlin zich plat op het gras vallen. Op het moment dat hij die blonde vent een wapen had zien trekken, was hij in de richting van het podium gerend, half gebogen, om het tweetal te kunnen verrassen. Hij had Kelly horen gillen, maar had dat genegeerd. Toen was er nog een paar maal gevuurd.

Devlin had de blonde man niet herkend. Hij had aangenomen dat het een van die kerels van buiten de stad moest zijn die Mosconi zo graag in de arm wilde nemen, en had zich meteen voorgenomen daar met zijn opdrachtgever eens een hartig woordje over te wisselen. Maar dat tweede salvo had hem duidelijk gemaakt dat er nog een derde man in het spel moest zijn. Devlin wist dat premiejagers geharde kerels waren, maar toch had hij het nog nooit meegemaakt dat iemand een concurrent zomaar in koelen bloede neerschoot.

Devlin tilde zijn hoofd voorzichtig op en keek naar het podium. De blonde man kon hij niet zien, maar de dokter stond daar gewoon, met open mond. Devlin moest de neiging onderdrukken de man toe te schreeuwen dat hij zich plat op de grond moest laten vallen. Hij wilde echter niet de aandacht op zichzelf vestigen zonder te weten waar die geweerschoten vandaan waren gekomen.

Kelly gilde nogmaals en rende langs Devlin heen naar het podium. Devlin hief zijn ogen ten hemel. Wat een stel, die twee! Hij vroeg zich af wie van hen beiden het eerst zou worden vermoord.

In ieder geval had het gegil van Kelly tot gevolg dat Jeffrey weer bij zijn positieven kwam. Hij draaide zich naar Kelly om en schreeuwde haar toe dat ze moest blijven waar ze was. Dat deed ze. Devlin ging op zijn hurken zitten en kon de blonde man nu als een vod op het podium zien liggen.

Meteen daarna kwamen er twee mannen het podium op. Een van hen hield een geweer vast. Beide heren hadden een donker kostuum aan, met een wit overhemd en een keurige stropdas. Langzaam liepen ze op de arts af, alsof ze alle tijd van de wereld hadden. Devlin vond hun stijl heel ongewoon voor premiejagers, maar wel effectief en meedogenloos. Het was duidelijk dat ze het op Jeffrey Rhodes hadden gemunt.

Devlin pakte zijn eigen wapen en rende op het podium af. 'Blijven staan!' schreeuwde hij. 'Rhodes is van mij. Ik neem hem in hechtenis. Goed begrepen?'

De twee mannen waren kennelijk verbaasd. Ze bleven staan en opeens herkende Devlin een van hen. Die man was geen premiejager!

Jeffrey's keel was zo kurkdroog dat hij niet kon slikken. De aderen bij zijn slapen klopten als een gek en Devlins komst verbaasde hem evenzeer als het verschijnen van die twee keurig aangeklede heren. Hij bad dat Kelly zo verstandig zou zijn niet naar het podium toe te komen. O, hij had haar hier nooit bij moeten betrekken! Dit was echter het juiste moment niet om zichzelf daarover de les te lezen. De mannen in de keurige kostuums waren blijven staan. Ze richtten nu al hun aandacht op Devlin, die zijn pistool met twee handen vasthield en het podium inmiddels vrijwel had bereikt. Niemand zei iets en niemand bewoog zich.

'Frank?' zei Devlin toen. 'Frank Feranno. Wat is hier verdomme aan de hand?'

'Devlin, bemoei je er niet mee. Jij hebt hier niets mee te maken. We willen alleen de dokter hebben.'

'Die is van mij.'

'Sorry,' zei Frank.

De twee mannen liepen langzaam bij elkaar vandaan.

'Blijven staan!' schreeuwde Devlin.

Ze negeerden hem.

Jeffrey liep achteruit. Eerst stapje voor stapje, tot hij besloot zijn voordeel te doen met het feit dat de drie mannen alleen maar oog leken te hebben voor elkaar. Zodra hij het trapje had bereikt, zette hij het op een lopen.

Jeffrey hoorde Devlin schreeuwen dat de twee anderen moesten blijven staan en dat hij anders zou schieten. Hij rende verder, naar Kelly, en samen renden ze door naar de Arthur Fieldlerbrug.

Achter hen hoorden ze schieten, maar omkijken deden ze niet éénmaal. Hijgend bereikten ze Kelly's auto en Jeffrey beukte gefrustreerd met zijn hand op het dak terwijl zij de autosleutels pakte.

Ze stapten in en Kelly reed zo hard als ze kon weg.

'Wat had dat in 's hemelsnaam allemaal te betekenen?' vroeg Kelly, zodra ze weer een beetje op adem was gekomen.

'Ik wou dat ik het wist, maar ik heb werkelijk geen idee. Volgens mij waren ze ruzie aan het maken over mij.'

'En ik heb me er door jou toe laten overhalen hieraan mee te doen,' zei Kelly geïrriteerd. 'Ik had mijn eigen intuïtie moeten volgen.'

'Het was een goed plan en deze ontwikkelingen hadden we met geen mogelijkheid kunnen voorzien. Er is iets heel engs gaande, Kelly. Ik begrijp er niets van, maar ik weet wel dat de enige figuur die mij had kunnen vrijpleiten, nu dood is.'

'Nu moeten we wel naar de politie gaan.'

'Dat kunnen we nog altijd niet doen.'

'Maar we hebben een moord gezien.'

'Ik ga er niet heen, maar als jij je er echt toe geroepen voelt, moet je doen wat je niet laten kunt. Als ik naar de politie ga, zal ik waarschijnlijk worden gearresteerd voor de moord op Trent Harding en daarmee zou de ironie ten top zijn gevoerd.'

'Wat ben je dan van plan?'

'Ik denk dat ik het land uit ga, naar Zuid-Amerika. Nu Trent dood is, heb ik vrijwel geen andere keus meer.'

'We gaan eerst maar eens naar mijn huis, om dit alles eens grondig te bespreken. Op dit moment zijn we geen van beiden in staat een zo belangrijke beslissing weloverwogen te nemen.'

'Ik weet niet of we wel naar jouw huis toe moeten, want Devlin kent het adres. Ik denk dat je me beter bij een hotel kunt afzetten.'

'Als jij naar een hotel gaat, ga ik met je mee.'

'Wil je echt nog bij me blijven na alles wat er daarnet is gebeurd?'

'Ja.'

Jeffrey was ontroerd, maar wist dat hij haar niet meer aan risico's mocht blootstellen. Tegelijkertijd wilde hij haar bij zich houden. Ze kenden elkaar pas een paar dagen, maar toch had hij al het idee dat hij niet meer zonder haar zou kunnen.

In een opzicht had ze gelijk. Hij was nu niet in staat tot het nemen van belangrijke beslissingen. Er was te veel gebeurd en emotioneel was hij de uitputting nabij.

'Zal ik de stad uit rijden, naar een klein hotelletje?' stelde Kelly voor.

'Prima,' zei Jeffrey afwezig, omdat hij in gedachten weer terug was op dat podium en alle afschuwelijke gebeurtenissen nog eens de revue liet passeren. Hij herinnerde zich dat Devlin een van de andere mannen had herkend en hem Frank Feranno had genoemd. Het zouden wel allemaal premiejagers zijn, die het hadden gemunt op hem en het geld dat zijn arrestatie kon opleveren. Maar waarom hadden ze Harding vermoord? Daar begreep hij niets van. Misschien dachten ze dat Harding ook een premiejager was, maar dat soort lieden moordde elkaar gewoonlijk niet uit.

'Moet ik het stuur soms even van je overnemen?' vroeg hij aan Kelly.

'Nee hoor, ik red me wel. Je moet je een beetje ontspannen.'

Jeffrey knikte. Toen vertelde hij haar dat hij dacht dat de mannen op het podium premiejagers waren, net als Devlin.

'Ik geloof er niets van,' zei Kelly. 'Toen ik hen voor het eerst zag, dacht ik dat ze bij Trent hoorden. Ze kwamen meteen nadat hij daar was gearriveerd. Het werd me echter al snel duidelijk dat ze het op Trent Harding hadden gemunt. Ze hebben hem opzettelijk doodgeschoten. Hij was hun doelwit, niet jij.'

'Maar waarom wilden ze hem vermoorden? Ik begrijp er niets van.' Hij zuchtte. 'Van één ding ben ik in ieder geval overtuigd. De wereld is aanzienlijk beter af zonder Trent Harding. Ik weet zeker dat hij de moordenaar was, al hebben we daar dan ook geen bewijs van.'

Opeens lachte Jeffrey.

'Wat is er nu in 's hemelsnaam zo grappig?'

'Ik verbaas me over mijn eigen naïviteit. Ik denk dat Harding die afspraak van het begin af aan heeft gezien als een schitterende gelegenheid om mij te vermoorden. Hij had een injectiespuit bij zich, weet je, en was van plan me zijn toxine toe te dienen.'

Opeens trapte Kelly op de rem.

'Wat is er?'

'Er schiet me opeens iets te binnen. Misschien heeft Trents dood ons wel een aanwijzing gegeven die we niet zouden hebben gekregen als hij niet was vermoord.'

'Ik kan je niet volgen.'

'Ik ben ervan overtuigd dat die twee mannen Harding wilden doden en niet jou. Dat is veelbetekenend, want iemand heeft Harding kennelijk als een bedreiging gezien. Het kan zijn dat ze niet wilden dat hij met jou sprak. Die hele zaak zou nog wel eens heel wat ingewikkelder in elkaar kunnen zitten dan we in eerste instantie dachten.'

'Denk je dan niet dat Harding een krankzinnige was die op zijn eentje opereerde?'

'Nee, dat denk ik niet. Wat er vanavond is gebeurd, doet me denken aan een soort van samenzwering. Misschien heeft het iets met ziekenhuizen te maken. Hoe meer ik erover nadenk, hoe meer ik het idee krijg dat er een kant aan deze zaak zit die ons volledig is ontgaan omdat we steeds hebben gezocht naar één enkele psychopaat. Nu denk ik dat er meer mensen bij betrokken zijn.'

Jeffrey dacht weer aan het gesprek tussen Frank Feranno en Devlin. De mannen hadden gezegd dat ze hem, Jeffrey, wilden hebben. Maar ze hadden hem kennelijk wel levend in handen willen krijgen, want ze hadden hem net zo makkelijk kunnen doden als Trent.

'Verzekeringsmaatschappijen?' suggereerde Kelly, die zeker na de zelfmoord van Chris een grondige hekel aan die instellingen had gekregen.

'Waar heb je het nu opeens weer over?'

'Iemand moet hebben geprofiteerd van die moorden. Vergeet niet dat niet alleen de artsen, maar ook de ziekenhuizen een proces aan hun broek hebben gekregen. In het geval van Chris heeft het ziekenhuis evenveel, zo niet meer moeten betalen dan de maatschappij van Chris, maar ze waren alletwee bij dezelfde maatschappij verzekerd.'

Jeffrey dacht daar even over na. 'Het lijkt me nogal vergezocht. Verzekeringsmaatschappijen verliezen op korte termijn vaak grote bedragen en komen zo'n klap pas later weer te boven, door de premies drastisch te verhogen.'

'Maar ze profiteren er uiteindelijk wel van, dus vind ik dat we rekening moeten houden met een mogelijke betrokkenheid.'

'Hmmm,' zei Jeffrey, die daar nog niet van overtuigd was. 'Ik vind het vervelend een domper op je enthousiasme te zetten, maar nu Trent dood is, vraag ik me af of we er ooit achter zullen komen. We hebben geen bewijzen dat Trent erbij betrokken was. Sterker nog: we kunnen niet eens bewijzen dat er sprake is geweest van een toxine. Seibert doet zijn uiterste best, maar of zijn onderzoek resultaten zal opleveren, is heel erg de vraag.'

Jeffrey herinnerde zich de injectiespuit waarmee Trent hem had bedreigd. Was hij maar zo slim geweest die op te rapen! Dan had Seibert daarmee aan de slag kunnen gaan.

Toen dacht hij opeens aan Trents appartement. 'Kelly, we hebben nog één kans om te bewijzen dat Trent die moorden heeft gepleegd en dat er een toxine in het spel is. Ergens in het appartement van die man zouden we het bewijs van die stelling moeten kunnen vinden.'

'O nee! Je wilt toch zeker niet voorstellen daar nog eens naar toe te gaan?'

'Het is onze enige kans. Kom op, we gaan erheen. We hoeven nu in ieder geval niet meer bang te zijn dat we Trent tegen zullen komen. Morgen is de politie daar waarschijnlijk al bezig, dus moeten we nu onze kans grijpen.'

Kelly schudde haar hoofd, maar keerde de auto en reed naar het inmiddels bekende adres.

Frank Feranno voelde zich hondsberoerd. Wat hem betrof was dit de vervelendste avond van zijn leven geweest, hoe veelbelovend het ook allemaal was begonnen. Hij en Tony zouden tienduizend dollar kunnen opstrijken voor het uit de weg ruimen van een blonde vent die Trent Harding heette en het verdoven en meenemen van een arts die naar de naam Jeffrey Rhodes luisterde. Daarna hadden ze alleen nog naar het vliegveld Logan hoeven te rijden, om de arts in een wachtende Learjet te dumpen. Het zou allemaal heel makkelijk gaan, omdat de arts en de blonde vent hadden afgesproken bij de Hatch Shell, om half tien. Twee vliegen in één klap.

Maar het was anders gegaan dan ze hadden gepland. Op de komst van Devlin hadden ze werkelijk niet gerekend.

Frank liep een drogisterij bij Charles Circle uit, terug naar zijn zwarte Lincoln. Zodra hij was gaan zitten, maakte hij de wond bij zijn linkerslaap schoon met de alcohol die hij net had gekocht. Het prikte erg en hij beet op zijn tong.

Toen maakte hij het flesje Maalox open, dat hij eveneens net had gekocht, en slikte twee pillen door. Daarna pakte hij de autotelefoon en draaide het nummer van zijn contactpersoon in St. Louis. Een man nam op.

'Matt, je spreekt met mij, Feranno.'

'Wacht even.'

Frank hoorde Matt tegen zijn vrouw zeggen dat hij het gesprek in de andere kamer zou afhandelen en dat zij de hoorn op de haak moest leggen zodra hij de hoorn van het andere toestel had opgenomen.

'Wat is er verdomme aan de hand?' hoorde hij Matt vragen. 'Ik heb je gezegd dat je dit nummer alleen mocht bellen als er problemen waren, en je wilt me toch zeker niet gaan vertellen dat het mis is gelopen?'

'Er is iets mis gegaan, en niet zo zuinig ook. Tony is dood. Matt, je was vergeten ons te vertellen dat er een prijs op het hoofd van die dokter staat. Een van de gemeenste premiejagers die ik ken, liet zich daar opeens zien en dat zou niet zijn gebeurd als er geen grof geld mee gemoeid was.'

'En die verpleger?'

'Die is dood. Fluitje van een cent was dat. Met die arts hebben we problemen gekregen. Hoeveel geld staat er op zijn hoofd?'

'De borgsom is vastgesteld op een half miljoen.'

Frank floot. 'Matt, dat is geen onbelangrijk detail. Je had ons daarvoor moeten waarschuwen, want dan zouden we het anders hebben aangepakt. Ik weet niet hoe belangrijk die dokter voor jou is, maar ik zal je bij dezen maar meteen meedelen dat mijn prijs omhoog is gegaan. Ik ben heel teleurgesteld, Matt, want ik dacht altijd dat we elkaar begrepen.'

'We zullen het goed met je maken, Frank. Zit daar nu maar niet over in. Die dokter is heel belangrijk voor ons. Niet zo belangrijk als de dood van Trent Harding, maar wel belangrijk. Als je die arts alsnog te grazen kunt nemen, zal ik je vijfenzeventigduizend geven.

249

Hoe klinkt je dat in de oren?'

'Aangenaam. Het betekent inderdaad dat die arts heel belangrijk voor jullie moet zijn. Heb je er enig idee van waar ik hem kan vinden?'

'Nee, maar dat is een van de redenen waarom we bereid zijn je zoveel te betalen. Je hebt me gezegd dat je heel erg goed bent, en nu krijg je de kans dat te bewijzen. Hoe zit het met Hardings lijk?'

'Ik heb gedaan wat je me had opgedragen. Gelukkig heb ik Devlin geraakt nadat hij Tony had neergeschoten, maar ik weet niet hoe ernstig ik hem heb verwond. Veel tijd had ik niet. Het lijk kan nergens door worden geïdentificeerd en je had gelijk. Hij had een injectiespuit bij zich. Die heb ik naar het vliegtuig gebracht.'

'Uitstekend. En Hardings appartement?'

'Staat als eerstvolgende op mijn lijstje.'

'Ik wil dat je dat brandschoon achterlaat. Vergeet de geheime bergplaats in het kastje bij de ijskast vooral niet. Alles eruit halen en ook naar het vliegveld brengen. En zoek naar zijn adresboek. Hij was zó stom dat daar nog wel eens iets in zou kunnen staan dat niet voor anderen is bestemd. Als je het kunt vinden, breng het dan ook naar het vliegtuig. Daarna maak je een grote troep in dat appartement, zodat de indruk wordt gewekt dat er sprake is van inbraak. Heb je zijn sleutels?'

'Ja.'

'Perfect. Jammer van Tony.'

'Tsja, in ons vak loop je nu eenmaal bepaalde risico's,' zei Frank, die zich een stuk beter voelde nu hem die vijfenzeventigduizend was toegezegd.

Hij legde de hoorn op de haak en draaide een ander nummer.

'Nicky, je spreekt met Frank. Ik heb hulp nodig. Niets bijzonders. Alleen een appartement overhoop halen. Ik pik je wel op aan Hannover Street, voor het Via Veneto Café. Neem voor de zekerheid wel een wapen mee.'

Kelly draaide Garden Street in en zag in gedachten meteen Trent Harding met een klauwhamer naar buiten komen. Ze zette de auto neer en keek naar Trents appartement.

'Het licht brandt!'

'Dat zal hij zelf wel hebben aangelaten, met het idee dat hij binnen een halfuurtje weer terug zou zijn.'

'Weet je dat zeker?'

'Nee, natuurlijk niet, maar het lijkt aannemelijk. Maak me nu alsjeblieft niet zenuwachtiger dan ik toch al ben.'

'Misschien is de politie er al.'

'Dat denk ik niet. De kans is groot dat ze nog niet eens het lijk hebben ontdekt. Ik zal heel voorzichtig zijn en goed luisteren voordat ik naar binnen ga. Als de politie onverwacht toch arriveert, moet je toeteren en dan naar Revere Street rijden. In dat geval zal ik over de daken klimmen en uit een van de flatgebouwen daar weer te voorschijn komen.'

'De vorige keer heb ik ook getoeterd, maar tevergeefs.'

'Ik zal er nu op letten.'

'Wat ga je doen als je bezwarend bewijsmateriaal vindt?'

'Dan laat ik het daar en bel ik Randolph, die dan misschien wel een bevel tot huiszoeking zal kunnen regelen. Vervolgens moet het recht zijn loop hebben, hoe langzaam dat soms ook gaat. Ik denk dat ik zelf naar het buitenland ga tot mijn naam van alle blaam is gezuiverd.'

'Dat klinkt allemaal wel heel makkelijk uit jouw mond.'

'Dat zal het ook zijn, als ik tenminste een toxine of iets dergelijks kan vinden. Kelly, als ik het land uit ga, zou ik het fijn vinden als jij met me mee ging. Wil je daar eens over nadenken?'

'Daar hoef ik niet over na te denken. Ik ga dolgraag met je mee.'

Jeffrey glimlachte. 'We hebben het er later nog wel over. Wens me nu maar succes.'

'Succes, en maak een beetje haast, alsjeblieft.'

Jeffrey stapte de auto uit, keek omhoog en zag dat de oude hor niet in het raam was teruggezet. Prima. Dat bespaarde hem tijd.

Hij stak over en ging de hal in. Terwijl hij de trap opliep, begon hij weer bang te worden, maar hij wist dat hij de tijd niet had daaraan toe te geven. Vastberaden ging hij het dak op en klom via de brandtrap weer omlaag.

Zodra hij bij het openstaande raam was gearriveerd, spitste hij zijn oren. Er was niets anders te horen dan stereomuziek uit een ander appartement. Jeffrey klom naar binnen.

Het viel hem meteen op dat de rommel nog groter was dan de avond daarvoor. De lage tafel miste een poot en lag op de grond. Naast de telefoon zat een gat in de muur. Bij de deur naar de keuken zag hij een kapot bierflesje op de grond liggen.

Snel liep Jeffrey het appartement door, om er volkomen zeker van te zijn dat er niemand was. Toen zette hij de ketting op de voordeur en ging op zoek. Hij zocht vooral naar brieven, die hij kon meenemen om ze later op zijn gemak te bekijken.

Voor hij het bureau doorzocht, liep hij even de keuken in om een plastic zak of zoiets dergelijks te zoeken. Nog meer scherven, dit maal van kapotte glazen, vlak bij de ijskast. Hij liep erheen en maakte het kastje erboven open. Op de onderste plank stonden glazen, op de bovenste borden.

Opeens zag hij dat het kastje bij de onderste plank minder diep was. Jeffrey duwde de glazen opzij en klopte op de achterwand. Direct voelde hij dat het hout daar loszat. Hij duwde ertegen en de wand verschoof, waarna hij hem uit het kastje kon halen.

'Halleluja!' brulde hij toen hij een ongeopende doos zag met ampullen Marcaine, een sigarendoos, injectienaalden en een buisje met gele vloeistof. Hij pakte snel een theedoek en pakte dat laatste buisje op, dat van buitenlandse makelij leek te zijn. Toen pakte hij de sigarendoos, zette die op de ijskast neer en maakte hem open. Hij zag een hele stapel splinternieuwe biljetten van honderd dollar. Het moest alles bij elkaar zo'n twintig- of dertigduizend dollar zijn, schatte hij.

Snel zette hij alles weer terug waar hij het had gevonden en veegde de achterwand en de glazen schoon, zodat er geen vingerafdrukken van hem zouden achterblijven. Hij was ontzettend opgewonden, want hij twijfelde er niet aan dat die gele vloeistof de toxine was waarnaar hij op zoek was geweest en dat een analyse ervan Seibert duidelijk zou maken waar hij naar moest zoeken. Het geld leek Kelly's stelling te onderschrijven dat er sprake was van een samenzwering.

Meteen ging Jeffrey op zoek naar verdere aanwijzingen in die richting. In het bureau vond hij een aantal brieven en rekeningen. Die deed hij in een papieren zak die hij uit de keuken had meegenomen. Daarna liep hij naar de slaapkamer en doorzocht het bureau daar. Dat leverde hem een hele stapel brieven op, die hij zo snel mogelijk begon te sorteren.

Kelly trommelde zenuwachtig met haar vingers op het stuur en leek niet stil te kunnen zitten. Waarom bleef Jeffrey zo lang weg? Ze werd met de seconde nerveuzer.

Garden Street was normaal gesproken geen drukke straat, maar toch reden er nu vrij veel auto's doorheen, kennelijk op zoek naar een parkeerplaatsje. Dus verbaasde het haar niet toen ze weer een auto zag komen aanrijden vanaf de kant van Revere Street. Ze begon pas op te letten toen die wagen vlak voor het flatgebouw van Trent Harding stopte en de chauffeur zijn knipperlichten aanzette omdat hij dubbel geparkeerd stond.

Kelly zag een man in een donkere trui uitstappen, even later gevolgd door de man die achter het stuur had gezeten. Die laatste droeg een wit overhemd met opgerolde mouwen en had een tas bij zich. De twee mannen lachten ergens om. Haast leken ze niet te hebben. De jongere man stak een sigaret op en toen liepen ze samen het flatgebouw in.

Kelly keek naar de auto. Het was een grote, glanzende zwarte Lincoln, met veel antennes op het dak. Ze vroeg zich af of ze moest toeteren, omdat de wagen helemaal niet in deze buurt thuis leek te horen, maar ze wilde Jeffrey ook niet onnodig bang maken. Even dacht ze erover uit te stappen, maar bleef toen toch zitten en keek naar het openstaande raam, alsof ze Jeffrey daardoor zou kunnen dwingen wat meer haast te maken.

'Als je kunt bewijzen dat ik op je kan rekenen, heb ik grootse plannen met jou, Nicky,' zei Frank terwijl ze de trap opliepen. 'Nu Tony dood is, is er een gat in mijn organisatie gevallen. Begrijp je wat ik bedoel?'

'Je zegt me maar wat ik moet doen en dan komt het voor elkaar,' zei Nicky.

Frank vroeg zich af hoe hij in vredesnaam die arts zou kunnen vinden. Dat zou heel wat loopwerk vereisen en Nicky leek daar geknipt voor te zijn.

Ze hadden de vijfde verdieping bereikt en Frank was een beetje buiten adem. 'Ik moet toch eens op mijn gewicht gaan letten,' mompelde hij, terwijl hij Trents sleutelbos uit zijn zak viste. De eerste sleutel werd in het slot gestoken, maar er gebeurde niets. Hij pakte de volgende. Die kon hij omdraaien, maar toen hij tegen de deur duwde, ging hij niet open. 'Wat krijgen we verdomme nu weer?' zei Frank.

Jeffrey had de eerste sleutel al in het slot horen steken en bleef even stokstijf en doodsbang zitten. Toen de tweede sleutel in het slot werd gestoken, rende hij naar het raam en dat bereikte hij op het moment dat Nicky de voordeur intrapte.

'Het is de dokter!' hoorde Jeffrey iemand schreeuwen. Hij sprong over de vensterbank heen en klauterde zo snel hij kon de brandtrap op. Toen hij boven was, klom hij net als de vorige keer over een aantal daken heen, terwijl hij achter hem voetstappen hoorde. Jeffrey vermoedde dat het dezelfde mannen waren die bij de Hatch Shell waren opgedoken. Hij was hun bestaan even helemaal vergeten toen hij had besloten Hardings appartement te doorzoeken!

De deur die de vorige keer open had gestaan, bleek nu dicht te zijn en pas drie flatgebouwen verderop was er een open. Jeffrey vloog naar binnen en wilde de deur op slot doen, maar ditmaal zag hij niet eens een haak en een oog. Zo snel hij kon rende hij de trap af. De mannen zaten hem nu zo dicht op de hielen dat hij besefte dat hij Kelly's auto nooit op tijd zou kunnen bereiken. Dus rende hij Revere Street op. Hij was niet van plan Kelly's leven nog meer in gevaar te brengen. Hij moest zich van zijn achtervolgers zien te ontdoen voordat hij naar haar terugging.

Jeffrey draaide linksom Grove Street op en rende langs een wasserette. Zo snel hij kon ging hij verder, Pinckney Street in. Hij kende Beacon Hill niet goed en hoopte dat het geen doodlopende straat zou blijken te zijn. Dat was niet het geval en even later stond hij op Louisburg Square.

Om zich van zijn achtervolgers te kunnen ontdoen, zou hij zich ergens moeten verstoppen, want zij konden beslist harder rennen dan hij. Hij zag het gietijzeren hek dat het kleine parkje midden op het plein omgaf en klauterde eroverheen, waarna hij meteen door rende naar het dichte struikgewas en zich daar plat op de grond liet vallen. Toen hield hij zijn adem in en wachtte af.

Jeffrey hoorde zijn achtervolgers Pinckney Street af komen. Al snel zag hij de eerste man verschijnen. Die bleef staan toen hij zijn prooi nergens kon ontdekken. De andere kerel kwam naast hem staan en ze overlegden even.

Toen ze ieder een andere kant op gingen, kon Jeffrey hen even goed zien in het licht van een straatlantaren. Meteen herkende hij een van hen als de kerel die het podium van de Hatch Shell was opgekomen. De andere man, die een pistool in zijn hand had, kende hij niet.

De mannen keken in alle portieken en onder alle geparkeerd staande auto's en toen Jeffrey hen niet meer kon zien, bleef hij nog altijd doodstil liggen. Het risico dat ze hem zouden zien als hij weer over het hek heen klauterde, was te groot.

Jeffrey schrok toen een kat vlak bij hem kwam mauwen terwijl hij hem kopjes gaf. Toen begon het dier heel hard te snorren. Gek, katten hadden nooit veel aandacht aan hem besteed, maar nu leek hij bij Delilah en dit dier opeens bijzonder in de gratie te zijn!

Jeffrey draaide zijn hoofd en zag de twee mannen met elkaar praten op de hoek bij Mt. Vernon. Ze liepen weer terug richting

Pinckney Street en keken nu naar het parkje. Jeffrey raakte weer in paniek en wist dat hij in beweging moest komen, omdat het lawaai van de kat ongetwijfeld de aandacht zou trekken.

Hij rende naar het hek, klom eroverheen en verzwikte zijn enkel toen hij aan de andere kant het trottoir op sprong. Toch rende hij zo snel hij kon Pinckney Street weer in, de pijn negerend. Achter hem hoorde hij de mannen iets naar elkaar schreeuwen. Jeffrey rende langs West Cedar in de richting van Charles Street en toen verder, Brimmer Street af, waarna hij linksaf sloeg. De twee mannen dreigden hem in te halen.

Wanhopig rende Jeffrey naar een kerk, in de hoop zich daar ergens te kunnen verbergen, maar de zware deur bleek op slot te zitten. Toen stonden de twee mannen bij hem en voelde hij de loop van het pistool tegen zijn hoofd. 'Slaap lekker, dokter!' zei de man die het wapen vasthield.

Kelly sloeg met een vuist op het dashboard. Nog altijd geen spoor van Jeffrey te bekennen!

Ze stapte de auto uit, wilde naar het appartement gaan, maar zag daar toch vanaf, omdat ze bang was dat een klop op de deur Jeffrey doodsbang zou maken. Opeens zag ze de glanzende zwarte Lincoln weer komen aanrijden. Nog geen tien minuten daarvoor was een van de mannen daarmee weggereden. De wagen werd opnieuw dubbel geparkeerd en toen zag ze ook de tweede man weer. Het stel liep snel het flatgebouw in.

Kelly was nieuwsgierig geworden en liep op de Lincoln af, zo nonchalant mogelijk, in de hoop dat ze daardoor geen achterdocht zou wekken als een van de mannen onverwacht weer terugkwam. Zodra ze de auto had bereikt, boog ze zich voorover en schrok toen ze iemand opgekruld op de achterbank zag liggen slapen. Toen keek ze nog eens wat beter en zag dat een van de handen van de man op een onnatuurlijke manier tegen zijn rug gedrukt was. Mijn hemel, het was Jeffrey!

Ze probeerde het portier open te maken, maar dat bleek op slot te zitten. Ze rende naar de andere portieren. Ook allemaal op slot. Wanhopig keek ze om zich heen, zoekend naar iets zwaars en toen ze niets kon ontdekken, wrikte ze een van de stoeptegels los. Daarmee rende ze terug naar de Lincoln en smeet hem tegen de ruit van het achterportier. Na enige vergeefse pogingen begaf het glas het. Snel stak ze haar hand naar binnen en haalde het portier van het slot.

Zodra ze het portier open had en zich vooroverboog om Jeffrey bij zijn positieven te brengen, hoorde ze boven iemand schreeuwen. Een van de mannen had waarschijnljk het geluid van het brekende glas gehoord.

'Jeffrey! Jeffrey!' riep ze en gelukkig bewoog hij zich meteen. Hij wilde iets zeggen, maar het spreken leek hem ongelooflijk veel moeite te kosten. Heel moeizaam gingen zijn ogen iets open.

Kelly wist dat ze weinig tijd had. Ze pakte Jeffrey's polsen vast en trok hem naar zich toe. Zijn lichaam was loodzwaar en zijn benen leken volkomen slap te zijn. Ze sloeg haar armen om zijn borstkas heen en sleepte hem de auto uit.

'Jeffrey, je moet proberen te staan! Lopen! Lopen moet je!'

Hij deed zijn best, maar het lukte hem niet. Kelly sleepte hem verder naar haar auto, maakte het achterportier open en kreeg hem met veel moeite op de achterbank. Toen smeet ze het portier dicht en ging zo snel als ze kon achter het stuur zitten. Zodra ze de motor had gestart, vloog de deur van het flatgebouw open en zag ze de mannen verschijnen. Ze drukte het gaspedaal in en reed vooruit, keihard tegen de wagen die voor haar geparkeerd stond aan. Daarna achteruit, tegen de wagen achter haar. Toen stond een van de mannen naast haar auto en trok het portier open, dat ze was vergeten op slot te doen. 'Niet zo snel, dametje!'

Met haar vrije hand zette Kelly haar auto in de eerste versnelling, draaide uit alle macht aan het stuur en trapte het gaspedaal helemaal in. De auto schoot vooruit en de man die haar arm had vastgegrepen, slaakte een kreet van pijn toen het geopende portier tegen hem aan vloog.

Kelly hield het gaspedaal ingetrapt en reed met geopend portier Garden Street uit. Een blik in haar achteruitkijkspiegel was voldoende om te zien dat de zwarte Lincoln inmiddels de achtervolging had ingezet. Ze zou die alleen van zich kunnen afschudden in de smalle straatjes van Beacon Hill, besefte ze, omdat haar Honda aanzienlijk wendbaarder was dan de vrij logge limousine. Ze reed zo snel mogelijk de smalle straten door, links en rechts afslaand, en tot haar grote vreugde zag ze dat het de chauffeur van de Lincoln inderdaad moeite begon te kosten haar bij te houden.

Omdat Kelly voor haar huwelijk enige jaren in Beacon Hill had gewoond, kende ze er goed de weg, maar af en toe werd ze door een medeweggebruiker gedwongen op de rem te trappen en dan kon de Lincoln haar weer aardig inhalen. Opeens zag ze de garage van Brimmer Street opdoemen. Ze reed bliksemsnel langs het glazen hokje van de parkeerwachter, een autolift in.

Twee stomverbaasde mannen kwamen het hokje uit en liepen op haar af, maar voordat zij iets konden zeggen, schreeuwde ze: 'Ik word achtervolgd door een man in een zwarte Lincoln. Jullie moeten me helpen! Hij wil me vermoorden!'

De mannen keken elkaar aan. Toen sloot een van hen de liftdeuren. De andere man ging mee met de lift. 'Waarom wil iemand u vermoorden?' vroeg die aan Kelly.

'U zou me beslist niet geloven als ik u dat vertelde. Denkt u dat uw collega die Lincoln zal tegenhouden?'

'Dat denk ik wel. Het komt niet vaak voor dat we een dame in nood kunnen redden.'

Kelly deed opgelucht haar ogen dicht en liet haar voorhoofd op het stuur rusten.

'Wat is er aan de hand met die man op de achterbank?'

'Die is dronken. Heeft een paar margarita's te veel gehad.'

Toen Frank voor de tweede keer opbelde, duurde het weer geruime tijd voordat Matt het gesprek op het andere toestel had overgezet.

'Nog meer problemen? Je maakt hiermee niet bepaald een goede indruk, Frank!'

'Dit hadden we op geen enkele manier aan kunnen zien komen. Toen we bij het appartement arriveerden, was de dokter al binnen.'

'En het spul in het kastje?'

'Dat was nog niet ontdekt en keurig op zijn plaats.'

'En de dokter zelf?'

'Dat is het probleem. We hebben hem een heel eind achterna gezeten en uiteindelijk te pakken gekregen.'

'Uitstekend.'

'Nee, helemaal niet, want we zijn hem weer kwijtgeraakt. We hadden hem verdoofd met het spul dat jij had gestuurd, en dat werkte perfect. Toen hebben we hem in de auto gedeponeerd en zijn we teruggegaan naar dat appartement, voor het kastje. Zijn vriendin heeft toen ingebroken in onze auto. Ze heeft die vent eruit gesleept en ondanks pogingen van Nicky om haar het wegrijden te beletten, is ze er toch vandoor gegaan. Hij heeft er zijn arm bij gebroken. Ik ben haar met de auto gevolgd, maar op een gegeven moment kon ik haar nergens meer vinden.'

'Het appartement?'

'Wat dat betreft zijn er geen problemen. Ik ben teruggegaan en heb de zaak goed overhoop gehaald. Rest ons dus alleen nog die dokter. Ik denk wel dat ik hem te pakken zal kunnen krijgen als ik gebruik kan maken van jouw informatiekanalen. Ik heb het kenteken opgeschreven van die auto. Kun jij daar een naam en adres bij opvragen?' 'Natuurlijk. Ik bel je morgenochtend vroeg op.'

15

Jeffrey kwam geleidelijk aan weer bij zijn positieven. Zijn keel was zo droog dat het ademhalen zeer deed en slikken kostte moeite. Zijn lichaam voelde zwaar aan en stijf als een plank. Hij deed zijn ogen open, keek om zich heen en zag een onbekende kamer met blauwe muren. Toen zag hij het infuus.

Hij ging op zijn zij liggen en zag buiten een stralend zonnetje aan de hemel. Op het tafeltje naast zijn bed stonden een karaf en een glas; snel dronk hij wat water.

Toen ging hij rechtopzitten en keek eens uitgebreider om zich heen. Het was een ziekenhuiskamer, compleet met het gebruikelijke metalen bureau en een weinig comfortabel ogende stoel. In die stoel zat Kelly en ze was diep in slaap.

Jeffrey stond op en wilde naar haar toelopen, maar dat werd hem door het infuus belet. Hij keek om en zag dat hij steriel water toegediend kreeg, in een heel kleine dosering. Opeens herinnerde hij zich dat hij in Beacon Hill voor die twee mannen op de vlucht was gegaan en dat er bij een kerk een wapen op hem was gericht. Van wat er daarna was gebeurd, kon hij zich echter niets meer herinneren.

'Kelly!'

Ze deed haar ogen open en rende op hem af. 'Jeffrey! Hoe voel je je?'

'Prima.'

'Ik ben zo bang geweest, want ik had er geen idee van wat ze je hadden toegediend.'

'Waar zijn we?'

'In het St. Joe's. Ik wist niet wat ik moest doen, dus heb ik je meegenomen naar de spoedopname, omdat ik bang was dat je ademhalingsproblemen zou krijgen.'

'En ze hebben me opgenomen zonder vragen te stellen?'

'Ik heb wat geïmproviseerd door te zeggen dat je een broer van me was en buiten de stad woonde. Niemand heeft dat in twijfel getrokken, want ze kennen me hier allemaal. Ik had eerst je zakken leeggehaald en portefeuille opgeborgen. Het enige probleem heeft zich voorgedaan toen het lab meldde dat je ketamine had gebruikt.

Toen heb ik wel moeten zeggen dat je een anesthesist was.'

'Wat is er gisterenavond in vredesnaam gebeurd?'

Kelly vertelde hem alles wat er was voorgevallen vanaf het moment dat hij het flatgebouw was binnengelopen, tot ze hem naar het ziekenhuis had gebracht.

'Kelly, ik had je hier nooit bij moeten betrekken. Ik...'

'Ik heb mezelf erbij betrokken láten raken, maar dat is nu niet belangrijk. Het voornaamste is dat we beiden in orde zijn. Wat heb je in Hardings appartement gevonden?'

'Waar ik naar op zoek was. Een voorraad Marcaine, spuiten, naalden, veel contant geld en de toxine. Dat alles had hij opgeborgen achter een valse wand van een keukenkastje.'

'Contant geld?'

'Ja, en ik weet precies waar je nu aan denkt. Zodra ik dat geld zag, moest ik denken aan jouw opmerking over een samenzwering. God, ik wou dat die Harding nog leefde, want hij zou ons er waarschijnlijk alles over kunnen vertellen. Nu zullen we echter moeten werken met wat we hebben. Veel is het niet, maar we hebben er in het begin beroerder voor gestaan.'

'Wat gaan we nu doen?'

'We gaan naar Randolph Bingham en vertellen hem het hele verhaal. Hij moet de politie ertoe overhalen Trents appartement te doorzoeken.'

Jeffrey maakte het infuus los en ging staan. Even wankelde hij op zijn benen, maar Kelly sloeg meteen een arm om hem heen.

'Ik begin zo zoetjes aan te denken dat ik jou voortdurend nodig heb,' zei Jeffrey.

'We hebben elkaar nodig.'

Jeffrey schudde zijn hoofd. Hij had de indruk dat Kelly hem helemaal niet nodig had. Hij had haar immers alleen nog maar problemen bezorgd. Het enige dat hij kon hopen, was dat hij het op een gegeven moment goed zou kunnen maken.

'Waar zijn mijn kleren?' vroeg hij.

Kelly liep naar een kast en maakte die open. 'Mijn duffelse tas!' zei Jeffrey verbaasd.

'Vanmorgen vroeg ben ik naar huis gegaan om de katten te eten te geven en wat kleren op te halen en toen heb ik meteen die tas meegenomen.'

'Heb je Devlin gezien? Was er iemand die je huis in de gaten hield? Het had gevaarlijk kunnen zijn.'

'Dacht ik ook, maar toen ik de krant zag, besefte ik dat ik me geen zorgen zou hoeven maken.'

Ze pakte de krant en gaf die aan Jeffrey. Hij las een beschrijving van de gebeurtenissen bij de Hatch Shell. Een verpleger die kort geleden nog werkzaam was geweest in het St. Joseph's Hospital, was neergeschoten door een berucht onderwereldfiguur, Tony Marcello. Een ex-politieman uit Boston, een zekere Devlin O'Shae, had de aanvaller met een kogel gedood, maar was daarbij zelf zeer ernstig gewond geraakt en zijn toestand was nog altijd kritiek. De politie stelde een onderzoek in. Men vermoedde dat het met handel in drugs te maken had.

'Ik denk dat we het einde van de lijdensweg naderen,' zei Jeffrey, die Kelly in zijn armen nam. 'Nu moeten we naar Randolph gaan. Daarna denk ik dat we moeten doorrijden naar Canada om van daaruit ergens naar toe te vliegen waar we rustig kunnen wachten tot de politie deze zaak heeft opgehelderd.'

'Ik weet niet of ik weg kan. Delilah kan nu elk moment gaan bevallen.'

'Ben je van plan hier te blijven vanwege een kat?' vroeg Jeffrey vol ongeloof.

'Ik kan haar nu echt niet alleen laten.'

'Goed. In dat geval zullen we iets anders moeten bedenken. Maar nu moeten we eerst naar mijn advocaat. Wat moeten we doen om hier weg te kunnen? En onder welke naam heb je me eigenlijk ingeschreven?'

'Je bent Richard Widdicomb. Ik ga wel even naar de balie om alles te regelen.'

Jeffrey kleedde zich aan. Afgezien van een lichte hoofdpijn, voelde hij zich prima. Hij vroeg zich af hoeveel ketamine die twee kerels hem hadden toegediend. Gezien het feit dat hij zover heen was geweest, vermoedde hij dat ze er ook iets als Innovar bij moesten hebben gedaan.

Jeffrey maakte zijn duffelse tas open en haalde daar zijn toiletspulletjes uit, schoon ondergoed, het geld, een paar velletjes met aantekeningen die hij in de bibliotheek had gemaakt, de kopieën van de rechtbankverslagen, zijn portefeuille en een klein zwart boekje.

Hij stopte de portefeuille in zijn zak en pakte het zwarte boekje. Dat bladerde hij door; hij kon zich niet voorstellen hoe dat in zijn tas terecht was gekomen. Het was een adresboekje, maar het was niet van hem.

Kelly kwam binnen, op de voet gevolgd door een arts. 'Dit is dokter

261

Sean Apple, en hij moet je even onderzoeken voordat je kunt worden ontslagen.'

Jeffrey liet de jonge dokter op zijn borstkas kloppen, zijn bloeddruk meten en een eenvoudig neurologisch onderzoek uitvoeren, waarbij Jeffrey onder andere over een rechte lijn moest lopen.

Terwijl hij daarmee bezig was, vroeg hij Kelly naar de herkomst van het zwarte boekje.

'Dat zat in je zak.'

Zodra de arts weer was vertroken, zei Jeffrey: 'Het is niet van mij.' Toen herinnerde hij zich opeens van wie het wel was: Trent Harding. Samen keken ze het door.

'Dit zou nog wel eens belangrijk kunnen zijn,' zei Jeffrey. 'We zullen het aan Randolph geven. Ziezo. Kunnen we nu vertrekken?'

'Ja, nadat je je handtekening onder een aantal formulieren hebt gezet. Vergeet vooral niet dat je Richard Widdicomb heet.'

Binnen de kortste keren zaten ze in Kelly's auto en zodra Kelly was weggereden, draaide Jeffrey zich naar haar toe met een gezichtsuitdrukking die haar angst aanjaagde.

'Zei je daarnet dat die twee mannen waren teruggekeerd naar het appartement?'

'Ik weet niet of ze naar het appartement zijn gegaan, maar ze liepen in ieder geval wel het flatgebouw in.'

'Kelly, ze moeten daar naar iets speciaals op zoek zijn geweest en ik heb er zo'n vermoeden van dat... We moeten eerst naar Garden Street.'

'Je wilt toch niet weer naar dat appartement gaan?'

'Het zal wel moeten. Ik moet zeker weten of de Marcaine en de toxine er nog zijn. Zo niet, dan zijn we weer terug bij af.'

'Jeffrey, nee!' zei Kelly, maar ze wist dat ze hem met geen mogelijkheid tot andere gedachten zou kunnen brengen. Dus hield ze verder haar mond en reed naar Garden Street.

'Het is de enige manier,' zei Jeffrey, om Kelly en zichzelf te overtuigen. Kelly zette de auto neer en enige tijd bleven ze zwijgend zitten, om hun gedachten te ordenen.

'Staat het raam nog open?' vroeg Jeffrey aan Kelly.

'Ja. Kom op, we gaan. Ik ga met je mee. Ik voel er niets voor nog eens een keer hier beneden te moeten wachten.'

Toen ze de vijfde verdieping hadden bereikt, gaf Jeffrey Kelly een teken dat ze muisstil moest zijn. Hardings deur stond op een kier. Jeffrey liep erheen en luisterde. Het enige dat hij kon horen, waren

262

de geluiden van de stad.

Jeffrey duwde de deur verder open en zag een enorme puinhoop. 'Verdomme!' mompelde hij, en liep regelrecht door naar de keuken. Kelly bleef in de deuropening staan.

Binnen een seconde was Jeffrey terug. 'Alles is weg, zelfs de valse achterwand.'

'Wat moeten we nu doen?'

'Ik weet het niet,' zei Jeffrey teleurgesteld. 'Nu Harding dood is en zijn appartement doorzocht...'

'We kunnen het nu niet opgeven,' zei Kelly vastberaden. 'Hoe zit het met Henry Noble, die patiënt van Chris? Je zei dat de toxine misschien nog in zijn galblaas kon worden aangetroffen.'

'Die man is twee jaar geleden gestorven!'

'Ja, dat weet ik, maar toen we het de vorige keer over hem hadden, was je hoopvol gestemd. We moeten werken met wat we hebben, heb je zelf gezegd.'

'Je hebt gelijk. Het is een mogelijkheid. Laten we maar naar het kantoor van de patholoog-anatoom gaan, want het wordt tijd dat we die man het hele verhaal vertellen.'

'Het is zaterdag. Denk je dat dokter Seibert dan aanwezig is?'

'Hij zei dat hij ook in het weekend werkte als ze het druk hadden.'

'Het ruikt hier niet erg prettig!' klaagde Kelly toen ze de trap op liepen. 'Dit is nog niks. Wacht maar eens tot we boven zijn!'

Toen ze de tweede verdieping hadden bereikt, waren ze nog steeds niemand tegengekomen. De deur naar de autopsieruimte stond open, maar ook daar was niemand te zien. Ze liepen door naar Seiberts kantoor en daar zat de man inderdaad achter zijn bureau, met een kop koffie in zijn hand.

Jeffrey klopte aan en Seibert schrok op.

'Sorry,' zei Jeffrey. 'Ik had eerst moeten bellen.'

'Dat hindert niet. Ik heb nog niets uit Californië gehoord. Het zal wel op zijn vroegst maandag worden.'

'Dat is niet de reden waarom we hierheen zijn gekomen,' zei Jeffrey, die daarna Kelly voorstelde.

'Zullen we naar de bibliotheek gaan? Daar hebben we wat meer ruimte,' stelde Seibert voor.

Toen ze daar zaten, zei Seibert: 'En wat kan ik voor jullie doen?'

Jeffrey haalde eens diep adem. 'In de eerste plaats moet ik u meedelen dat mijn naam Jeffrey Rhodes is.'

Daarna vertelde hij Seibert het hele ongelooflijke verhaal, af en toe geholpen door Kelly. 'U zult zich nu wel kunnen indenken hoe penibel onze situatie is,' zei Jeffrey tot slot. 'We hebben geen bewijzen, ik ben voor de justitie op de vlucht, en veel tijd hebben we ook niet meer. Onze laatste hoop lijkt Henry Noble te zijn. We moeten de toxine vinden voordat we het bestaan ervan bij die andere patiënten kunnen vaststellen.'

'Mijn hemel, wat een verhaal!' riep Seibert uit. 'Ik vond dit geval toch al interessant, maar nu is het ongetwijfeld het meest intrigerende geval waarmee ik in mijn vak ooit in aanraking ben gekomen. We zullen die oude Henry laten opgraven en eens kijken of we daar wat wijzer van kunnen worden.'

'Maar zal daar toestemming voor worden gegeven?' vroeg Jeffrey weifelend.

'Ja. Als ik daar als patholoog-anatoom een verzoek voor indien, zal dat meteen worden ingewilligd. We moeten ook, beleefdheidshalve, de verwanten inlichten en ik denk dat we het over een week of twee wel rond kunnen hebben.'

'Dat duurt veel te lang. We moeten het nu meteen kunnen doen.'

'Het zou wellicht sneller kunnen als ik naar de rechter stap, maar ook dan zullen er nog drie tot vier dagen mee gemoeid zijn.'

'Ook dat duurt nog te lang.'

'Sneller kan het echt niet.'

'Laten we dan eerst maar eens achterhalen waar die man is begraven,' stelde Jeffrey voor.

'Die gegevens moet ik in mijn dossier hebben. Ik zal het even gaan pakken,' zei Seibert.

Zodra de man weg was, draaide Kelly zich naar Jeffrey toe. 'Volgens mij ben je weer iets van plan.'

'Volgens mij moeten we dat lijk gewoon opgraven. Gegeven de omstandigheden heb ik geen zin in al die bureaucratische onzin.'

Seibert kwam binnen en gaf Jeffrey de overlijdensacte.

'Daar is hij dus begraven. Gelukkig is hij niet gecremeerd. Edgartown, Massachusetts. Begrafenis verzorgd door de firma Funeral Homes, eigendom van een zekere Chester Boscowaney. Dat moeten we goed onthouden, omdat we die man erbij zullen moeten betrekken.'

'Waarom?' vroeg Jeffrey, die alles zo eenvoudig mogelijk wilde houden. Desnoods zou hij zelf naar die begraafplaats toe gaan, met een schop en een koevoet!

'Omdat hij moet vaststellen of het de juiste kist en het juiste lijk is.

Er gaat wel eens iets mis met begrafenissen, zeker wanneer de kist meteen na het overlijden wordt gesloten.'

'Hoe ziet zo'n aanvraagformulier om een lijk op te mogen graven eruit?' vroeg Jeffrey.

'Eenvoudig. Ik heb er toevallig één op mijn bureau liggen. Wilt u dat eens zien?'

Jeffrey knikte. Seibert ging het halen en in die tijd fluisterde Jeffrey Kelly toe: 'Ik zou geen enkel bezwaar hebben tegen een beetje frisse zeelucht. Jij wel?'

Seibert kwam weer terug en gaf Jeffrey het formulier. 'Inderdaad niets bijzonders,' zei Jeffrey, nadat hij het even had bekeken. 'Wat zou u zeggen als ik hier binnenkwam met een van die formulieren en u verzocht een lijk voor me te laten opgraven om het te onderzoeken op iets waar ik belangstelling voor heb?'

'Dat is mogelijk, maar het zou u wel wat geld kosten.'

'Hoeveel?'

'Als het niet al te ingewikkeld is, een paar duizend dollar.'

Jeffrey haalde een stapeltje bankbiljetten uit zijn tas en telde tweeduizend dollar af. 'Als ik van u een typemachine kan lenen, zorg ik binnen een uur voor een ingevuld formulier.'

'Dat kunt u niet doen. Dat is door de wet verboden.'

'Misschien, maar ik neem het risico, niet u. Ik durf te wedden dat u nooit nagaat of zo'n formulier wel juist en naar waarheid is ingevuld. Ik ben degene die de wet overtreedt, niet u.'

Seibert beet even op zijn lip. 'Dit is een unieke situatie,' zei hij toen en pakte het geld. 'Ik zal het doen, maar niet vanwege het geld. Wel omdat ik uw verhaal geloof. En als u gelijk blijkt te hebben, is het van het allergrootste belang dit tot op de bodem uit te zoeken.' Hij gaf Jeffrey het geld weer terug. 'Kom mee naar beneden, dan kunt u daar in het kantoor het formulier invullen, en meteen ook maar een tweede formulier, waarmee toestemming wordt gegeven tot herbegraven. Ik zal die meneer Boscowaney gaan opbellen en hem meedelen dat hij alles in gereedheid moet brengen.'

'Hoeveel tijd zal dit alles in beslag nemen?'

'Heel snel zal het niet gaan.' Seibert keek op zijn horloge. 'Als we mazzel hebben, zijn we er ergens in de middag, maar het kan langer duren.'

'Dan moeten we zorgen dat we daar een nachtje kunnen blijven,' zei Kelly. 'Ik weet een hotelletje in de buurt van die stad, de Charlotte Inn. Zal ik daar reserveren?'

Jeffrey vond dat een goed idee.

Kelly belde de Inn op, terwijl Jeffrey druk aan het typen sloeg. Onder het telefoneren maakte Kelly zich toch weer zorgen over Delilah. Stel dat die kat ging bevallen als ze weg was? De vorige keer was er iets mis gegaan en had ze het dier in vliegende vaart moeten meenemen naar de dierenarts.

Ze pakte de telefoon weer van de haak en belde snel naar haar buurvrouw, die zelf drie katten had.

'Kay, je spreekt met Kelly. Ben jij het weekend thuis?'

'Ja. Moet ik die monsters van jou te eten geven?'

'Graag, maar er kan meer aan vastzitten. Ik moet dit weekend echt weg en de kans is groot dat Delilah gaat jongen.'

'Die arme schat! De vorige keer is dat bijna haar dood geworden.'

'Vertel mij wat! Ik had haar willen laten steriliseren, maar ze was me een stapje voor. Ik zou haar liever niet alleen laten, maar ik kan niet anders.'

'Kan ik je bereiken als er iets misgaat?'

'Ik logeer in de Charlotte Inn op Martha's Vineyard.' Kelly gaf haar het telefoonnummer.

'Is er genoeg eten in huis?'

'Ja, en je zult Samson binnen moeten laten. Die heeft vanmorgen de benen genomen.'

'Dat weet ik, want hij heeft net een kleine aanvaring gehad met mijn Birmaan. Veel plezier. Ik zal het fort voor je bewaken.'

'Hallo!' zei Frank door de telefoon, maar hij kon niets horen. Zijn kinderen hadden de televisie keihard gezet en daar werd hij knettergek van. 'Donna,' riep hij naar zijn vrouw, 'kun je die televisie wat zachter zetten?'

Dat gebeurde vrijwel meteen. 'Met wie spreek ik?' zei Frank toen.

'Met Matt. Ik heb de gegevens waarom je me hebt gevraagd. Het heeft alleen wat langer geduurd dan ik had verwacht, want ik was even vergeten dat het vandaag zaterdag was.'

'Prima. Zeg het maar,' zei Frank, die snel een pen en papier pakte.

'Die auto staat op naam van een zekere Kelly Everson. Ze woont aan Willard Street nummer 418 in Brookline. Is dat ver van jou vandaan?'

'Nee. Ik ben er zo. Bedankt.'

'Het vliegtuig staat er nog en ik wil die arts hier hebben.'

'Je zult hem krijgen.'

'Het duurt altijd een tijdje voordat ik echt kwaad ben,' zei Devlin tegen Mosconi, 'maar nu is het zover. Er is iets met dokter Jeffrey Rhodes wat je me niet hebt verteld. Iets dat ik zou moeten weten.'

'Ik heb je echt alles verteld wat ik weet en dat is veel meer dan ik je ooit heb meegedeeld over de andere zaken waarbij ik je heb betrokken. Waarom zou ik iets achterhouden? Wil je me dat eens vertellen? Ik ben degene die straks zijn kap aan de wilgen kan hangen.'

'Hoe is het dan mogelijk dat Frank Feranno en een van zijn makkers opeens bij de Hatch Shell opdoken? Voor zover ik weet, heeft die man zich nog nooit aangemeld als premiejager.'

'Hoe kan ik dat nu verdomme weten? Luister. Ik ben niet hierheen gekomen om me door jou de huid te laten volschelden. Wel om te kijken of je er inderdaad zo beroerd aan toe was als in de kranten wordt gemeld.'

'Onzin. Je bent hierheen gekomen om te zien of ik nog wel in staat ben die arts voor je op te sporen.'

'Hoe is het met je?' vroeg Mosconi en keek naar de wond boven Devlins oor, die er beroerd uitzag.

'Niet zo beroerd als het straks met jou zal zijn wanneer je nu tegen me liegt,' zei Devlin.

'Heb je echt drie kogels in je donder gekregen?' vroeg Mosconi en keek naar een groot verband op Devlins linkerschouder.

'God zij dank was dat schot op mijn kop niet erg zuiver gericht, want anders zou ik hier nu niet liggen. Eén kogel trof me op mijn borst, maar ik had gelukkig mijn kogelvrije vest aan. De derde kogel is dwars door mijn schouder heen gegaan.'

'Vreemd, nietwaar? Ik kan je achter een seriemoordenaar aansturen zonder dat je iets overkomt, maar als je gewoon een anesthesist in zijn nekvel moet grijpen die een blunder heeft begaan, wordt dat bijna je dood.'

'Ik denk dan ook dat die zaak niet zo eenvoudig ligt als jij suggereert. En die kerel die door Tony Marcello is vermoord, moet er ook iets mee te maken hebben. Toen ik Frank zag, dacht ik in eerste instantie dat jij hem misschien in de arm had genomen.'

'Geen sprake van. Dat is een onderwereldfiguur.'

'Ik betwijfel of jij je daardoor zou laten weerhouden, maar daar zullen we het nu verder niet over hebben. Als Frank erbij is betrokken, betekent dat dat er iets heel belangrijks gaande is. Frank Feranno laat zich alleen maar zien als er interessante spelers en veel geld in het spel zijn.'

Devlin ging rechtop zitten en trok het infuus los.

'Wat ga je nu doen?'

'Wat dacht je? Me aankleden natuurlijk. Ik heb werk te doen.'

'Je kunt niet zomaar weggaan!'

'O nee? Wacht maar eens af! Zoals ik je al heb gezegd: ik ben razend. Bovendien heb ik je die dokter binnen vierentwintig uur beloofd, en die tijd is nog niet voorbij.'

Een halfuurtje later liep Devlin op straat, nadat een verpleegster hem nadrukkelijk had meegedeeld dat het ziekenhuis niet aansprakelijk kon worden gesteld voor mogelijke nadelige gevolgen van het feit dat hij zichzelf had ontslagen.

'Geef me die pijnstillers en dat antibioticum nu maar, en bespaar me je preek,' had hij gezegd.

Michael gaf hem een lift naar Beacon Hill, waar zijn auto nog stond. 'Je hoort spoedig van me!' zei Devlin tegen Mosconi en stapte toen snel zijn eigen auto in.

'Denk je nog steeds dat ik er niemand anders bij moet halen?'

'Jazeker.'

Devlin reed meteen naar het hoofdbureau van politie aan Berkeley Street. Hij wilde zijn wapen hebben en hij wist dat het daar was. Toen belde hij de man die eerder al Carol Rhodes in de gaten had gehouden en vroeg hem te posten bij het huis van Kelly Everson.

'Ik kan daar pas laat in de middag zijn.'

'Zorg in ieder geval dat je er zo snel mogelijk naar toe gaat,' zei Devlin.

Toen reed hij door naar North End en nadat hij zijn auto op Hannover Street had geparkeerd, liep hij het Via Veneto Café in.

Toen hij binnen was, zag hij achterin iemand snel overeind komen en zich uit de voeten maken.

Devlin rende weer naar buiten, naar een smal steegje waarop de achterdeur van het café uitkwam, en greep een kleine, kalende man met een rond gezicht in zijn kraag.

'Je was kennelijk niet zo blij mij te zien, Dominic?' zei Devlin. Dominic was een van zijn informanten en Devlin wilde hem aan de tand voelen omdat hij al lange tijd connecties onderhield met Frank Feranno. 'Ik heb er niets mee te maken gehad. Ik wist helemaal niet dat Frank op jou zou gaan schieten.'

'Als ik dat zou denken, zou je nu al lang geen woord meer over je lippen kunnen krijgen. Wel wil ik weten wat Frank tegenwoordig zoal doet en ik bedacht dat jij me dat wel zou kunnen vertellen.'

'Dat kan ik niet. Je weet wat Frank met me zou doen als hij daar ooit achter kwam.'

'Heb ik jou ooit verlinkt?'

Dominic reageerde niet.

Devlin haalde dreigend zijn wapen te voorschijn.

'Ik weet er niet zoveel van,' zei Dominic meteen zenuwachtig.

'Wat in jouw ogen weinig lijkt, zou voor mij nog wel eens heel belangrijk kunnen zijn, makker. Voor wie werkt Frank? Van wie moest hij die blonde kerel op de boulevard neerknallen?'

'Dat weet ik niet.'

Devlin haalde zijn wapen opnieuw te voorschijn.

'Matt,' zei Dominic. 'Meer weet ik echt niet. Dat is het enige dat Tony me heeft verteld. Hij werkt voor een kerel die Matt heet en in St. Louis woont.'

'Drugs?'

'Dat weet ik niet zeker, maar ik denk van niet. Ze moesten die jongen om zeep brengen en de arts naar St. Louis transporteren.'

'Grapje zeker,' zei Devlin, die zijn oren niet kon geloven, omdat dit een heel ander scenario was dan hij had verwacht.

'Ik zeg je de waarheid. Waarom zou ik liegen?'

'En is die dokter naar St. Louis getransporteerd?'

'Nee. De vriendin van die arts is Frank te slim af geweest.'

'Dus Frank is hier nog steeds mee bezig?'

'Voor zover ik weet wel. Ik heb me laten vertellen dat hij met Vinnie D'Agostino heeft gepraat. Er schijnt heel veel geld mee gemoeid te zijn.'

'Ik wil meer weten over die vent in St. Louis en ik wil weten wat Frank en Vinnie van plan zijn. Je belt me op een van de afgesproken nummers. Als je niet belt, Dominic, zul je mij diep kwetsen, en ik denk dat je wel weet waartoe ik dan in staat ben.'

Hij liet Dominic los, draaide zich om en liep het steegje uit zonder nog een keer om te kijken.

Franks euforie verdween toen hij Kelly's huis zag. Het zag er verlaten uit en alle gordijnen waren dicht. Hij zuchtte. Die vijfenzeventigduizend dollar leken verder weg dan hij eerst had gedacht.

Een halfuur lang hield hij het huis in de gaten, maar niemand kwam naar buiten en niemand ging naar binnen. Er viel geen teken van leven te bekennen, met uitzondering van een Siamees die op het gras lag te rollen.

Frank stapte uit zijn auto en liep eerst naar de zijkant van het huis om te zien of de garage ramen had. Dat was zo. Hij keek naar binnen. Geen rode Honda te zien. Hij belde aan. Geen reactie. Hij belde nogmaals en legde zijn oor tegen de deur. De bel deed het, maar er kwam niemand aangelopen.

Hij liep terug naar zijn auto. De Siamees zat nog altijd op het gazon. Frank bukte zich om de kat een aai te geven. Het dier keek hem achterdochtig aan, maar liep niet weg.

Op dat moment kwam er een vrouw uit het huis ernaast en liep zijn kant op.

'Heeft u vriendschap gesloten met Samson?'

'Uw kater?'

'Nee, zeker niet. Hij is de aartsvijand van mijn Birmanen, maar als buren hebben ze moeten leren elkaars aanwezigheid te verdragen.'

'Het is een mooi dier.' De vrouw liep verder. 'Kom, Samson, we gaan eens kijken hoe het met Delilah is.'

'Gaat u bij Kelly naar binnen?' vroeg Frank.

'Ja.'

'Geweldig! Ik ben een neef van haar en sta hier al meer dan een uur op haar te wachten. Frank Everson is de naam.'

'Ik ben Kay Buchanan, Kelly's buurvrouw, en ik pas af en toe op haar poezen. Ik ben bang dat u voor niets heeft gewacht, want ze is een weekend weg.'

'Verdorie! Mijn moeder had me haar adres gegeven, met het verzoek eens even te gaan kijken hoe het met haar was. Wanneer komt ze terug?'

'Dat heeft ze niet gezegd. Wat jammer voor u.'

'Inderdaad. Heeft u er enig idee van waar ze naar toe is gegaan?'

'Edgartown, meen ik. Ik heb het sterke vermoeden dat het een romantisch weekendje zal worden, en daar ben ik blij om. Ze heeft inmiddels lang genoeg gerouwd, vindt u ook niet?'

'Beslist,' bevestigde Frank, hopend dat de vrouw er niet verder op zou doorgaan.

'Leuk u te hebben ontmoet,' zei Kay. 'Ik moet nu voor die katten gaan zorgen. Misschien kunt u maandag nog een keertje terugkomen? Ik denk dat ze er dan wel weer zal zijn. In ieder geval hoop ik dat maar voor het geval Delilah inderdaad besluit nu te gaan bevallen.'

'Misschien zou ik haar even kunnen opbellen,' zei Frank, die door die opmerking over een romantisch weekend meteen begon te vermoeden dat die dokter nog wel eens bij Kelly zou kunnen zijn. 'Weet u toevallig ook waar ze logeert?'

'De Charlotte Inn. Kom mee, Samson, nu gaan we echt naar binnen.'
Frank liep naar zijn auto terug en draaide snel. Binnen een fractie van een seconde had hij besloten het vliegtuig naar Martha's Vineyard te nemen, omdat van hem immers toch werd verwacht dat hij die dokter aan boord zou zetten. Wie zou hij moeten meenemen als hij Vinnie D'Agostino niet meteen zou kunnen vinden? Het verlies van Tony was een grote strop voor hem, dat leed geen twijfel. Hij zette zijn auto voor het Via Veneto Café neer en liep naar binnen. Daar ging hij aan een tafeltje bij het raam zitten en bestelde een kop koffie. Toen keek hij om zich heen. Vinnie zag hij niet, maar Dominic wel. Frank gebaarde de eigenaar van het café naar zijn tafeltje te komen en beval de man toen Dominic te zeggen dat hij hem nodig had.
Even later stond een zenuwachtige Dominic bij Franks tafeltje.
'Wat is er met jou aan de hand?' vroeg Frank.
'Niks. Misschien heb ik een beetje te veel koffie gedronken.'
'Weet je waar Vinnie is?'
'Thuis. In ieder geval was hij daar een halfuur geleden nog.'
'Ga hem vragen of hij hierheen komt. Het is belangrijk.'
Dominic knikte en liep door de voordeur naar buiten.
Frank bestelde een sandwich en probeerde zich te herinneren waar de Charlotte Inn in Edgartown was. Het was geen grote stad, voor zover hij het zich herinnerde. Het enige dat er echt groot was, was de begraafplaats.
Vinnie kwam met Dominic naar binnen. Vinnie was een jonge, gespierde knaap, die dacht dat alle vrouwen een oogje op hem hadden. Frank aarzelde altijd om hem te gebruiken, omdat hij een beetje roekeloos was, alsof hij zichzelf altijd meende te moeten bewijzen. Maar nu Tony er niet was en Nicky met die gebroken arm zat, kon hij niet anders. Hij wist dat hij Dominic niet kon gebruiken, want dat was een uilskuiken. Altijd zenuwachtig, en dus gevaarlijk als er iets mis dreigde te gaan.
'Ga zitten, Vinnie,' zei Frank. 'Zou je zin hebben in een gratis reisje naar de Charlotte Inn in Edgartown? En Dominic, moet jij je neus niet eens even gaan poederen?'
Dominic rende via de achterdeur het café uit, naar een winkel aan Salem Street. Daar pakte hij de telefoonnumers die Devlin hem al tijden geleden had gegeven, en draaide het eerste van de twee. Toen Devlin opnam, sloeg hij zijn hand om de hoorn, omdat hij niet wilde dat iemand hem verder zou kunnen horen.

16

'Maar goed dat we geen vliegtuig hebben genomen,' zei Kelly tegen Jeffrey. 'Dan waren we nog lang niet hier geweest. Zo te zien begint de mist nu pas een beetje op te trekken.'

'In ieder geval regent het niet meer,' zei Jeffrey, terwijl hij toekeek hoe de graafmachine voor het eerst in de grond werd gezet.

Ze waren met de veerboot vanuit Woods Hole naar het eiland gegaan. Het was een geluk dat Seiberts mobiele lab, ondergebracht in een vrachtwagen met een officieel embleem op de portieren, mee had gekund. Ze hadden die veerboot nooit kunnen gebruiken wanneer Seibert niet nadrukkelijk had verklaard dat het een officieel onderzoek betrof. Toch was er nog wat gemopperd en zij hadden pas als laatsten de veerboot op kunnen rijden.

Ze waren benedendeks gebleven, vanwege de mist en de motregen, en Jeffrey en Kelly hadden zich voornamelijk beziggehouden met het adresboekje van Trent Harding, zonder echter iets te vinden waar ze wat wijzer van werden.

De enige naam die Jeffrey's aandacht had getrokken, was een zekere Matt, die bij de D stond. Hij vroeg zich af of dat dezelfde Matt zou zijn als degene die een boodschap op Trents antwoordapparaat had ingesproken toen hij voor de eerste keer in het appartement van die man had ingebroken. Het kengetal was 314.

'Weet jij welke staat als kengetal 314 heeft?' vroeg hij aan Kelly.

Ze wist het niet. Jeffrey vroeg het aan Seibert, die een van de vakbladen aan het doorkijken was die hij voor onderweg had meegenomen.

'Missouri,' zei Seibert. 'Dat weet ik, omdat een tante van me in St. Louis woont.'

Toen ze eenmaal in Vineyard Haven waren gearriveerd, de grootste stad op Martha's Vineyard, reden ze regelrecht door naar de begrafenisonderneming van de heer Boscowaney. Dank zij Seiberts telefoontje van die morgen stond Chester Boscowaney al op hen te wachten.

Chester was een man van ergens achter in de vijftig, die duidelijk te dik was en zulke rode wangen had dat het leek alsof hij rouge had gebruikt. Hij droeg een donker kostuum, inclusief vest en pochetje. Hij was heel beleefd, op het onderdanige af, en nam de paar honderd dollar die Jeffrey hem op Seiberts aanraden overhandigde, meteen met beide handen aan.

'Alles is geregeld,' fluisterde hij, alsof er een begrafenis gaande was. 'Ik zal u opwachten bij de begraafplaats.'

Kelly, Jeffrey en Warren waren daarna naar Edgartown gereden en hadden zich laten inschrijven in de Charlotte Inn. Kelly en Jeffrey gebruikten de naam meneer en mevrouw Everson.

De enige die nog even voor problemen had gezorgd, was Harvey Tabor, de man die de graafmachine moest bedienen. Hij was in Chappaquiddick bezig geweest met het ingraven van een septische tank bij een strandhuis en kon pas na vieren in Edgartown terug zijn. Ook toen kon hij nog niet meteen naar de begraafplaats toe komen, want zijn vrouw had een lekker etentje klaargemaakt ter ere van de verjaardag van hun dochter. Daarna zou hij wel aan de slag kunnen gaan.

Iets na zevenen was het dan eindelijk zover geweest. Niemand had naar de officiële formulieren gevraagd, maar Seibert hield vol dat het toch goed was dat ze die bij zich hadden, want je wist maar nooit of iemand toch niet opeens lastig zou gaan doen.

De bewaarder van de begraafplaats was een zekere Martin Cabot. Hij had een mager, gerimpeld gezicht en was slank gebouwd. Hij zag er eigenlijk eerder uit als een doorgewinterde zeeman dan als een begraafplaatsbewaarder. Hij had Seibert een minuut lang staan opnemen en toen gezegd: 'U bent nogal jong om nu al een patholoog-anatoom te zijn!'

Warren vertelde hem dat hij een keer een klas had overgeslagen en daardoor al op vrij jonge leeftijd was afgestudeerd.

De bewaarder en de man van de graafmachine leken het niet zo goed met elkaar te kunnen vinden. Martin bleef tegen Harvey zeggen waar hij moest gaan staan en wat hij moest doen. Harvey zei dat hij al lang genoeg zijn machine bediende om te weten wat er van hem werd verwacht.

Dus was om even na half acht de grond voor de granieten grafsteen van Henry Noble weggehaald. Het graf bevond zich onder een grote boom en dat vond Seibert een bemoedigend teken. 'Je hebt alle kans dat het lijk nog vrij redelijk intact is.'

Kelly voelde hoe haar maag zich omdraaide.

Ze hoorden een scherp gekras.

'Rustig aan!' schreeuwde Martin. 'Je moet de plaat op het graf hebben geraakt.' Ze zagen inderdaad een stuk beton te midden van de aarde.

'Martin, houd je mond,' zei Harvey en ging rustig verder.

'Zorg ervoor dat er niets met de handgrepen gebeurt!' riep Martin.

Kelly, Jeffrey en Seibert stonden aan de ene kant van het graf, Chester en Martin aan de andere. De zon stond nog aan de hemel, maar er waren inmiddels grote regenwolken verschenen. Door het zeebriesje werden mistflarden naar de begraafplaats geblazen. Martin had een looplamp aan een van de takken van de boom opgehangen.

Kelly rilde, eerder uit zenuwachtigheid dan omdat ze het koud had. De gezellige kamer in de Charlotte Inn leek zo ver weg. Impulsief pakte ze Jeffrey's hand vast.

Het duurde nog een kwartiertje voordat het cement zo schoon was dat Harvey en Martin de rest met een schoffel konden verwijderen.

'Oké, Martin, kom eruit!' zei Harvey, die het heerlijk vond dat hij de ander eindelijk eens een keer kon commanderen. Toen klom hij weer op zijn machine en zei tegen Jeffrey, Kelly en Seibert: 'Nu zullen jullie ook een paar stappen achteruit moeten gaan, want het deksel gaat jullie kant op draaien.'

Zodra ze aan zijn verzoek gehoor hadden gegeven, ging Harvey weer aan het werk.

De machine knarste en piepte en de plaat kwam met een luide plof los. Jeffrey zag dat die met een soort teer was vastgezet. Langzaam deponeerde Harvey het stuk cement op het gras naast het graf.

Toen liepen ze allemaal weer naar het graf toe en zagen een zilveren lijkkist.

'Een schoonheid, nietwaar?' zei Chester Boscowaney. 'Een van de fraaiste kisten die we hebben.'

Jeffrey keek om zich heen. De begraafplaats kreeg in de snel invallende duisternis een griezelig aanzien. De grafstenen wierpen lange, smalle schaduwen op het gras.

'Wat moeten we nu doen, dokter?' vroeg Martin aan Seibert. 'Moeten we de kist lichten, of wilt u naar beneden springen en hem daar openmaken?'

Jeffrey zag dat Seibert daar even over nadacht. 'Ik vind het afdalen naar zo'n kist nooit prettig,' zei hij uiteindelijk, 'maar het lichten zal meer tijd kosten. Hoe eerder we dit achter de rug hebben, hoe liever het me is. Ik heb honger.'

Kelly's maag draaide zich weer om.

'Kan ik ergens mee helpen?' vroeg Jeffrey.

Seibert keek Jeffrey aan. 'Heb je zoiets al eens eerder gedaan? Ik kan niet garanderen dat het niet stinkt, want ik weet niet hoe hoog het grondwater hier staat.'

'Ik zal me goed houden,' zei Jeffrey, al twijfelde hij daar zelf eigenlijk aan.

'Die kist is bekleed met rubber,' zei Chester Boscowaney trots, 'dus zal er beslist geen water in gekomen zijn.'

'Dat verhaal heb ik wel eens eerder gehoord,' fluisterde Seibert Jeffrey toe. 'Kom op, dan gaan we aan de slag.'

Seibert liet zich bij het voeteneinde van de kist naar beneden zakken, Jeffrey bij het hoofdeinde.

'Geef me de slinger eens aan,' zei Seibert.

Chester overhandigde hem die.

Seibert vond op de tast de plek die hij hebben moest en stak de slinger erin. Met een sissend geluid kwam het deksel van de kist los.

'Horen jullie die lucht ontsnappen? Er staat echt geen water in die kist, daar ben ik zeker van.'

'Vingers onder de rand en optillen,' zei Seibert tegen Jeffrey.

Met een krakend geluid kwam het deksel verder omhoog. Iedereen keek toe. Het gezicht en de handen van Henry Noble waren bedekt met een wit laagje. Daaronder was de huid donkergrijs. Hij had een blauw kostuum aan, een wit overhemd en een stropdas. Zijn schoenen waren glanzend gepoetst en leken wel nieuw. Het witte satijn waarmee de kist was bekleed, was bedekt met een laagje groene schimmel.

Jeffrey probeerde door zijn mond te ademen om zo weinig mogelijk te ruiken, maar tot zijn verbazing viel de stank heel erg mee.

'Ziet er prima uit. Mijn complimenten,' zei Seibert tegen Boscowaney. 'Inderdaad helemaal geen water.'

'Dank u. Verder kan ik u verzekeren dat dit inderdaad het stoffelijk overschot van Henry Noble is.'

'Wat is dat witte laagje?' vroeg Jeffrey.

'Een soort zwam,' zei Seibert. Hij vroeg Kelly hem zijn tas te geven. Daarna liep Seibert langs de kist. Dat ging maar net. Hij zette zijn tas op de dijbenen van Henry Noble neer en pakte er een paar dikke rubberen handschoenen uit. Nadat hij die had aangetrokken, begon hij het overhemd los te knopen.

'Wat moet ik doen?' vroeg Jeffrey.

'Op dit moment niets,' antwoordde Seibert. Toen hij de hechtingen had gevonden van de incisie die destijds voor de autopsie was gemaakt, pakte hij een schaar en knipte die open.

Nu werd de stank erger, maar Seibert leek daar totaal geen last van te hebben.

Toen Seibert de wond geopend had, stak hij een hand in de borstholte en haalde er een zware, doorschijnende plastic zak uit. De inhoud ervan was donker van kleur. Seibert hield de zak tegen het licht en draaide hem langzaam rond, om de inhoud te bekijken.

'Eureka! De lever!' Seibert wees het orgaan aan. Jeffrey was er niet zeker van of hij wilde kijken, maar toch gaf hij Seibert zijn zin. 'Ik denk dat de galblaas er nog wel aan vast zal zitten.'

Seibert zette de zak op de torso van Noble neer en maakte hem open. Het begon nu echt te stinken. Seibert pakte de lever, draaide die om en liet Jeffrey de galblaas zien. 'Perfect. Zelfs nog vochtig. Ik was bang dat hij al uitgedroogd zou zijn. Zit zelfs nog wat sap in.'

Seibert stopte de lever en de galblaas weer in de zak en pakte uit zijn tas een apparaatje waarmee hij vloeistof kon opzuigen, en een paar potjes. Daarna zoog hij zoveel mogelijk gal op en deed telkens een beetje in een van de potjes.

Allen keken zo aandachtig toe dat ze hun omgeving niet meer in de gaten hielden. Daardoor zag geen van hen de blauwe Chevrolet Celebrity die met gedoofde lichten bij de ingang van de begraafplaats tot stilstand was gekomen. Niemand hoorde hoe de portieren werden geopend, niemand zag de twee mannen dichterbij komen.

Voor Frank was die middag niet zo geweldig verlopen. Hij had gedacht dat het nu verder allemaal een fluitje van een cent zou zijn, maar dat was behoorlijk tegengevallen. Hij had zich verheugd op een tochtje in een privé-vliegtuig, omdat hij zoiets nog nooit eerder had meegemaakt. Maar toen hij eenmaal in het toestel zat en zijn veiligheidsriem had vastgemaakt, had hij last gekregen van claustrofobie. Hij had nooit geweten dat die toestellen zo klein waren! Bovendien hadden ze niet meteen kunnen vertrekken, omdat er te veel toestellen op Logan aanvlogen, en daarna was het weer tot overmaat van ramp ook nog eens omgeslagen.

Eerst was er mist gekomen, toen een hevige onweersbui, die met hagel gepaard ging. Frank was het vliegtuig weer uitgestapt om in de vertrekhal te wachten tot het weer zou opklaren. Toen ze eindelijk konden vertrekken, was het bijna zes uur geweest.

Verder was de vlucht een ware nachtmerrie geworden. Door de turbulentie vertoonde het toestel verdacht veel overeenkomsten met een kurk in een snelstromend beekje. Frank was zo misselijk geworden dat hij had moeten overgeven. Vinnie had echter nergens last van gehad en voortdurend pinda's en chips zitten eten.

Toen ze op Martha's Vineyard waren geland, had Frank Vinnie er op uitgestuurd om een auto te huren. Hij had wat Cola gedronken en een paar crackers gegeten, en toen was zijn maag gelukkig weer tot rust gekomen.

Ze waren regelrecht doorgereden naar de Charlotte Inn. Bij de balie informeerde Frank naar Kelly Everson, zei dat hij een neef van haar was en haar wilde verrassen. Verrassen zouden ze haar en die dokter zeker! Ze hadden ieder een wapen in een schouderholster en Frank had een nieuwe dosis van de tranquillizer in zijn zak gestopt.

Maar er stond Frank in eerste instantie een verrassing te wachten. De vrouw achter de balie deelde hem mee dat de Eversons voor zover zij wist naar de begraafplaats van Edgartown waren gegaan. Ze zei dat de heer Everson uitgebreid had getelefoneerd met Harvey Tabor, de man die de graafmachine altijd bediende.

'De begraafplaats?' had Frank tegen Vinnie gezegd toen ze weer in de auto zaten. 'Dat staat me niets aan.'

Ze waren eerst om de begraafplaats heen gereden. Die was groot, maar ze ontdekten het groepje mensen toch meteen, omdat er een lamp aan een van de bomen recht boven hen was bevestigd.

'Wat moet ik doen?' vroeg Vinnie, die achter het stuur zat.

'Wat zouden ze daar verdomme uitvoeren?' had Frank gevraagd. 'Zo te zien zijn ze een lijk aan het opgraven. Leuk hè? Net een horrorfilm.'

'Dit staat me helemaal niet aan. Eerst verschijnt die Devlin opeens op de boulevard en nu is die arts een lijk aan het opgraven. Ik vind het griezelig en ik weet niet of ik me hier verder nog wel mee wil bemoeien.'

Frank had Vinnie nog een tweede keer om de begraafplaats heen laten rijden. Toen hadden de hem beloofde vijfenzeventigduizend dollar de doorslag gegeven en had hij opdracht gegeven de wagen te parkeren. Daarna waren ze te voet verder gegaan.

Devlin had niet veel meer mazzel gehad dan Frank. Hij had een lijnvliegtuig genomen, dat ook geruime tijd aan de grond had moeten blijven staan. Toen hadden ze in Hyannis nog eens een oponthoud van veertig minuten gehad. Pas na zevenen was Devlin op Vineyard geland. Daarna had hij eerst nog op zijn wapen moeten wachten, dat hij had moeten afgeven voordat hij aan boord ging. Toen hij de Charlotte Inn bereikte, was het al tegen negenen.

'Mevrouw?' zei hij tegen de vrouw bij de receptie, die had zitten lezen bij het licht van een antieke koperen lamp.

Devlin wist dat hij er nog beroerder uitzag dan normaal door zijn grote wond. Omdat ze in het ziekenhuis heel wat haar hadden moeten afknippen om die wond fatsoenlijk te kunnen ontsmetten, had hij geen paardestaartje kunnen maken.

De vrouw schrok inderdaad toen ze opkeek en hem zag.

'Ik zou graag een paar inlichtingen willen hebben over gasten van u,' zei Devlin zo beleefd mogelijk. 'Helaas kan het zijn dat ze zich onder een andere naam hebben laten inschrijven. Een van hen is een jonge vrouw die naar de naam Kelly Everson luistert. De andere is een man van een jaar of veertig. Hij is arts en heet Jeffrey Rhodes.'

'Het spijt me, maar we verstrekken geen informatie over onze gasten,' zei de vrouw kortaf. Ze was opgestaan en had een stap naar achteren gedaan, alsof ze bang was dat Devlin haar bij de schouders zou pakken om de informatie uit haar te schudden.

'Dat is jammer. Misschien zou u me dan kunnen vertellen of een grote, te zware man met donker haar en diepliggende ogen hier navraag heeft gedaan naar dezelfde twee mensen. Hij heet officieel Frank Feranno, maar de kans is groot dat hij een andere naam heeft gebruikt.'

'Misschien kan ik er beter even de manager bijhalen,' zei de vrouw.

'Dat hoeft niet. Is die man hier geweest? Hij is vrij lang.'

'Er is hier wel een zekere Frank Everson geweest, een neef van mevrouw Everson. Maar geen Frank Feranno. In ieder geval niet terwijl ik dienst had.'

'En wat heeft u tegen die zogenaamde neef gezegd? Dat kunt u me toch wel vertellen?'

'Ik heb hem gezegd dat de Eversons naar alle waarschijnlijkheid op de begraafplaats zijn.'

Devlin knipperde met zijn ogen en keek de vrouw even strak aan. Ze leek de waarheid te spreken. De begraafplaats? Wat was dit nu weer voor een bizarre wending?

'Wat is de snelste weg naar de begraafplaats?' vroeg Devlin. Wat er

ook gaande was, hij had het gevoel dat hij niet veel tijd meer had.
'Deze straat uit en dan de eerste afslag rechts. Het kan niet missen,'
zei de vrouw.
Devlin bedankte haar en rende snel terug naar zijn auto.

Jeffrey keek toe hoe Seibert de lever van Henry Noble in zijn linkerhand hield, op armlengte, zodat er niets op zijn kleren zou druppelen. Toen maakte hij de plastic zak weer open, liet de lever erin
vallen en knoopte de zak dicht.
Net toen Seibert hem in de borstholte terug wilde leggen, zei
iemand: 'Wat is hier verdomme gaande?'
Iedereen keek op en ze zagen een man de lichtcirkel in komen. Hij
had een zwarte broek, een wit overhemd, een trui en een donker
windjack aan. In zijn hand hield hij een wapen vast.
'Mijn god!' zei Frank toen hij de geopende kist zag. Hij werd
meteen weer misselijk.
Jeffrey herkende hem direct als een van de mannen die hij op de
boulevard bij de Hatch Shell had gezien, en bij de kerk. Hoe had hij
hen weten te vinden? En wat wilde hij?
Jeffrey wenste dat hij een wapen bij zich had om zich te verdedigen.
Frank kokhalsde. Hij drukte zijn vrije hand tegen zijn mond en
gebaarde Jeffrey en Seibert met zijn wapen het graf uit te
klauteren.
Seibert deed dat meteen en vroeg zich af of de man soms familie
van Henry Noble was. 'Ik ben een patholoog-anatoom,' zei hij met
een stem vol gezag, in de hoop zo de situatie in de hand te krijgen.
Seibert had wel eens eerder met woedende familieleden te maken
gehad. Niemand stond te springen om een autopsie, en al zeker
naaste bloedverwanten niet. Hij ging tussen Frank en de anderen in
staan.
Jeffrey had gezien dat Frank misselijk werd bij het kijken naar het
lijk en pakte zo snel hij kon de zak met de inwendige organen op.
Daarmee klauterde hij het graf uit en hield hem toen half achter
zijn rug verborgen.
'Ik heb geen enkele belangstelling voor jou,' zei Frank tegen Warren. 'Hierheen komen, dokter Rhodes.'
Frank pakte zijn wapen over in zijn andere hand, om de injectiespuit uit zijn zak te kunnen pakken. 'Omdraaien!' beval hij Jeffrey.
'Vinnie, zorg jij....'
Jeffrey zwaaide de plastic zak met beide handen door de lucht en

liet die zo krachtig mogelijk op Franks hoofd neerdalen. De zak scheurde direct en Frank viel op de grond. De injectiespuit belandde in de omgespitte aarde en het wapen viel het geopende graf in.

In eerste instantie wist Frank niet goed waardoor hij was getroffen. Toen begon hij verschrikkelijk over te geven en probeerde de smurrie van zijn schouders en hoofd te vegen.

Jeffrey had nog altijd de lege zak vast toen Vinnie naar voren rende, de lichtcirkel in. Hij was gespannen en zenuwachtig en hield zijn wapen met beide handen vast. 'Allemaal doodstil blijven staan!' schreeuwde hij. 'Als iemand zich ook maar even beweegt, is hij er geweest!'

Jeffrey had Franks makker niet gezien. In dat geval zou hij Frank waarschijnlijk niet hebben aangevallen.

Vinnie hield zijn wapen op de groep gericht, terwijl hij behoedzaam in de richting van Frank liep, die op wankele benen overeind was gekomen.

'Alles met jou in orde, Frank?'

'Waar is mijn pistool, verdomme?'

'Dat is in het graf gevallen.'

'Pak het!' beval Frank, die zijn jack heel voorzichtig uittrok en toen snel op de grond smeet.

Vinnie keek zenuwachtig het graf in en zag het wapen tussen de knieën van het lijk liggen.

'Ik ben nog nooit in een graf geweest,' zei Vinnie.

'Pak dat pistool!' schreeuwde Frank. Toen keek hij woedend naar Jeffrey en zei: 'Rotzak, dacht je nu echt dat je dit ongestraft kon doen?'

'Allemaal doodstil blijven staan!' zei Vinnie nogmaals. Toen sprong hij het graf in. Zijn hoofd stak nog boven de rand uit en hij hield zijn wapen strak gericht op Chester, die op wankele benen tussen Kelly en Martin in stond. Harvey stond links van Martin. Jeffrey stond dichter bij Frank, en Seibert stond tussen Frank en de anderen in.

Toen Vinnie zich voorover boog om het wapen te pakken, gokte Jeffrey op twee dingen. In de eerste plaats dat hij in het duister zo snel zou kunnen verdwijnen dat Vinnie hem niet kon neerschieten. In de tweede plaats dat beide mannen achter hem aan zouden gaan, omdat ze hèm wilden hebben, en de anderen met rust zouden laten. Dat laatste bleek echter niet te kloppen.

Terwijl Jeffrey in de duisternis wegrende, hoorde hij Frank naar

Vinnie brullen: 'Gooi me dat wapen toe, zak!'

Het duurde even voordat Jeffrey's ogen aan het donker waren gewend. Toen merkte hij dat de duisternis minder intens was dan hij had gedacht. De lichten van de stad werden door het vochtige gras weerkaatst en de silhouetten van de grafstenen brachten hem op een griezelige manier in herinnering dat hij zich te midden van doden bevond.

Opeens liep hij vrijwel tegen een geparkeerde, donkere wagen op. Hij keek of het contactsleuteltje in het slot stak. Dat bleek niet het geval te zijn. Toen keek hij even over zijn schouder en zag Frank Feranno zijn kant op komen. Vinnie was achtergebleven, om de anderen in de gaten te houden.

Jeffrey rende verder, wetend dat Frank ondanks zijn zeer forse gestalte uiterst lenig en heel snel was. Hij dacht niet dat hij veel sneller kon lopen dan Feranno, dus moest hij iets bedenken. Zou hij het kunnen volhouden tot hij het centrum van de stad had bereikt? Op een zaterdagavond moesten daar toch nog wel wat mensen rondlopen, al was het toeristenseizoen dan ook voorbij.

Achter hem hoorde Jeffrey een schot. Frank had op hem gevuurd en Jeffrey hoorde de kogel rakelings langs zijn hoofd suizen. Hij draaide linksom, de weg rond de begraafplaats af.

Daarna rende hij gebogen verder, tussen de grafstenen door, omdat hij geen al te gemakkelijk doelwit wilde zijn. Hij had het gevoel dat het Frank nu niet zoveel meer kon schelen of hij hem dood of levend te pakken kreeg. Op een gegeven moment struikelde hij bijna en moest zich vasthouden aan een obelisk om niet te vallen. Het ding begon meteen te wankelen en op dat moment vuurde Feranno opnieuw.

De kogel raakte de obelisk, net onder Jeffrey's arm. Jeffrey zag dat de man hem heel snel aan het inhalen was.

Hij rende verder en raakte steeds meer in paniek. Het ademhalen ging hem moeite kosten en hij kreeg last van steken in zijn zij. Hij voelde zich verloren op die begraafplaats en wist niet meer welke kant hij op moest als hij het centrum van de stad wilde bereiken.

Vanuit zijn ooghoeken zag hij een aantal bouwsels die naar zijn idee mausolea moesten zijn. Impulsief besloot hij die kant op te gaan. Zodra hij ze had bereikt, dook hij ertussen weg. Toen liep hij gebukt verder. Op een gegeven moment bleef hij staan en keek om. De man was nog geen vijftien meter van hem vandaan, bleef voor het eerste mausoleum staan en draaide toen Jeffrey's kant op. Even later kon hij hem opeens niet meer zien.

Jeffrey probeerde te bedenken wat hij nu zou moeten doen. Eén verkeerde beweging en hij zou vrijwel zeker aan de genade van Feranno zijn overgeleverd, en na die laatste aanvaring had hij niet het idee dat die genade erg groot zou zijn.

Opeens zag Jeffrey een mausoleum dat ouder leek te zijn dan de andere. Zelfs in het donker kon hij zien dat de ijzeren deur op een kiertje stond. Jeffrey rende erheen en duwde de deur net ver genoeg open om het koele interieur te kunnen betreden. Toen wilde hij de deur sluiten, maar die schuurde met veel lawaai over de vloer en dus hield hij daar direct mee op.

Hij keek eens om zich heen. Het enige licht kwam naar binnen via een ovaal raampje hoog in de achtermuur van het mausoleum.

Voorzichtig liep hij erheen en ging op zijn hurken in een van de hoeken zitten. Toen zijn ogen aan het donker waren gewend, kon hij de verticale lichtstreep bij de deur zien.

Hij wachtte en spitste zijn oren. Geen geluid te horen. Na een minuut of vijf begon hij zich af te vragen hoe lang hij nog moest wachten voordat hij het kon wagen weer naar buiten te gaan.

Toen werd de deur van het mausoleum opengetrapt. Hij denderde tegen de stenen muur aan en Jeffrey vloog overeind.

Er werd een aansteker aangedaan en Jeffrey kon Feranno's dikke gezicht zien. 'Mijn hemel, komt dat even mooi uit!' zei de man. 'Je bent al in een crypte!' Zijn sardonische grijnsje veranderde in een sneer, terwijl hij op zijn dooie gemak verder liep, met zijn wapen in zijn ene en de aansteker in zijn andere hand.

Toen Feranno vrij dicht bij Jeffrey was, bleef hij staan en richtte zijn wapen. In het licht van het kleine vlammetje zag Franks gezicht er grotesk uit. De diepliggende oogkassen leken leeg te zijn, zijn tanden hadden een gele kleur.

'Ik werd geacht je levend naar St. Louis te brengen,' zei Feranno, 'maar nu je die vieze troep over me hebt uitgestort, ben ik daar anders over gaan denken. Je zult inderdaad naar St. Louis gaan, maar dan wel in een goedkope lijkkist, makker!'

Voor de tweede maal in evenzo vele dagen moest Jeffrey hulpeloos toezien hoe het wapen vakkundig werd gericht en de vinger zich om de trekker spande.

'Frank!' De schorre stem werd door de muren van het mausoleum weerkaatst.

Frank draaide zich bliksemsnel om en er weerklonk een schot. Toen een tweede. Jeffrey liet zich op de grond vallen. Franks aansteker ging uit. Daarna werd het doodstil en pikdonker.

Jeffrey bleef beweginloos liggen, met zijn handen tegen zijn hoofd gedrukt en zijn gezicht op de koude vloer. Toen hoorde hij het afstrijken van een lucifer.

Voorzichtig keek hij op en zag Frank op zijn buik voor hem op de grond liggen. Zijn pistool lag net buiten zijn bereik. Achter Feranno zag Jeffrey een paar benen. Hij keek verder omhoog en zag Devlin O'Shae staan.

'Wat een verrassing! Mijn lievelingsarts!' zei Devlin sarcastisch. Ook hij had een wapen in zijn hand.

Moeizaam krabbelde Jeffrey overeind. Devlin liep dichter op Frank af en draaide hem met een voet op zijn rug. Toen boog hij zich voorover. 'Verdomme! Ik heb te goed gemikt. Ik had hem niet dood willen schieten. Tenminste, dat denk ik.' Devlin ging weer rechtopstaan en wendde zich tot Jeffrey. 'Pas op, ditmaal geen injecties!' waarschuwde hij.

Jeffrey ging tegen de muur aan staan, want Devlin zag er nog gevaarlijker uit dan Feranno.

'Hoe vind je mijn nieuwe haardracht?' vroeg Devlin. 'Heb ik te danken aan die vent die daar op de grond ligt. Luister, dokter. Ik heb een goed bericht voor je en een slecht bericht. Wat wil je als eerste horen?'

Jeffrey haalde zijn schouders op. Hij wist dat het nu allemaal voorbij was. Het speet hem alleen dat Devlin precies was komen opdagen op het moment dat ze bijna resultaat in handen hadden.

'Kom op, we hebben niet de hele avond de tijd,' zei Devlin. 'Daar buiten is nog een tweede boef, die je vrienden onder schot houdt. Wil je eerst het goede, of eerst het slechte nieuws horen?'

'Het slechte,' zei Jeffrey. Hij vroeg zich af of Devlin hem nu meteen zou neerschieten.

'Ik zou erom hebben durven wedden dat je eerst het goede nieuws had willen horen,' hoorde hij Devlin zeggen. 'Gezien alles wat je hebt meegemaakt, zou je dat best kunnen gebruiken. Nu, het slechte nieuws is dat ik je zal meenemen naar de gevangenis. Ik wil het geld kunnen incasseren dat Mosconi me heeft beloofd. Nu zal ik je het goede nieuws melden. Ik heb enige inlichtingen ingewonnen die er waarschijnlijk wel voor zullen zorgen dat jouw veroordeling ongedaan wordt gemaakt.'

'Waar heb je het over?' vroeg Jeffrey, die zich wat licht in het hoofd voelde.

'Dit is de tijd noch de plaats voor een gezellig babbeltje,' zei Devlin. 'Die ellendeling van een Vinnie D'Agostino staat daar nog op de begraafplaats, met een pistool in zijn hand. Ik wil een afspraak met je maken. Ik wil dat je met me samenwerkt. Dat betekent niet wegrennen, geen injecties en geen klap met een aktentas. Ik zal met die Vinnie afrekenen, zonder dat daar iemand bij gewond raakt, als jij voor een beetje afleiding wilt zorgen. Zodra ik Vinnie eenmaal zijn wapen heb afgenomen, zal ik hem de handboeien omdoen en vastbinden. Daarna roepen we de politie van Edgartown erbij en gaan we met z'n allen een hapje eten. Hoe denk je daarover?'

Jeffrey kon geen woord over zijn lippen krijgen, zo onthutst was hij.

'Kom, dokter. We hebben niet de hele avond de tijd. Afgesproken of niet?'

'Afgesproken!' zei Jeffrey.

De Charlotte Inn had een aardig restaurant met uitzicht op een binnenpleintje met een fontein. De tafels waren gedekt met witlinnen lakens en de stoelen waren comfortabel. Er liepen veel obers en serveersters rond, om ervoor te zorgen dat het de gasten aan niets ontbrak.

Als iemand Jeffrey een paar uur geleden had verteld dat hij deze avond zo gezellig zou zitten eten, zou hij hem voor gek hebben verklaard.

Nu zaten er vier mensen aan het tafeltje. Rechts van hem zat Kelly, die zich nog steeds zorgen maakte, maar er toch stralend uitzag. Links van hem zat Seibert. Die was ook niet volkomen op zijn gemak vanwege de vervalste papieren en het incident op de begraafplaats. Tegenover Jeffrey zat Devlin, de enige die zich wel volledig leek te kunnen ontspannen. Hij had de voorkeur gegeven aan bier boven wijn en was inmiddels al aan zijn vierde glas bezig.

'Dokter,' zei Devlin op een gegeven moment, 'je bent een man met zeer veel geduld. Je hebt me nog steeds niet gevraagd over welke informatie ik beschik en daar zou je toch eigenlijk best wel nieuwsgierig naar moeten zijn!'

'Daar durfde ik niet over te beginnen,' gaf Jeffrey toe. 'Ik ben bang dat alles zich dan weer tegen me keert, en de goede afloop van dit alles teniet wordt gedaan.' Alles was geschied zoals Devlin dat had voorspeld. Jeffrey had veel herrie gemaakt, alsof Feranno en hij bij de huurauto in een hevig gevecht waren verwikkeld. Toen Vinnie die kant op was gelopen om te zien of hij zijn baas kon helpen, had

Devlin hem van achteren te grazen genomen en hem binnen de kortste keren ontwapend.

Vervolgens had hij hem de handboeien omgedaan en die weer vastgemaakt aan de handvatten van de kist. 'Zo kunnen jullie elkaar aangenaam gezelschap houden,' had hij gezegd.

Daarna waren ze allemaal teruggegaan naar de Charlotte Inn, waar Devlin, zoals hij had beloofd, de politie van Edgartown had opgebeld. Chester, Marvin en Harvey waren eveneens voor het diner uitgenodigd, maar hadden de uitnodiging in dank afgeslagen, omdat ze er de voorkeur aan hadden gegeven thuis bij te komen van de angstige belevenissen op de begraafplaats.

'Dan zal ik het je uit eigener beweging maar vertellen, of je dat nu prettig vindt of niet,' zei Devlin. 'Eerst wil ik echter nog een paar algemenere opmerkingen maken. In de eerste plaats wil ik mijn excuses aanbieden voor het feit dat ik in dat zesderangs hotel op je heb geschoten. Ik was op dat moment pisnijdig en bovendien dacht ik dat je een echte misdadiger was. Als kind heb ik leren haten, weet je. Maar na verloop van tijd ben ik beetje bij beetje meer over jouw geval aan de weet gekomen. Mosconi was in dat verband nu niet direct behulpzaam, dus het was niet makkelijk. In ieder geval wist ik dat er iets bijzonders aan de hand moest zijn toen jij je niet langer gedroeg als een ordinaire voortvluchtige. Op het moment dat Frank Feranno ten tonele verscheen, was ik er zeker van dat er iets heel eigenaardigs aan de hand was, vooral toen ik hoorde dat die vent vijfenzeventigduizend dollar kon incasseren als hij jou op een vliegtuig met bestemming St. Louis zou zetten. Daar begreep ik werkelijk helemaal niets van, tot ik ontdekte dat de mensen die Frank in de arm hadden genomen, jou aan de tand wilden voelen over hoeveel jij inmiddels wist over hun zaken.

Op dat moment besloot ik uit te vissen wie die kerels van buiten de stad, die kennelijk geld te veel hadden, waren. Ik nam aan dat het iets met drugs te maken had, maar al snel werd het me duidelijk dat dat niet het geval was. Nu komt het deel van mijn verhaal dat jij zonder enige twijfel heel interessant zult vinden. Wat zeg jij wanneer ik je vertel dat de man die Frank Feranno heeft ingehuurd, een zekere Matt Davidson is? Een zekere Matt Davidson uit St. Louis?'

Jeffrey liet zijn lepel uit zijn hand vallen en keek Kelly aan. 'De Matt in dat adresboekje van Harding,' zei ze.

'Meer dan dat,' zei Jeffrey, die zijn duffelse tas onder de tafel vandaan haalde. Daar viste hij enige papieren uit, waaronder de kopieen van de rechtbankverslagen die hij had gemaakt. Die liet hij aan iedereen zien.

Jeffrey wees op de naam Matthew Davidson. Het was de man die als advocaat was opgetreden voor de mensen die de arts van het Suffolk General Hospital hadden aangeklaagd. 'Matthew Davidson was ook de advocaat van de tegenpartij tijdens de processen die tegen mij zijn gevoerd.'

Kelly pakte de kopie van de rechtszaak tegen de arts van het Commonwealth. 'De advocaat hier is dezelfde die het proces tegen mijn man aanhangig had gemaakt, een zekere Sheldon Faber, die, als ik het me goed herinner, eveneens in St. Louis woont.'

'Ik moet even iets nagaan,' zei Jeffrey, die opstond. 'Devlin, blijf maar rustig zitten, ik ben zo weer terug.'

Jeffrey liep naar een telefoon, belde Inlichtingen en vroeg naar de nummers van de kantoren van de beide advocaten. Ze bleken identiek te zijn!

Jeffrey liep terug naar het tafeltje. 'Davidson en Faber zijn partners. Trent Harding moet voor hen hebben gewerkt. Kelly, je had gelijk. Het was een samenzwering. Die twee advocaten hebben al die ellende georganiseerd, om hun eigen zakken eens lekker te kunnen spekken.'

'Tot die conclusie was ik ook al gekomen,' bevestigde Devlin en lachte. 'Natuurlijk is het algemeen bekend dat sommige juristen er in dit land een gewoonte van hebben gemaakt meteen achter iedere ambulance aan te scheuren, maar dit spant de kroon. Die kerels zorgen zelf voor ongelukken. Het hoeft natuurlijk geen betoog dat dit van grote invloed zal zijn op de uitspraak wanneer jij eenmaal in hoger beroep bent gegaan, Rhodes.'

'En daarmee zijn we beland bij het aandeel dat ik zal moeten leveren,' zei Seibert, 'samen met mijn gaschromatograaf. Die advocaten hadden Trent Harding dus kennelijk in de arm genomen om te knoeien met ampullen Marcaine en ervoor te zorgen dat die op de operatieafdeling van een ziekenhuis terechtkwamen. Het enige dat ik kan zeggen, is dat ik hoop dat Henry Noble ons postuum nog ter wille zal zijn. Ik zal die toxine moeten zien te isoleren.'

'Ik vraag me af of die kerels soortgelijke acties in andere steden hebben opgezet,' zei Kelly.

'Het zou kunnen. Dat is natuurlijk afhankelijk van de vraag of ze nog andere psychopaten als Trent Harding hebben kunnen vinden.' Hij schudde zijn hoofd.

'Ik heb altijd al een grondige hekel aan advocaten gehad,' verklaarde Devlin met grote nadruk.

'Kelly, je begrijpt toch zeker wel wat dit betekent?' vroeg Jeffrey, die opeens zijn emoties nauwelijks meer onder controle kon houden.

Kelly glimlachte. 'Geen reisje naar Zuid-Amerika.'

Jeffrey sloeg zijn armen om haar heen. Hij kon eigenlijk nog steeds niet geloven dat de problemen zo plotseling waren opgelost. Hij zou zijn normale leven kunnen leiden, samen met de vrouw van wie hij was gaan houden.

'Hé!' riep Devlin naar een van de obers. 'Ik wil nog een biertje hebben en misschien zouden jullie een fles champagne kunnen laten aanrukken voor die twee tortelduifjes?'

Epiloog

Maandag 29 mei 1989, half twaalf 's morgens

Randolph zette zijn bril wat beter op zijn neus om goed te kunnen lezen. Toen schraapte hij zijn keel. Jeffrey zat aan de eenvoudige eiken tafel tegenover hem en trommelde zenuwachtig met zijn vingers op het tafelblad. Randolphs leren aktentas stond bovenop die tafel, rechts van Jeffrey, die er naast allerlei papieren ook een paar gymschoenen in zag zitten.

Jeffrey had een lichtblauw denim overhemd aan en een donkerblauwe katoenen broek. Zoals Devlin al had aangekondigd, had hij Jeffrey mee teruggenomen naar Boston en hem daar overgedragen aan het bevoegd gezag.

Jeffrey had niet genoten van zijn gevangenschap, maar wel geprobeerd er het beste van te maken. Zodra hij neerslachtig dreigde te worden, hield hij zichzelf direct voor dat dit slechts tijdelijk was. Hij was zelfs weer basketball gaan spelen, iets dat hij sinds zijn middelbare schooltijd nooit meer had gedaan.

Na het feestelijke etentje in de Charlotte Inn had Jeffrey contact opgenomen met Randolph. Dat was nu meer dan een week geleden gebeurd en Randolph had hem beloofd dat alles binnen de kortste keren in orde zou zijn. Jeffrey was inmiddels behoorlijk ongeduldig geworden.

'Ik weet dat jij alles het liefste binnen vierentwintig uur geregeld zou willen hebben,' zei de jurist, 'maar het recht moet nu eenmaal zijn loop hebben en gewoonlijk gaat dat niet zo snel.'

'Breng me dan maar op de hoogte van alles wat je tot nu toe hebt bereikt,' zei Jeffrey.

'Ik heb nu officieel drie moties ingediend,' zei Randolph. 'Het belangrijkste is dat er een nieuw proces aanhangig zal worden gemaakt. Ik heb het verzoek dienaangaande gericht tot rechter Janice Maloney en haar gevraagd de eerdere uitspraak ongedaan te maken omdat er tijdens dat proces fouten zijn gemaakt.'

'Allemaal leuk en aardig, maar die fouten zijn nu toch eigenlijk nauwelijks van belang meer? Het gaat erom dat twee juristen hun eigen zakken hebben gespekt door iemand in de arm te nemen die tot moorden bereid was.'

Randolph zette zijn bril af. 'Jeffrey, mag ik alsjeblieft mijn verhaal afmaken? Ik besef best dat je ongeduldig bent; je hebt daar natuurlijk ook alle reden toe.'

'Oké.'

Randolph zette zijn bril weer op, keek naar zijn aantekeningen en schraapte nogmaals zijn keel.

'Zoals ik al heb gezegd, heb ik een nieuw proces aangevraagd wegens fouten die tijdens het eerste proces zijn gemaakt en vanwege het feit dat er nieuw bewijsmateriaal beschikbaar is gekomen. Jeffrey, het is helaas nu eenmaal zo dat er binnen een situatie als de jouwe bepaalde procedures in acht moeten worden genomen. Ik moet de rechtbank duidelijk maken dat het nieuwe bewijsmateriaal niet iets is dat ik boven tafel had kunnen krijgen wanneer ik er destijds heel ijverig naar op zoek was gegaan. Er wordt niet zomaar een nieuw proces toegestaan als een jurist zijn werk niet naar behoren heeft gedaan. Begrijp je dat?'

Jeffrey knikte.

'Verder heb ik gevraagd de uitspraak van het eerste proces te herzien, ook omdat er nieuw bewijsmateriaal beschikbaar is gekomen.'

Jeffrey hief zijn ogen wanhopig ten hemel.

'De derde motie betreft een nieuwe aanvraag om jou op borgtocht vrij te laten. Ik heb al met rechter Maloney gesproken en haar duidelijk gemaakt dat je niet echt voor de justitie op de vlucht was, maar een lovenswaardig en uiteindelijk ook succesvol onderzoek hebt ingesteld dat heeft geleid tot het vinden van zeer belangrijk nieuw bewijsmateriaal.'

'Ik denk dat ik dat wel wat simpeler had kunnen verwoorden,' zei Jeffrey. 'En wat had die vrouw daarop te zeggen?'

'Ze zei dat ze de motie in overweging zou nemen.'

'Geweldig!' zei Jeffrey sarcastisch. 'Terwijl ik hier in de gevangenis zit weg te rotten, zal zij de motie in overweging nemen. Werkelijk schitterend! Als alle juristen van baan zouden veranderen om arts te worden, waren alle patiënten al overleden voordat de noodzakelijke formulieren waren ingevuld!'

'Je moet geduld hebben,' zei Randolph, die aan het sarcasme van Jeffrey gewend was. 'Ik denk dat er morgen wel uitspraak zal worden gedaan over invrijheidstelling op borgtocht. De andere kwesties zullen wat meer tijd in beslag nemen. Juristen kunnen, evenmin als artsen, garanties geven, maar ik ben ervan overtuigd dat je van alle blaam zult worden gezuiverd.'

'Dank je. Hoe zit het met Davidson en de zijnen?'

'Ik ben bang dat dat een ander verhaal is,' zei Randolph met een diepe zucht. 'We zullen natuurlijk samenwerken met de openbare aanklager in St. Louis, die me heeft verzekerd dat er een onderzoek zal worden ingesteld. Ik ben echter bang dat de kans dat die kerels echt zullen worden aangeklaagd, gering is. Er zijn geen onomstotelijke bewijzen van een zakelijke relatie tussen Davidson en Trent Harding. Het enige dat in die richting wijst, is de naam plus het telefoonnummer in Hardings adresboekje. Ook kan er geen direct verband worden *bewezen* tussen Trent Harding en de batrachotoxine die dokter Warren Seibert bij alle slachtoffers heeft aangetroffen nadat hij die toxine uit de galblaas van Henry Noble had kunnen isoleren. Nu Frank Feranno dood is en ook een verband tussen hem en Davidson niet onomstotelijk bewezen kan worden, is de zaak tegen Davidson en Faber op zijn zachtst gezegd niet sterk.'

'Ik kan mijn oren niet geloven,' zei Jeffrey. 'Dus Davidson en zijn collega's kunnen straks weer gewoon aan de slag, behalve dan dat ze Boston wel links zullen laten liggen?'

'Dat weet ik niet. Zoals gezegd, er zal een onderzoek worden ingesteld, maar als er geen nieuw, overtuigend bewijsmateriaal boven water komt, bestaat de kans dat Davidson iets dergelijks nog eens zal proberen. Het kan voor een kantoor als het zijne nu eenmaal een zeer lucratieve bezigheid zijn. Misschien dat ze eens een fout zullen maken. Wie zal het zeggen?'

'En hoe zit het met mijn echtscheiding?' vroeg Jeffrey. 'Heb je wat dat betreft wellicht enige vooruitgang te melden?'

'Ik ben bang dat je op dat terrein ook nog wel eens problemen zult kunnen krijgen,' zei Randolph en stopte alle papieren weer in zijn aktentas.

'Waarom?' vroeg Jeffrey. 'Carol en ik zijn het overal over eens. We zijn beiden akkoord gegaan met een echtscheiding en alles is tot dusverre in alle rust geregeld.'

'Dat is mogelijk, maar nu heeft je vrouw Hyram Clark in de arm genomen als advocaat.'

'Wat maakt dat nu uit?'

'Hyram Clark probeert altijd het onderste uit de kan te halen. Hij zal zelfs het zilver waarmee je kiezen zijn gevuld willen laten taxeren. Dus moeten we op alles voorbereid zijn en een even agressieve jurist in de arm nemen.'

Jeffrey kreunde luid.

Randolph lachte. 'Er zijn gelukkig ook nog leukere dingen in het leven, nietwaar? Wat ben je van plan verder te gaan doen?' Randolph stond op.

Jeffrey's gezicht klaarde meteen op. 'Zodra ik weer in vrijheid ben gesteld, gaan Kelly en ik op vakantie. Ergens naar een plekje met heel veel zon. Waarschijnlijk het Caraïbisch gebied.' Jeffrey stond eveneens op.

'En de verdère uitoefening van je beroep?' informeerde Randolph.

'Ik heb al gesproken met de mensen van het Memorial en binnen zeer korte tijd zou ik daar weer aan de slag kunnen gaan.'

'Ga je dat ook echt doen?'

'Ik denk het niet. Kelly en ik zijn serieus van plan naar een andere staat te verhuizen.'

'O? Dus jullie willen bij elkaar blijven?'

'Reken maar!' bevestigde Jeffrey met een stralende glimlach.

'Misschien moet ik dan vast maar eens een akte voor jullie gaan opmaken? Een soort samenlevingsovereenkomst, om toekomstige problemen voor te zijn?'

Jeffrey keek Randolph vol ongeloof aan, maar toen zag hij hoe de lippen van de jurist zich tot een glimlach plooiden.

'Grapje!' zei Randolph. 'Waar is je gevoel voor humor gebleven?'

Lees ook van A.W. Bruna Uitgevers B.V.

Robin Cook

BREIN

Martin Philips, radioneuroloog, krijgt steeds meer
het vermoeden dat het ogenschijnlijk zo perfect
functionerende ziekenhuis waar hij werkt,
in werkelijkheid het toneel is van gruwelijke
experimenten. Vijf patiënten met kleine medische
problemen eindigen in gekoelde kelderruimtes.
Lijden zij aan een vreemde vorm van multiple
sclerose?
En waarom is er radio-actief materiaal in hun hersen-
cellen aanwezig? Of, in het geval Lisa Marino, blijkt
bij autopsie haar gehele schedelinhoud verdwenen te
zijn? Het verband tussen alle stukjes van de
legpuzzel is veel afschuwelijker dan Philips zich in
zijn donkerste fantasieën kan voorstellen...

ISBN 90 229 449 2317 X

Tom Clancy

Operatie Rode Storm

Door een aanslag wordt er grote schade toegebracht aan de rijkste Russische olievelden in West-Siberië. Het olietekort wordt zo nijpend, dat de Russen besluiten de gebieden rondom de Perzische Golf te bezetten en tegelijk West-Europa onder de voet te lopen om NAVO-interventie te voorkomen. De legertop krijgt exact vier maanden de tijd om deze gigantische aanval, die met Operatie Rode Storm wordt aangeduid, voor te bereiden.

De weken gaan voorbij en haast onvermijdelijk lekt er iets van het Russische plan uit. De hele wereld gonst van de geruchten en het Westen probeert krampachtig te ontdekken wat er ècht achter al die verhoogde Russische activiteit zit, ondanks het briljante misleidingsprogramma.

Operatie Rode Storm geeft een voortreffelijk inzicht in moderne oorlogvoering. Tom Clancy weet als geen ander grootscheepse militaire ondernemingen te combineren met heldhaftige eenmansacties.

Onvoorstelbaar uithoudingsvermogen en menselijk vernunft nemen het op tegen uiterst geavanceerde onderzeeërs, kruisraketten en vliegtuigen.

Operatie Rode Storm is een spannende, angstaanjagende thriller en... huiveringwekkend voorstelbaar.

ISBN 90 229 7897 4

Lees ook van A.W. Bruna Uitgevers B.V.

Tom Clancy

De Colombia Connectie

De Colombiaanse drugsmafia ruimt twee tegenstanders uit de
weg. Op zich geen opzienbare gebeurtenis - de doodseskaders
slaan dagelijks toe - ware het niet dat het in dit geval twee
hooggeplaatste VS-functionarissen betreft. Een zaak dus met
internationale gevolgen. Het doel van de actie is evenwel
duidelijk: de machtige drugsbaronnen geven ermee te kennen
inmenging van de Amerikaanse overheid en het intensieve
ingrijpen van de narcoticabrigades meer dan beu te zijn.
Onmiddellijk gaan de Verenigde Staten tot tegenactie over. In
het diepste geheim worden under-coverteams naar Colombia
overgebracht en ook op het thuisfront zet men het
tegenoffensief in: gewapend met alle technologische middelen
die hun ter beschikking staan, en dat zijn de meest
geavanceerde ter wereld, binden deskundigen de strijd aan
met het drugssyndicaat.
Maar onvermijdelijk dringen zich vragen op: Wie of wat is
eigenlijk de èchte vijand? En: Zijn de consequenties van een
tè harde tegenactie nog wel te overzien? Deze en tal van
andere vragen zijn het, die onder anderen Jack Ryan,
historicus, ex-marinier en CIA-medewerker, de nodige
hoofdbrekens kosten. Samen met zijn obscure tegenhanger, de
schimmige Mr. Clark, gaat hij op zoek naar de antwoorden.
Wat ze verwachten is een gevaar van buitenaf, maar het
gevaar van binnenuit zou wel eens een veel ernstiger
bedreiging kunnen zijn...

ISBN 90 229 7868 0

Lees ook van A.W. Bruna Uitgevers B.V.

Frederick Forsyth

De onderhandelaar

De zoon van de president van de Verenigde Staten
wordt door een internationale bende misdadigers
ontvoerd. Slechts één man is in staat om met deze
professionals te onderhandelen: Quinn.

Maar Quinn – de man die ooit wereldfaam genoot als
onderhandelaar in de meest geruchtmakende
ontvoeringszaken – leeft in afzondering in de heuvels
van Andalusië sinds de dramatische afloop van zijn
laatste zaak, toen hij begreep hoe weinig waarde de
wereld hecht aan het leven van een kind.
Toch laat hij zich, onder druk van de autoriteiten,
overhalen tot deze speciale opdracht, op voorwaarde
dat het belang van de jongen voorop wordt gesteld.
Door zijn onconventionele werkwijze jaagt hij zowel de
FBI als de CIA tegen zich in het harnas, maar
desondanks weet hij de onderhandelingen in goede
banen te leiden. Tot het moment dat de zaak een
gruwelijke wending neemt, die hem doet beseffen dat
het lot van de jongen slechts inzet was van een wereld-
omvattend politiek komplot waarvan hij de reikwijdte
met geen mogelijkheid kan overzien.

ISBN 90 229 7844 3